J. M. A. Biesheuvel
Duizend vlinders
Verhalen

Meulenhoff Amsterdam

Eerste druk 14.000 exemplaren, maart 1981
Tweede druk, april 1981
Derde druk, september 1981

Grafische vormgeving Joost van de Woestijne
Foto op de achterzijde van het omslag Dirk Ketting
Druk Alberts, Sittard

ISBN 90 290 1126 2

Boeken van J.M.A. Biesheuvel

In de bovenkooi. Verhalen
(Meulenhoff)
Slechte mensen. Verhalen
(De Harmonie)
Het nut van de wereld. Verhalen
(De Harmonie)
De Weg naar het Licht. Verhalen
(Meulenhoff)
De verpletterende werkelijkheid. Verhalen
(Meulenhoff)
Duizend vlinders. Verhalen
(Meulenhoff)

Meulenhoff Editie

'Je moet niet te veel van het leven genieten, als je er echt van wilt genieten.' – Vladimir Nabokov

Voor Vera Beths, Werner Herbers en Katja

Inhoud

Merel

Een paar maanden geleden zat ik met een verhaal waar ik maar niet uitkwam. Ik had het idee in mijn hoofd, ook de dialogen maar ik kon de sfeer niet tekenen. Ik begon veertien keer achter elkaar aan hetzelfde verhaal. Toen kwam mijn vrouw op mijn kamer om te vragen of ik het avondeten wilde gebruiken. Wat mij anders nooit overkomt gebeurde nu: ik was woedend. 'Wat eten?' riep ik, 'dat is onzin, er moet gewerkt worden en keihard, ik zal niet eerder eten voor ik dit verhaal af heb. Nietsnutten verdienen geen eten!' Mijn vrouw hield aan, ze probeerde me vriendelijk te overreden. Dat werkte nog meer op mijn zenuwen. Ik wierp van woede de schrijfmachine op de grond, greep mijn vrouw en sprak ontzet: 'Ik kan het niet meer, nu heeft het leven ook geen zin meer voor me.' 'Je schrijft nu al tien jaar achter elkaar,' merkte mijn vrouw op, 'je neemt nooit tijd voor vakantie. Zo raak je ook helemaal op. Jij moet er eens uit, misschien dat er dan een frisse wind door je geest gaat waaien, want zo raak je helemaal in een denkkramp. Als je zo doorgaat word je nog krankzinnig. Jij bent gewoon bezeten van schrijven.' Ik aarzelde aanvankelijk en toen begon ik naar haar te luisteren. Ik moest mezelf bekennen dat ik inderdaad een wonderlijke kluizenaar was geworden, somber en melancholiek, altijd maar op mijn kamertje. Tijdens het eten gaf ik haar gelijk en ik besloot te gaan reizen. 'Je moet net zolang wegblijven tot je weer helemaal de oude bent,' zei mijn vrouw, 'ik zal je missen en voor de poezen en hond Mikkie is het ook niet leuk, maar het is beslist het beste voor jou.' Drie dagen later vertrok ik naar Engeland. Ik logeerde bij een vriend in Norfolk en fietste daar vijf à zes uur per dag. Het was een heerlijk rustig landschap met weggetjes zonder auto's. Ik zag hazen, konijnen, fazanten, egels en patrijzen en licht glooiende velden vol gerst en koren. Ik fietste overdag en las des avonds. Ik at er goed van en genoot van mijn leven. Dat hield ik twee weken uit. Toen ging ik naar een vriend in Brussel. Ik bleef daar een week en ging twee avonden naar de bioscoop en een andere keer naar een uitvoering van werken van Brahms in de kathedraal van Leuven. Voor de rest zat ik op terrasjes en praatte met mijn vriend en zijn vrouw. Ik was jaren niet in het buitenland geweest. Amerika, bijvoorbeeld, had ik nog nooit gezien en daarom vloog ik een week later naar New York. Ik zag dat daar het wegdek slecht was en dat er hier en daar stoom uit het asfalt kwam, ik kocht veel boeken en langspeelplaten, ik keek op mijn hotelkamer naar televisieprogramma's, ik schaakte in het park met Amerikanen en zag de twaalfduizend gele taxi's op het eiland Manhattan rijden. Ik danste en genoot van het nachtleven. Ik wandelde de hele dag en bezichtigde minstens twaalf musea. Op het hoogste punt van de stad telefoneerde ik met mijn vrouw, ze moest ervoor uit bed komen. Ze haalde Mikkie aan de lijn en via een satelliet praatte ik, met uitzicht over de nieuwe wereld en de oceaan, met mijn hond, dat was ontroerend. Ik at er Chinees, Mexicaans, Braziliaans, Italiaans en Amerikaans. Ik zocht kennissen op en leerde heel wat uitdrukkingen. Ik kwam eenvoudig niet meer tot schrijven. Soms dacht ik aan mijn gebruikelijke leven: tien jaar had ik dag in dag uit op mijn kamer gezeten, achter die vermaledijde schrijfmachine, proberende om verhalen te verzinnen. Ik had inderdaad recht op vakantie en het mocht wel wat geld kosten. Toen ik New York had gezien, de wolkenkrabbers en de duizenden mensen, de warenhuizen en de bibliotheken, ging ik naar Wenen. Daar wandelde ik en genoot volop. Ik probeerde me te ontspannen. Ik luisterde in de concertzaal naar Mozart en Schubert, die ik allebei bewonder. Ik dronk wijn op terrasjes en rookte sigaren. Daarna wandelde ik twee weken op Schiermonnikoog, ik lag er op het strand en las in een luie stoel Nabokov en Gombrowicz. Om het programma vol te maken toog ik naar Madrid. Daar zag ik het Prado en woonde voor het eerst van mijn leven een katholieke kerkdienst bij. Ik was onder de indruk van de belletjes en de wierook tijdens de mis, het Gregoriaanse gezang was prachtig. Op het balkon van mijn kamer – de deuren naar mijn opengeslagen bed stonden open – dronk ik 's avonds Campari en whisky en zag de Madrilenen in de zoele avondlucht over de boulevards flaneren...

Op een nacht, ongeveer om drie uur, werd ik wakker en hoorde buiten een vogel op een prachtige manier zingen. Ik meende dat het een nachtegaal was. De rillingen liepen over mijn lijf. Zo vaak had ik gelezen over de nachtegaal, ik had hem geschilderd gezien en op foto's, maar nooit had ik hem gehoord. Wat een loopjes, wat een trillers. De tranen stonden in mijn ogen. 'God, wat is het heerlijk om te leven,' dacht ik, 'maar in wat voor raar klein kamertje ben ik en wat hangen hier voor schilderijen? Ik ben hier nog nooit geweest. Het is niet New York, niet Norfolk, niet Brussel, niet Schiermonnikoog, niet Wenen, niet Madrid. En wat een vreemd bed. En wat ruikt het hier merkwaardig, ik heb die lucht weleens meer geroken. Het is het parfum van iemand die ik goed moet kennen. Waar ben ik toch?' Steeds hoorde ik de nachtegaal en het was mij wonderlijk te moede. Ik voelde vaag dat ik in een stad was en dat er honderden mensen om mij heen sliepen, zich waarschijnlijk niet bewust van het gezang van de nachtegaal. Ik probeerde in het donker te ontwaren wat er op de schilderijen stond, het bed beviel mij wel, ik richtte mij half op om uit te maken waar ik nu eigenlijk was en daarbij beroerde ik een slapend vrouwenlichaam. Lag ik ineens ergens met een vreemde vrouw in bed? Ik glipte het bed uit en ging de gang op. Wat een rare smalle gang. Ik deed twee deuren open en struikelde in het donker over een poes. Ik knipte het licht aan en merkte dat ik dit keer niet in Santiago, maar gewoon thuis was. De klok tikte vertrouwd en opeens schoot het door mijn hoofd: 'Vijftien augustus, vandaag is moeder precies vier jaar dood, nu mag ik haar opbellen.' Ik nam de telefoon van de haak en draaide het nummer. 'Met de beheerder van begraafplaats Schiedam,' zei een stem. 'Mag ik mijn moeder spreken?' vroeg ik, 'toestel 1545.' 'Een ogenblik,' zei de man, ik hoorde iemand met papieren ritselen en vervolgens mompelde de man: 'Het is inderdaad vier jaar geleden, ik verbind u door.' Er was wat gekraak in de lijn en toen kwam de hese stem van mijn moeder door. 'Hallo?' vroeg ze, 'wie is daar?' Buiten zong de nachtegaal. 'Ik ben het, uw zoon Maarten,' zei ik met van ontroering verstikte stem, 'hoe gaat het met u, moeder?' 'Ben jij het?' vroeg ze, 'ik wist wel dat jij het eerst zou bellen.' 'Hoe is het om dood te zijn?' vroeg ik. 'Je ligt maar,' zei ze, 'het is donker, je wisselt klopsignalen met andere doden uit. Af en toe valt er een druppel water van de deksel op mijn ogen. Ik denk na over het leven. Hoe lang zou het zo nog doorgaan?' 'Maar waar wacht u dan op?' vroeg ik verbaasd. 'Dat weet jij heel goed,' zei ze, 'je doet wel net of je het niet weet, maar in je hart ben je wel wijzer.' 'Tja,' mompelde ik, 'nu ja.' 'Ik neurie een psalm en ik dommel,' ging ze door, 'ik droom, het is donker, maar bang ben ik niet. Ben je al eens op mijn graf geweest om rozen te brengen?' 'Nee,' zei ik beschaamd, 'maar morgen ga ik het beslist doen.' 'Het is fijn als er nog eens aan je gedacht wordt,' zei ze, 'maar nu hang ik op, ik ben moe. Doe je je best?' 'Ja moeder,' zei ik, 'ik heb lang gereisd maar nu ga ik weer schrijven. Adieu en vaarwel.' 'Je naaste liefhebben, je niet aanstellen en nooit jaloers zijn, daar draait het om,' zei ze tenslotte, ze kuchte en hing op. Ik aaide de poezen en gaf mijn hond een poot, ik liet me door hem likken. Toen dook ik het echtelijke bed weer in. 'Het leven heeft soms heel prachtige en ontroerende momenten,' dacht ik, 'nu lig ik bijvoorbeeld weer naast mijn vrouw en leef.' Ik maakte haar wakker en vroeg of ze ook de nachtegaal hoorde. Over het gesprek met mijn moeder repte ik niet, sommige dingen hou je nu eenmaal voor jezelf. 'Ja, ik hoor een vogel mooi zingen,' zei ze, 'maar dat is een merel, geen nachtegaal, jij overdrijft altijd.' Ik legde een arm en een been over haar heen en een kwartier later sliep ik weer in.

Verdriet

Ik stond eens bij bewolkt weer 's nachts op het achterdek van het grote passagiersschip de Rijndam. Ik was midden op de Atlantische Oceaan en waarom ik van huis was weggegaan was me eigenlijk onduidelijk. Dat zal wel altijd een strijd in me blijven: als ik thuis ben wil ik weg en als ik weg ben wil ik weer naar huis. Op kantoor zit ik somber te denken en te piekeren, mijn hart springt op van vrolijkheid als ik denk aan het varensleven. Ben ik echter op een schip, bijvoorbeeld als steward, dan denk ik eraan hoe heerlijk het is om 's winters op kantoor te zijn. Om af en toe een telefoongesprek te voeren en verder wat te lezen. Langzaam kruipen de wijzers van de klok naar vijf uur en dan ga ik naar huis. Een mens heeft maar één huis en het is heerlijk om daarheen gereden te worden in een bus. Verrukkelijk is het, vooral als het al om vier uur donker is en je de lichtjes in de etalages zo gezellig ziet branden. Mensen sjokken door de sneeuw maar jij zit veilig hoog en droog. Je hoort het gemurmel van de mensen om je heen, de chauffeur heeft zachtjes de radio aanstaan. Dan komt de bus in de rustiger wijken, in de buitenwijk waar je moet wezen. Een hele werkdag heb je erop zitten en dan stap je uit, loopt naar huis en beklimt de trappen van je huis. De hond springt tegen je op als je de deur opent en je vrouw geeft je een hartelijke kus. Je trekt je jas uit en je schoenen, de pantoffels gaan aan, een pijpje wordt aangestoken en je gaat bij het haardvuur zitten. Daar neem je een glaasje Campari en je pakt een prettig boek, bijvoorbeeld de sprookjes van Andersen. Dan is het wachten op het eten. Buiten komt met loeiende sirene een ambulance voorbij. Buiten is het gevaar en de ellende. Je kunt je niet met alles bemoeien. Bij het eten, er zitten drie katten op tafel te snorren, drink je een glaasje wijn en je vertelt je vrouw wat je die dag overkomen is. Hele eenvoudige dingen, bijvoorbeeld dat je een rapport zat te lezen en dat ineens twee vliegen op je papier vielen, een steekvlieg en een gewone vlieg. Midden in de winter! De ene vlieg vermoordde de andere en zoog hem leeg. De dode vlieg heb je in de prullenmand laten glijden en de steekvlieg heb je weer naar buiten gejaagd. En je vrouw vertelt wie ze die dag allemaal ontmoet heeft en dan is het eten afgelopen. Dan ga je de hond uitlaten en daarna begint een prettige avond met lezen. De harde sneeuwvlokken tikken tegen de ruiten, de klok tikt de seconden weg en voor je het weet mag je met je vrouw in je warme bed duiken, nadat je eerst een flinke warme douche en een glas rum hebt genomen om slaperig te worden.

Daar denk je allemaal aan als je op het achterdek van een groot schip staat op de grote zee bij bewolkt weer. Je wilt naar huis. In je kooi mis je je vrouw en je kent te weinig mensen. Je kent eigenlijk alleen maar de andere stewards, niet de bemanning, niet de passagiers. Je staat uit te kijken over het oneindige, donkere water en je speurt de horizon af naar lichtjes. Je verlangt ernaar om 's winters in de bus te zitten en in het donker naar huis te rijden. En langzaam komen er tranen op omdat je nog een jaar lang in eenzaamheid om de wereld moet varen. Alle havensteden zijn gelijk en de pret die ze te bieden hebben is van een giftig en kortstondig karakter. Je besluit wat over het schip te gaan dwalen. Je loopt door lange, onbekende gangen, trap op, trap af en op het laatst weet je niet meer of je nu op het D- of op het A-dek bent. Je ziet zelfs de machinekamer, je daalt af en je legt je hand op de rustig draaiende as. Geen millimeter komt die as, ongeveer zestig centimeter dik, van zijn plaats, ja verschrikkelijk dik is hij en glad en wel honderd meter lang. Je hoort de machine stampen en je denkt: 'Dat ding moet me uiteindelijk toch weer thuis brengen.'

En dan begin je weer te dwalen. Ergens staat een hut open. Je denkt dat het een passagiershut is en beschroomd loop je voorbij. De hut ziet er zo netjes en tegelijk zo exuberant weelderig uit. Je hebt iemand op zijn bed zien liggen en die man, of was het een vrouw?, lag te snikken. Je hoort: 'Kom toch even binnen, man.' Je gaat naar binnen en je herkent de wasbaas. Hij zegt tegen je: 'Jij bent toch een van de stewards? Ik heb het op het ogenblik zo afschuwelijk te pakken. Zeg maar Kees tegen mij. Je moet namelijk weten dat ik al twaalf jaar vaar en de laatste jaren had ik aan boord een vaste vriend. Wij hadden onze hutten naast elkaar. Ik zal je straks de hut laten zien. Maar we sliepen in mijn kooi...' En je denkt: 'Twee teddyberen op een onrustige zee.' Je ziet een wekkertje, de wijzerplaat stelt het heelal met hier en daar een ster voor. Schoksgewijs snelt de secondewijzer door dat heelal. Op het eind van de secondewijzer zit een ruimtereizigertje in een maanpak en op het eind van de grote wijzer zit ook zo'n mannetje. Iedere minuut kunnen ze elkaar, bij wijze van spreken, even de hand reiken, maar dan moeten ze weer verder. Dat klokje maakt je verschrikkelijk droevig. In de hut zie je verder snoezig aangeklede meisjespoppen, geborduurde kussentjes, portretjes van zigeunerinnetjes, porseleinen beeldjes van herdertjes met schapen. De kooi is tot een soort hemelbed omgetoverd. Het is echt het holletje waar twee mannen zich terugtrekken uit een gevaarlijke en vijandige wereld. 'In deze kooi hebben wij samen geslapen en als het stormde pakten we elkaar wat steviger beet,' zegt de wasbaas. 'Ik was bevriend met Jean-Jacques de kapper. Misschien heb je hem nog wel gekend hoewel je nog niet zo lang aan boord bent. Hij was een prima maat, we gebruikten mijn hut voor ons tweeën. En van zijn hut hebben we een kapelletje gemaakt. Want we waren allebei katholiek. Het is schoftig zo weinig als ze aan godsdienst doen op een schip. Wil je het kapelletje even zien?' Je zegt ja en de wasbaas komt uit zijn hemelbed en brengt je naar de hut naast de zijne. Die kapel staat helemaal in rood licht en er branden vier kaarsen. In een nis staat een altaar en daarop staat het portret van een moeder met een kindje. De hut is langs alle vier de wanden behangen met rood fluweel. 'Hier gingen we op zondag naar de kerk,' zegt de wasbaas, 'en vaak gingen we er door de week bidden. Maar ons geluk heeft niet mogen duren. Laten we maar weer naar mijn hut teruggaan want hier kan ik het je niet vertellen. Heb je Jean-Jacques echt niet gekend? Hij was zo mooi en zo vriendelijk!' Je zegt dat je nog een flauwe notie van hem hebt, maar dat je nu eenmaal zoveel mensen aan boord ziet en dat je niet in een maand iedereen kan kennen. 'Wij hadden een Paradijs op aarde,' gaat de wasbaas door, 'het was heerlijk om met Jean-Jacques te varen. Maar daar krijgt hij tussen Istanboel en Lissabon ineens een afschuwelijke en geheimzinnige bloedziekte.

De dokter hier aan boord kon er niets tegen doen. Hij moest uit onze kooi en naar de ziekenboeg. Daar is hij gekrepeerd. Nu heb ik helemaal niemand meer. Je gaat wennen aan iemand in zoveel jaren. Nu liep ik een paar dagen geleden door een loods in Lissabon en daar zag ik tussen honderden ijzeren biervaatjes een loden kist met zijn overblijfselen erin staan. Afschuwelijk zoals het soms kan wezen. Mijn vriend lag daar tussen het bier, "B344, Amsterdam", hadden ze met krijt op de kist geschreven. Dat kon ik niet verwerken. Het laatste dat hij me gegeven heeft is dat wekkertje daar'... en je ziet weer het wekkertje met die twee mannetjes die door het heelal suizen. 'Zou jij geen goede vriend voor me weten, iemand die ook katholiek is?' vraagt de wasbaas en je denkt bij jezelf: 'Hij vraagt het aan mij.' Je zegt van nee helaas en je denkt: 'Ik ben niet katholiek en homoseksueel ben ik zeker niet.' Je laat een bedroefde man achter terwijl je naar je hut sukkelt na de wasbaas sterkte te hebben gewenst, en zelf ben je er bepaald niet vrolijker op geworden. In je kooi vind je je bijbeltje en je Dinky Toys onder het hoofdkussen en terwijl grote golven op vijf centimeter afstand van je oor de huid van het schip ranselen val je binnen een kwartier in slaap.

Kreeft

Ik zat eens laat in de avond in Parijs in een restaurant en ontmoette daar een Nederlandse man van ongeveer mijn leeftijd. Het bleek dat hij uit Den Haag kwam, ik vertelde dat ik in Leiden woonachtig was. Hij was groot, had blauwe ogen en donkerbruin haar, hij zat keurig in het pak en was naar hij mij vertelde ongetrouwd. Hij knipperde voortdurend met zijn rechteroog, maar voor het overige was hij volkomen gewoon. 'Wat heb ik me daar een sof,' vertelde hij tenslotte, 'je moet echt niet denken dat ik hier voor mijn lolletje zit, het is bittere liefdespijn die in mijn hart tekeergaat, ik begrijp niet waarom het mij zo tegenzit, nu heb ik eindelijk mijn kans en er gebeurt niets.' 'Wat is er dan precies aan de hand,' vroeg ik. 'Nou,' zei hij, 'het verhaal is makkelijk te vertellen, ik wil het jou wel uit de doeken doen. Wil dan weten dat ik verleden jaar met vakantie was op het Île de Groix dat voor de Bretonse kust ligt, het ligt aan de zuidkant ter hoogte van Lorient. Dat is werkelijk een heel rustig eiland met prachtige landschappen. Ik herinner me dat het vaak regende op het vasteland, dat kon je duidelijk zien, terwijl het dan op het eiland prachtig weer was. Ik logeerde daar in een klein geelgesausd hotelletje en het eten was prima. De drank was ook goed. De baas en de bazin waren de goedheid zelve en nooit heb ik zo van mijn rust genoten als juist daar. Ik had een paar goede boeken meegenomen en die heb ik met plezier gelezen. Op een goede dag zat ik in de boomgaard te eten, een boerenomelet, ik dronk er witte wijn bij, toen de bazin naar me toekwam. Ze ging gezellig naast me zitten en zei: "Weet u dat hier honderd meter verder op de weg een Franse familie met vakantie is waarvan de vrouw, een lieve mooie vrouw, uitstekend Nederlands spreekt? Ze zal het aangenaam vinden om u eens te ontmoeten. Loopt u even mee naar de weg dan zal ik u het huisje tonen." Ik liep met haar mee en ze liet me een alleraardigst huisje in de verte zien.

Het was geen honderd meter lopen, het was zeker vierhonderd meter ver.

Die avond wandelde ik over het eiland en toevallig, of misschien was het helemaal zo toevallig niet, het hart doet dingen die het verstand niet kent, kwam ik in de buurt van het huisje. Ik klopte er aan en werd opengedaan door een prachtige vrouw waar ik eigenlijk meteen verliefd op was. Ik vertelde haar dat ik Nederlander was en dat ik uit Den Haag kwam. Of ik in dat geval maar binnen wilde komen. Er was een klein kamertje en in een hoek daarvan zat haar man op een gitaar te spelen en hij zong daarbij. Ik moet zeggen dat hij dat allemaal niet onaardig deed. Toen het lied was afgelopen stelde de vrouw, die Fréderique heette, me aan de man voor. Hij was textielfabrikant en zag er erg vriendelijk uit. Hij legde zijn gitaar weg en ging een fles wijn halen. Het werd een gezellige avond waar ik van alles over Nederland vertelde wat me maar te binnen schoot. Ik probeerde ons land zo mooi mogelijk af te schilderen. Daarna vertelde de man, Nédelec heette hij, hij was ook van Bretonse afkomst, me een paar anekdotes uit de Franse politiek. "Overmorgen gaan we weer terug naar Parijs," zei André, ja nu weet ik het weer, hij heette André, "maar morgen kun je met me mee gaan vissen. Dan blijf je morgenavond bij ons eten. Maar dan moet je morgenochtend om zes uur bij de haven zijn want ik ben op iets heel speciaals uit." Ik zegde toe en vrolijk nam ik afscheid en reeds wilde ik de vrouw een kus geven. Nog net wist ik me in te houden. Ze had een gezicht van een albasten schoonheid en prachtige ogen, haar mond was fraai getekend en ze had een heel leuk figuurtje. Werkelijk een vrouw uit duizenden. Ze woonden niet in Parijs, maar in Versailles, zoals me later bleek. Die nacht sliep ik werkelijk verrukkelijk en steeds maar weer droomde ik van die Fréderique met haar verleidelijke glimlach en mooie ogen. De volgende dag was ik om zes uur bij de haven. De bazin van het hotelletje had me brood en drinken meegegeven. Dat was wel nodig ook want we zouden de hele dag onderweg blijven. André had een pracht van een schip daar liggen. Het was zeker twintig meter lang en ik begreep niet waarom de familie niet daarop woonde in plaats van in het kleine huisje. Ik gooide de trossen los en tien minuten later waren we in open zee. André hield steeds vlak de kust van het eiland aan. Op een gegeven moment trok hij een duikerpak aan, hij gooide het anker uit, bond zuurstofflessen op zijn rug en nam een onderwatergeweer. Zijn uitrusting was solide en duur. Nooit heb ik iemand op zo'n kostbare manier zien vissen. "Het is mij om een kreeft te doen," zei hij en dook onder water. Een kwartier bleef hij weg en toen kwam hij weer boven. "Het is hier niets gedaan," zei hij, "we varen nog een stukje verder." Ook daar was de vangst zeer gering, hij kon alleen een kleine zeebaars verschalken, maar die wierp hij dood terug in het water. De hele dag waren wij op zoek naar die kreeft. Ik had eigenlijk geen eten mee hoeven te nemen want de ijskast op het schip was ruimschoots gevuld met lekkernijen. Op het laatst kon ik aardig met het schip manoeuvreren en ik was een meester in het vieren en het ophalen van het anker. "Ik vang verdomme nooit een kreeft," zei André en hij was erg droevig toen hij dat zei, "ik heb het seizoen nog nooit zo slecht meegemaakt. Ik zie hier en daar wel een kreeftje maar dat is niets gedaan," en hij maakte een geringschattend gebaar tussen duim en wijsvinger. Een half uur later, het was inmiddels zes uur geworden, kwam hij juichend boven. "Daar heb ik me wat!" riep hij uit, nadat hij de slang van de luchttoevoer uit zijn mond had getrokken en zijn geweer aan boord had geslingerd. Hij toonde mij een kreeft van een kleine halve meter doorsnee. Hij bond het dier zijn scharen dicht en maakte het vast aan de railing. "Let er een beetje op," zei hij tegen mij, "want voor je het weet ben je zo'n kreng weer kwijt, ze weten altijd te ontsnappen, hoe ze het klaarspelen mag God weten." André tufte zijn schip nu terug naar de haven. We legden stevig aan aan een drijfsteiger, het verschil tussen eb en vloed is daar anderhalve meter. De kreeft werd nog eens goed in de touwen gezet en toen gingen wij op stap naar het huisje. André had het dier als een feestpakketje onder zijn arm. Fréderique was blij dat hij iets behoorlijks had kunnen vangen en ze begon het eten klaar te maken. De kreeft wilde André echter zelf bereiden. Daar was hij een half uurtje mee in de weer. Er was prachtig gedekt en toen kwam het hoofdgerecht op tafel. André sneed met een feestelijk gezicht de kreeft aan en tot André's teleurstelling kwam er ongeveer een halve emmer zout en gloeiend water uitlopen. Het bleek dat het dier haast geen vlees had. Die vermaledijde kreeft was van ouderdom gewoon vel over been. André was woedend en tot overmaat van ramp was de wijn zuur. Ander vlees hadden we nu niet, dus het werd een karig maal. Toch was de stemming er niet uit, ik zal niet licht de lieve manier vergeten waarop Fréderique haar man probeerde te troosten. De avond werd bepaald toch nog gezellig. De kreeft had niet alles verprutst.

De volgende dag vertrokken ze naar Versailles en ze gaven mij het adres van hun woonhuis voor als ik eens langs mocht komen. Dat heb ik nu vandaag gedaan. En weet je wat er gebeurt? Ik bel aan, het was een paleis van een huis. André doet in onderbroek open, terwijl het pas tegen zevenen liep toen ik aanbelde. Door de hal liep een hoerig meisje in eveneens schaarse kledij. Het meisje was lang zo mooi niet als Fréderique. André was bepaald niet aardig tegen mij. Ik vroeg hem waar Fréderique was. "We zijn gescheiden," zei hij, "een mens wil weleens wat anders, maar als je haar op wilt zoeken, ze woont op nummer 44 in de rue Napoléon." Op het ogenblik zijn we in rue Napoléon nummer 46. Man, je moest eens weten wat ik in deze straat gezocht heb. Op nummer 44 woont ze niet. En verder hebben ze in de hele straat nog nooit van Fréderique Nédelec gehoord. Man, ik dacht dat ik krankzinnig van hartstocht werd. Ik heb de hele avond gezocht! Dit is een ellendige dag voor mij omdat ik de vrouw van mijn leven niet heb kunnen vinden. Waarschijnlijk heeft André mij maar wat op de mouw gespeld. Het is pech,' beëindigde hij zijn verhaal, 'het is een afschuwelijke sof.' 'Maar die kreeft die je daar hebt is toch lekker vlezig,' zei ik, 'en zo te zien smaakt de wijn je ook heel goed.' 'Ach man,' zei hij droevig, 'je moest eens weten hoe graag ik hier voor een karig maal zat, voor een kreeft vol met gloeiend zout water en een glas zure wijn als ik mijn lieve Fréderique maar in de buurt had. Bemoei je maar niet meer met mij. Ik heb je alles verteld.' Nog een uur zat hij zwijgend te eten. Toen verliet hij het restaurant, zonder ook maar even naar mij te kijken, ik was inmiddels aan een ander tafeltje gaan zitten. Hoogstwaarschijnlijk wilde hij zijn zoekpogingen voortzetten. Ik heb hem nooit meer ontmoet.

Bacon-spek

Ik heb een vriend, Rudi Fuchs, die behoorlijk belangrijk is in de museumwereld. Vaak droom ik dat ik mijn gymnasium nog niet gehaald heb. Er wordt dan aan mij gevraagd: 'Je bent nu veertig en je hebt nóg het diploma niet, Rudy Kousbroek, Rudi Fuchs en Karel van het Reve hebben het diploma toch ook?' Ik probeer me dan altijd heel laf te verdedigen door te zeggen dat ik het te druk heb met mijn werk en dat de verzorging van onze katten, het uitlaten van onze hond en het schrijven van mijn verhalen mij verhinderd hebben het diploma te halen. Ik heb die droom wel drie keer in de week. Ik zou daar eens met Freud over moeten kunnen praten. (Even tussendoor: ik heb vannacht over Freud gedroomd. Ik droomde dat ik op weg was van huis naar het ziekenhuis waar ik werk. Vlak voor het ziekenhuis is een tunnel voor auto's, fietsers en voetgangers waar de trein overheen rijdt. Het is daar een beetje schemerachtig. Ik ontdekte dat ik mijn sigaren van huis was vergeten mee te nemen en bovendien kreeg ik op hetzelfde moment een lekke band aan mijn fiets. Ik moest wel afstappen en een heer in een cape, een zwarte cape, en met een ouderwetse hoed op, hij droeg een knijpbrilletje, kwam op me afrennen en vroeg of hij me helpen kon. 'Het zit hem in het ventieltje,' mompelde hij en begon daaraan te morrelen. 'Is het u weleens opgevallen dat een ventiel eigenlijk lijkt op een bepaald mannelijk klein orgaantje?' 'Nee, daar heb ik nog nooit aan gedacht,' zei ik. De man maakte mijn ventiel en pompte mijn band op. 'Doet dat pompen u nergens aan denken?' vroeg hij, 'pompt u bijvoorbeeld weleens met uw slurfje dat dan pas echt de scepter van onze hartstocht is geworden?' 'Daar hebt u niets mee te maken,' zei ik. 'Ik wil u bepaald niet lastigvallen met intieme vragen,' zei de man, 'maar er zijn nu eenmaal dingen die in ons onderbewuste leven. We zijn hier bijvoorbeeld in een tunnel. De gang tussen de benen van een vrouw door naar de baarmoeder is ook een tunnel. Dat heeft Renate Rubinstein trouwens ook beweerd, geheel onafhankelijk van mij.' Ik wist nog niet met wie ik te maken had en vond hem een vreemde, grillige man, een bezeten monomaan. 'Wat hebt u eigenlijk in uw broek?' vroeg ik de man, 'wat zit daar voor iets bobbeligs?' 'Daar heb ik een brandweerwagentje,' zei de man, 'het zit met riempjes om mijn billen heen vast, het wagentje blijft precies op mijn onderbuik hangen, het is echt zo'n speelgoeddingetje, aangenaam speelgoed.' 'Wat gaat u daarmee doen?' vroeg ik nieuwsgierig. 'Buiten de tunnel is een weitje en daar zit een sappige scheur in de grond,' zei de man, 'dan maak ik mijn gulp open en trek alle laddertjes van het wagentje naar buiten, steek die in de grond en daarmee begin ik een ouderwetse en gedegen paringsdans met moeder aarde...' Op dat moment kwam Eva er aangerend, ze was geheel bloot maar dat viel niemand op. Een fietser riep alleen tegen haar: 'Uitkijken waar u loopt, mevrouw!' Langzaam bereikte Eva mij, ze hoefde nog maar tien meter te rennen en daar deed ze zeker een minuut over. Onderdehand riep ze tegen mij: 'Maarten, wil jij niet met die vieze vent praten? Dat is namelijk Freud!' Zodra zijn naam gevallen was rende Freud weg en kon Eva bij me komen. Ze had een kist met sigaren voor me bij zich. Ik kuste haar en ze legde zich in de tunnel te slapen, terwijl het daar flink tochtig was en iedereen haar kon zien. 'Vergeet de cheque niet te innen,' riep ze me na, 'en ik wil vijftig postzegels van zestig cent hebben.' Er kwam een vliegtuigje door de tunnel vliegen juist op het moment dat boven een trein voorbijreed. 'Het wordt nu te raar,' dacht ik en stapte weer op mijn fiets. Ik wuifde naar Eva maar ze was al in slaap gevallen. Ik kwam op kantoor, mijn kamertje is hoog en daar heb ik uitzicht op de tunnel en het weitje aan de uitgang ervan. Daar lag Freud te rijden op de grond en in het zonlicht zag ik steeds het metaal van het laddertje blinken.) Ik zie dus op tegen mijn vrienden, ze hebben allemaal het diploma en Freud heb ik in mijn droom niet durven vragen naar de reden waarom ik toch mijn gymnasium maar niet haal.

Goed, Rudi Fuchs is een van mijn beste vrienden. Hij heeft een huisje in Engeland en op een dag bracht Eva me naar Schiphol. Daar ging ik in het kleinste vliegtuig zitten dat er op het hele vliegveld was en het bracht me binnen een uur naar Norwich in Norfolk, Engeland. Rudi stond me daar met zijn kinderen op te wachten. We stapten in zijn prachtige wagen en hij reed me naar zijn buitenhuis. Het huis lag als in het Paradijs. Ik heb er goed gegeten en mocht Rudi's fiets gebruiken. Daarmee reed ik de hele dag, veertien dagen achter elkaar, door het landschap. Onderdehand reisde Rudi naar Berlijn en Edinburgh om daar voor de televisie te worden geïnterviewd. Ik zag niets dan konijnen op het veld, hazen, fazanten, patrijzen, nachtegalen en leeuweriken. De velden waren prachtig groen en geel van de gewassen. De zon gleed langs de hemel als een rustige omelet. De weggetjes waren nergens breder dan drie-en-een-halve meter en in veertien dagen ben ik er tweemaal een auto en drie keer een tractor tegengekomen. Net als Van Gogh stond ik verbijsterd op hoge punten naar het landschap te kijken. Het was een en al groene en gele glooiing, prachtige hoge bomen midden op de akkers. Hier was God nog lijfelijk in Zijn schepping aanwezig. De stilte in de natuur donderde in mijn oor. Het was of ik hier in de bidkapel van een klooster was. Ik ging ergens een kerkje binnen en liep de kansel op. Ik opende de bijbel en daar stond op de eerste lege bladzijde: 'In proud memory of my dear husband, squadronleader captain H.O.F. Huntington van Lynden, from his beloved wife. Hope to see you in heaven Henry.' Er was niemand in het kerkje. Het rook er een beetje naar wierook en kaarsen. Het was mij opgevallen dat je hier overal vliegveldjes had. Van hier stegen in de tweede wereldoorlog de bommenwerpers op om Duitsland in de nacht te bestoken met bommen en vuur. Henry Huntington van Lynden moest in Duitsland omgekomen zijn. Vanuit het Paradijs was hij regelrecht naar de hel gevlogen. De tranen schoten mij in de ogen. Dat had hij ook voor mij gedaan. Wie was er nou belangrijker? Jezus of Huntington? Misschien was ook Henry een enig zoon geweest en getrouwd was Jezus niet. Reden genoeg om meer om Henry dan om Jezus te treuren. Ik liep naar het orgeltje en zag dat er ergens een stekker in moest worden gestopt. Ik sloeg de g-toets aan en hoorde een heel orkest en een koor zingen: 'Abide with me.' Toen het lied was afgelopen sloeg ik de a-toets aan en kreeg te horen: 'The churches one foundation, is Jesus Christ her

Lord.' Zo heb ik uren gratis van muziek genoten. Er moest een religieuze jukebox in het orgel verborgen zitten. En het zonlicht kwam zo mooi door de ruiten vallen. Toen ik geheel voldaan was stapte ik weer op mijn fiets en bemerkte tot mijn verbazing dat mijn weg recht door een beek voerde. Ik moest doortrappen om in het water niet op de vissen te vallen en met natte sokken kwam ik aan de overkant. Ik kon mij niet voorstellen dat dit stuk prachtige natuur recht tegenover Den Haag lag. Ieder ogenblik kon er een troep jagers te paard opduiken, hoorngeschal en hondegeblaf zou weerklinken. En de zon scheen, scheen. 's Avonds kwam ik moe in het huisje en at mijn buikje vol. 's Morgens maakte Nelleke, zo heet de vrouw van Rudi, lekkere eieren met worstjes, tomaat en bacon-spek klaar. Die bacon is het lekkerste spek dat ik ooit in Engeland gegeten had. Het was veel beter dan in Londen of in Leicester. Zoutiger, vleziger, romiger. Toen ik weer naar Leiden moest ging ik naar het plaatselijke kruideniertje annex slagertje en bestelde daar bacon om thuis in Leiden te bakken. Ik wilde nog wel maanden van die bacon eten. Het meisje haalde van achter de toonbank een zij spek van zeker drie kilo. 'Wat moet dat kosten?' vroeg ik. 'Twaalf pond,' zei het meisje. 'Pak maar in,' antwoordde ik. Toen maakte ze me duidelijk dat dit de voorraad voor het hele dorp voor drie dagen was, maar een half pond mocht ik toch meenemen. Daar heb ik thuis een week van gesmikkeld. In dezelfde winkel heb ik ook een stenen stadsmuis gekocht met een koddig pakje aan, voor Eva. Het is het pronkstuk in haar gebakken en gebeeldhouwde dierenverzameling, ze heeft eekhoorntjes, vogeltjes, katten, paardjes, herten, maar de stadsmuis uit Little Snooring, want zo heet het plaatsje, vindt ze het mooiste. Ja, werkelijk onbegrijpelijk is het dat het Paradijs recht tegenover de Randstad, aan de andere kant van de Noordzee ligt.

Wat is het toch vreemd dat ik wel droom over het al of niet halen van mijn gymnasiumdiploma, over Freud, maar nooit over de beekjes en de kerkjes in Norfolk. Misschien wil ik in mijn dromen het mooie wel niet zien!

De gangsters

Ik was een paar maanden geleden op vakantie op het eiland Schiermonnikoog. Samen met mijn vrouw zou ik daar twee weken doorbrengen. Het huis dat we midden in het dorp gehuurd hadden was erg leuk en achttiende-eeuws. Alleen was er geen hoge tafel en een behoorlijke keukenstoel was er ook niet, zodat ik niet kon schrijven. Nu was dat niet zo erg want ik was mijn aantekeningen vergeten. 'Dan schrijf jij maar eens twee weken niet,' zei mijn vrouw. We maakten een lange wandeling langs het strand en genoten van de frisse lucht, het zand dat zich kilometers ver uitstrekte en het water. Ik probeerde nog even te zwemmen, maar de zee was me te koud. Ik heb mijn leven lang op een eiland willen wonen, nu was ik er en nog was ik niet helemaal gelukkig. We gingen boodschappen doen en koken. Het avondeten was lekker. Na het afwassen ging ik in een luie stoel zitten. Ik had maar één boek bij me en dat wilde ik uitgerekend niet lezen. 'Morgen ga ik in het dorp boeken kopen,' dacht ik. Ik zat een uur in die stoel, ik dronk wijn. Mijn vrouw leek volkomen gelukkig, ze zat een krant te lezen. Zulke momenten maken mij dol en krankzinnig: ik moet mijn eigen meubelen om me heen hebben, mijn eigen muziek, mijn bureau en mijn aantekeningen. Ik schaam me wanneer ik niet schrijf, ik ben ook alleen gelukkig als ik achter een schoon vel papier zit met een pen in mijn hand of achter een schrijfmachine. Thuis had ik al weken niet kunnen schrijven, maar nu had ik ineens het idee dat ik in Leiden honderden van die kleine papiertjes had waar aantekeningen op stonden die ieder de aanleiding tot een mooi verhaal kunnen zijn. Ik wist me niets te herinneren. Ik zuchtte. Op een gegeven moment pakte ik een tijdschrift en las het relaas over een wonder in België of in Luxemburg. Je hebt daar veel Mariabeelden langs de grote weg en een Franse dame, een toeriste die verdriet had over het vroege sterven van een lieve dochter, liep daar eenzaam rond. Ze begon te bidden bij een Mariabeeld en toen ze even opkeek zag ze dat het beeld weende. Dat ging ze prompt overal in het dorp vertellen. Een wonder gebeurd! Een inspecteur van politie onderzocht het beeld en zag dat de tranen twee banen over het stof op het geverfde hout van de wangen van het beeld hadden getrokken. Maar de tranen waren niet terug te vinden. Toch stond het hele dorp op zijn kop. Ik denk dan meteen aan de middenstand. Die mensen zijn gelukkig met een wonder. Ze zien de duizenden bedevaartgangers al voor hun deur staan voor een uitsmijter, een kop koffie, een pond suiker, twee paar overschoenen, een koffer en een plastic regenjas. Drie dagen later ging de vrouw weer bidden en nu waren de notaris, de advocaat, de inspecteur, de koster en de priester erbij. De koster had reageerbuisjes bij zich. Een uur lang zat de vrouw te bidden. Het lijkt mij bepaald moeilijk te bidden voor het zieleheil van je dochter terwijl je door een horde van notabelen op de vingers wordt gekeken. De vrouw bad vurig. Maria had nog nooit een vrouw zo hevig zien bidden en wat gebeurde er op een gegeven moment? Het beeld begon uit de ogen bloed te zweten en te wenen. Echte bloedtranen biggelden over de wangen. De koster kon het bloed nu opvangen in de daartoe meegenomen reageerbuisjes. Monsters zouden worden gezonden naar het religieus laboratorium in Brussel en naar het Vaticaan, de priester zou er brieven bij schrijven en ieder die het wonder had meegemaakt zou er zijn handtekening onder zetten. Zoals iedere rechtgeaarde Nederlander glimlach ik om zo'n verhaal. In gedachten zie ik de koster achter de biddende dame bezig met zijn voeten op een pedaal te drukken die een pompje vol water of kippebloed achter de ogen in het beeld in werking zet. Ik stel me voor dat de priester het gelooft en net op het moment dat er massa's toeristen zijn, net als het dorp rijk begint te worden van het wonder, biecht de koster aan de priester op wat hij heeft uitgespookt. De priester is in tweestrijd, hij moet de waarheid vertellen, maar dupeert dan het hele dorp. Hij besluit te zwijgen, maar vraagt zijn ontslag aan bij de bisschop en begint in een ander dorp te preken. Zo zal het ongeveer in zijn werk zijn gegaan. Ik besloot een verhaal te schrijven dat 'Het wenende beeld' heette. Nu had ik eindelijk wat om handen. Onze buurman op Schiermonnikoog was zo vriendelijk om mij een tafel en een hoge stoel te lenen en ijverig begon ik. Drie dagen heb ik gewerkt en toen had ik twee belachelijke bladzijden, verkrampt en belachelijk proza was het. Dat komt omdat ik niet kan schrijven over dingen die ik niet zelf heb meegemaakt. Ik had zelf in de kroeg moeten zijn, de gesprekken over de economische malaise moeten horen en het idee als het ware bij de koster zien rijzen.

Nu werd ik bovendien bij het schrijven op Schiermonnikoog nog gehinderd door gekken uit het hele land, debielen en uitzinnigen die ook hun vakantie op het eiland vierden. 'Die gekken hebben een mooi leventje,' dacht ik, 'misschien belazeren ze de kluit en zijn ze helemaal niet gek.' Mismoedig verscheurde ik de vellen papier die ik beschreven had en liep het dorp in. Het was drie uur in de middag en de zon scheen. Ik ging op een terras recht tegenover hotel Van der Werff zitten. Donders, wat waren die gekken vrolijk, wat regelden ze het verkeer, wat liepen ze te zwaaien en maakten ze een dwaze geluiden. Er was er één bij, een man die ongeveer net zo oud was als ik, die mij een knipoog gaf. Het was een groepje gekken van ongeveer vijftien man en er waren vijf leiders. De gekken droegen kleren van Russische vakantiegangers uit de jaren vijftig. De leiders liepen op moderne Roots schoenen, uitgedost in spijkerpak en T-shirtjes. De groep patiënten kreeg limonade, de leiding nam bier. Misschien hadden ze met zijn allen een grote wandeling gemaakt. Ik kon het allemaal goed bekijken, want er zat verder niemand op het terras bij hotel Van der Werff. In ieder geval zakten de leiders vijf minuten nadat ze hun bier op hadden weg in een diepe slaap. Een van de patiënten kwam naar me toe rennen en vertelde dat ze valium in het bier hadden gedaan. Wat hierop gebeurde was haast onbeschrijfelijk. De patiënten begonnen plots heel redelijk met elkaar te praten, ze begonnen er slim uit te zien en er kwam geld voor de dag. Er werden duidelijk taken verdeeld en binnen tien minuten renden er patiënten naar de Spar, naar de fietsenmaker, naar de drogist, naar de speelgoedwinkel en de apotheek. Een van de patiënten zette met een gewichtig gezicht een pak op tafel. Het leek mij gist in een groot papier. De gekken kwamen terug met hun boodschappen en nu begon er een heel gesleutel. Binnen een uur hadden ze, ik stond er met mijn neus bovenop, een hele bom in elkaar gezet. De gist was bepaald niet het middel dat het deeg van brood doet rijzen, maar onvervalste dynamiet. De ogen vielen mij haast uit de kassen van schrik. Een van de mannen van de leiding bewoog in zijn slaap zijn been en knipperde even met zijn ogen. 'Op de knop drukken en het hele dorp spat uit elkaar,' zei een dwaas, een zot, een zogenaamde debiel. 'De leiders worden wakker,' giechelde een ander. Wat er nu volgde was zo mogelijk nog dwazer dan alles wat ik al gezien had: binnen vijf minuten hadden de dwazen de hele bom weer voorzichtig gedemonteerd en alles in de wei naast het hotel begraven. De patiënten zaten net weer rustig aan hun limonade, dwaze geluiden uitstotend, het verkeer regelend en rare gebaren makend, toen de leiding echt wakker werd. En ik zag de oppassers denken: 'Oh, ja, wij waren met die zotten op vakantie.' Ik rende naar huis en vertelde even later het hele verhaal aan mijn vrouw en mijn buurman. 'Nu snap ik eindelijk waarom de debielen uit Holland hier "de gangsters" worden genoemd,' merkte mijn buurman op, 'maar gelukkig zijn ze niet kwaadaardig.'

Korte metten

Ik ben heel gelukkig geweest in mijn jeugd. Dat kwam omdat mijn ouders mij volkomen vrijlieten. 's Zaterdagsavonds ging ik naar de bioscoop. Daar verheugde ik me dan de hele week op. In het duister van een Rotterdamse filmzaal heb ik op zestienjarige leeftijd, terwijl buiten auto's toeterden, mensen roezemoesden, een druilerig regentje viel, schepen op de Maas op hun droevige misthoorn bliezen, fietsbellen rinkelden en verliefde paartjes wandelden, een prachtige film gezien. Het was precies drie weken voor ik zelf voor het eerst ging varen. Misschien is die film wel de aanleiding geweest waarom ik zelf over de zeeën ben gaan zwalken. Als ik mij niet vergis was het een rolprent gemaakt naar een boek van Jan de Hartog, die ik mateloos bewonder. Je zag een zeesleper bij nacht in smerig weer op volle zee en die sleper was een groot dok aan het trekken. De sleep zat midden op de Atlantische Oceaan en de schipper en zijn twee stuurmannen hadden al in geen dagen meer bestek op kunnen maken. Ze voeren op gegist bestek, maar midden in de nacht zag men op het kleine schip tussen de hoog en gevaarlijk groen aanstormende golven even de maan en een paar sterren tussen de wolken door. De roerganger klampte zich vast aan het stuurrad. De schipper deed zijn metingen met zijn sextant en even later kwamen er ook heel duidelijk twee radiostations door, één uit Newfoundland en één uit Ierland. Op die manier kon er zowel op de sterren als op een radiografische kruispeiling eindelijk bestek op worden gemaakt. De kapitein slaakte een zucht van verlichting. Allemachtig, wat ging dat scheepje tekeer, soms werd het helemaal onder de nachtelijke, koude golven bedolven, en hoe vervaarlijk zag je af en toe het grauwe silhouet van het machtige dok dat door het slepertje veilig naar de haven moest worden gebracht. Het was een film over kranige mannen. De kapitein stapte naar de kaartenkamer en wilde zijn zeekaart op een grote tafel uitspreiden. Die tafel was zo gemaakt dat er niets af kon vallen. Alles wat je erop zette stond deiningvast. Dreigde een kopje op de grond te vallen, dan werd het door een latje aan de rand van de tafel tegengehouden. De kapitein bekeek met ingehouden woede de rotzooi op die tafel. Er rolden koffiepotten, kopjes, oude boeken, beduimelde tijdschriften, een sigarendoos, nat geworden sigaretten en een ventilatortje rond, er slingerde ook nog een hutspotstamper, een onderbroek, een poetsdoek, drie pennen en twee potloden, een fles jenever en zes glaasjes op die tafel, een pijp, een asbak en lucifers, de onderdelen van een scheepsklok zwabberden er, ja, er lag zelfs een koperen kilogewicht dat vroeger door de groenteboer werd gebruikt. Er rammelden een pan en een paar borden, vorken, messen en lepels op die tafel en heel even zag je nog een prachtige chronometer onder de poetsdoek vandaan zeilen. Een half aangegeten boterham en de schil van een banaan lagen op de rand van die tafel om het beeld te completeren. De schipper keek even naar al die rotzooi. Hij wilde zijn grote, ongekreukte kaart op die vermaledijde tafel leggen. Toen ineens mepte hij met een geweldige armzwaai al die rotzooi van de tafel op de grond. De hutspotstamper kletterde in een hoek van de hut tegen de fles jenever, de met koffiedik aangekoekte theelepeltjes bonsden tegen de chronometer. De onderbroek woei de brug op. Het was een machtig gezicht. Het was het gebaar van de meester, van de veldmaarschalk. De schipper stond met zijn voeten in de rommel. Hij vertrapte achteloos een eierdopje. Met een wilde armzwaai had hij in één keer schoon schip gemaakt en legde zijn kaart neer. Hij begon voorzichtig, zo goed en zo kwaad als dat ging, lijnen te trekken en eindelijk, hij beet op het puntje van zijn tong..., eindelijk kwam er een klein stipje op de kaart. Dat puntje moest de sleper en het dok verbeelden. De schipper trok een lijn naar het eiland Wight en ging naar de roerganger. 'Koers westzuidwest,' mompelde hij en de roerganger zei: 'Koers westzuidwest, schipper.' Er kwam een kleine jongen en die begon op het slingerende schip de messen, de pennen, de onderbroek, de dot poetskatoen, de chronometer en het ventilatortje weer op de tafel te zetten. De kaart borg de jongen zorgvuldig op. De schipper zag het niet. Hij keek recht vooruit naar de horizon in het donker en stak een sigaar op. Ik had grote bewondering voor die man. 'Hij maakt korte metten,' dacht ik, 'de zee maakt echt een vent van je.' De film rolde door maar dit beeld is me bijgebleven. Dolgelukkig fietste ik naar huis en op het donkere stuk fietspad tussen Schiedam en Rotterdam zong ik een moedig zeemanslied. Langzaam werd ik zelf de held van de film die het dok veilig naar Göteborg bracht vanuit New York, midden in de herfst over een gemene en stormachtige zee.

Dat alles is nu vierentwintig jaar geleden en eerlijk gezegd was ik de film haast vergeten. Nu was ik onlangs op een grote receptie in Amsterdam en stond met een boeiende figuur uit onze samenleving te praten. We stonden met zijn honderdentwintigen opgepakt in een zaaltje van tien bij tien meter en er was één tafeltje in een hoek ver van ons vandaan. De man met wie ik sprak, stak een goede sigaar op en gaf mij er ook eentje. Wij raakten in een interessant gesprek: de man legde me uit hoe je politiek moet maken in Nederland. Dat mocht hij wel want hij is zelf een van de beste politici die we hebben. Op een gegeven moment werd hem een kopje koffie in de hand gedrukt. Een lepeltje en een zakje suiker en een zakje melk waren erbij. 'Verdomme,' zei hij, 'hoe moet dat nou met die sigaar? Die kan ik hier nergens neerleggen.' Ik zat met dezelfde moeilijkheid. Ook ik stond hulpeloos met een kopje-en-schoteltje in mijn handen en wist, nu ik de sigaar niet uit kon maken, niet hoe ik de suiker en de melk op de goede plaats moest krijgen. Tot overmaat van ramp werd ons nog een gebakje in de hand gedrukt. Dat wil zeggen, een schoteltje waarop in een nat papiertje een stuk appelgebak met veel slagroom lag, een lepeltje en een vorkje waren er ook bij. De staatsman keek naar mij. Hij hield zijn sigaar in zijn mond en had zijn beide handen vol. Ik wilde weglopen om een rustig plekje te vinden, maar wilde toch zien hoe de politicus het geval zou oplossen. Hij zette het kopje koffie eenvoudigweg in de slagroom van het gebak. Maar toen kon hij niet overweg met de suiker en de melk, met het vorkje en het lepeltje, met de schoteltjes en het gloeiendhete kopje koffie. Ik wist dat hij het karwei nooit zou klaren. Hij had zijn sigaar op de grond moeten laten vallen, want zelfs als hij de koffie drinkklaar had kunnen krijgen had hij die en het gebak zéker niet aan de mond kunnen krijgen.

Ik wilde net aan een voorbijkomende vriend, die ook al zijn handen vol had, vragen of hij even mijn gebakje en mijn sigaar wilde vasthouden zodat ik mijn koffie kon drinken, toen ik een groot rumoer hoorde. Ik keek op en zag nog juist hoe de staatsman koffie en gebak ruwweg op de grond smeet onder het uitkrijten van: 'Wat een onzin om je met al die rommel op te schepen. Minder mensen, meer tafels hier, zo is het!' De hete koffie en de scherven van het schoteltje kaatsten tegen een in een verleidelijke netkous gehuld vrouwenbeen. De dame gaf een gilletje van opwinding en pijn. De slagroom van het gebak vloog tegen de dure pantalon van een Groningse professor. Ik zag hoe de staatsman vergenoegd zijn sigaartje rokend stond toe te zien hoe iedereen stuntelde met zijn koffie en gebak. 'Korte metten maakt hij,' dacht ik, en meteen kwam in mijn bewustzijn het beeld van de krachtige armzwaai van de schipper op de sleepboot weer bovendrijven. 'Prachtig,' bepeinsde ik, 'zo zou ik zelf ook willen zijn, maar ik kan me zoiets nu eenmaal niet veroorloven. Er zullen wel altijd wilde leeuwen en tamme konijnen zijn...'

Nieuwsgierigheid

Ik zat eens, het moet ongeveer twee jaar geleden geweest zijn, in de provinciale bus van Kamperland naar Goes om daar de trein te halen. In Kamperland had ik een paar verrukkelijke, rustige dagen doorgemaakt met het lezen van Malcolm Lowry's *Onder de vulkaan*. In de bus zaten niet erg veel mensen en omdat het zonnig weer was beloofde het een aangename tocht te worden. Die bus rijdt namelijk eerst vier keer kriskras over het eiland Noord-Beveland voor hij de dam naar Goes overgaat. Ik zag de velden en in de verte de duinen. Het was september, hier en daar lagen nog de hopen aardappels en bieten. Onmiddellijk bij de eerste halte al stapten een paar schoolkinderen in, dat was in Wissekerke. Ze gingen achter in de bus zitten babbelen. Maar aan het begin van de tocht in Kamperland was een jongetje ingestapt dat meteen bij de chauffeur was blijven staan. Je hebt soms van die jongetjes die hun moeder en vader de hele dag vragen stellen, en nu de ouders er niet waren had de jongen de chauffeur als slachtoffer gekozen. En terwijl de chauffeur over smalle dijkjes reed naar Kortgene, Rietschans, Veldhoek, Cats en Colijnsplaat, vuurde het jongetje zijn vragen op hem af. Dat ging ongeveer als volgt:

'Wat zijn die wolken mooi, hè?'

'Ja, die zijn verrekte mooi, jongen.'

'Hoe werken wolken eigenlijk? Weet u dat?'

'Nou, er komt damp van de grond, er is nattigheid op de grond, op de akkers, op de rivieren, op de zee, op de moerassen, soms zelfs in de woestijn. De zon schijnt daarop en dan stijgt het verdampte water omhoog. Als er genoeg van dat spul bij elkaar is krijg je vanzelf een wolk. Die blijft dan een hele tijd zweven en op een gegeven moment wordt het zo warm of koud in de lucht dat de damp zich in druppels omzet. Dan bestaat de hele wolk dus eigenlijk uit water, dat wordt te zwaar om in de lucht te blijven hangen en dan valt het als druppels weer naar beneden, of als sneeuw of hagel als het erg koud is. Zo zit het volgens mij met de wolken.'

'Nou dank u wel meneer, dat begrijp ik wel zo'n beetje, maar nou onweer, hoe zit dat precies in elkaar?'

'Onweer dat is als de wolken botsen.'

'Maar dan kunnen ze toch net zo goed in elkaar overgaan?'

'Dat doen ze vaak genoeg, maar soms zijn er wolken uit het zuiden, die zijn elektrisch anders geladen dan de wolken uit het noorden en als ze elkaar dan raken geeft dat een kortsluiting, net zoals wanneer je een open leiding van de elektriciteit vastpakt of wanneer er water in het stopcontact komt.'

'En doet God dat nou allemaal?'

'Ja, schijnt Hij wel te wezen.'

'Bestaat God eigenlijk?'

'Dat is een vraag waar de wijzen nog geen antwoord op hebben. En ik ben geen wijze, dus daar kunnen we het beter niet over hebben.'

'Draagt God ook een bril? Ik bedoel met zo'n montuur als het uwe?'

'Dat weten we allemaal niet jongen, zulke dingen moet je overlaten.'

'Maar aan wie moet je het dan overlaten?'

'Aan het onbestemde en bovennatuurlijke, beste jongen.'

'En zijn er ook engelen met kunstbenen of met een glazen oog of met een kunstgebit?'

'Dat zijn allemaal zaken waar we pas achter komen als we dood zijn gegaan.'

'Waarom worden mensen eigenlijk geboren en gaan ze weer dood?'

'Ze moeten in de tussentijd zien te leven, ze moeten een beetje naastenliefde betrachten, daar draait het allemaal om en ze moeten de natuur niet verpesten, verder mogen ze alles.'

'Doet doodgaan pijn?'

'Bij sommige ziektes doet het afschuwelijk pijn, bij andere ziektes ben je zo, rats!, weg.'

'Welke ziekte kan ik nou het beste krijgen om aan dood te gaan?'

'Nou, een verkeersongeluk is het beste, een zwaar ongeluk, of een hersenbloeding of een plotselinge hartstilstand.'

'Maar daar kun je zelf geen invloed op uitoefenen, hè?'

'Nou, je kan jezelf natuurlijk doodrijden.'

'Dus ik moet mezelf doodrijden vlak voor ik ongeneeslijk ziek word?'

'Dat heb ik niet gezegd.'

'U bent zeker heel sterk want dat stuur staat toch onmiddellijk op de wielen? Dan moet je sterk zijn om dat te kunnen draaien, dat wiel.'

'Zo was het vroeger jongen, maar tegenwoordig hebben we stuurbekrachtiging. Er zit ergens een ketel in de bus en daar zit samengeperste lucht in. De motor stopt daar steeds maar meer samengeperste lucht in, dat noemen we een luchthydraulisch systeem. Die lucht helpt bij het draaien van het stuur, op die lucht gaan de deuren open en dicht en op diezelfde lucht werkt het remsysteem. Je hoort toch altijd even sissen als de deuren open- en dichtgaan? Dat is de lucht uit de ketel, samengeperste lucht.'

'Nou, ik begrijp het niet helemaal, maar tot hoever kan je lucht nou samenpersen?'

'Je kan lucht zover verdichten in een kleine, gesloten en koele ruimte tot het vloeibaar wordt.'

'Haha, dat is malligheid, daar heb ik nog nooit van gehoord. Maar nou iets anders, aan de bieten en de aardappels blijft toch grond kleven? Dat gaat allemaal naar de fabriek in de stad, op een goede dag hebben we geen grond meer, of dan liggen de akkers op veertig meter onder de dijk, hoe zit dat eigenlijk? Nu heb ik het niet over maanden, maar over honderden jaren... Die grond verdwijnt maar. Of komt er soms grond bij?'

'Ik zou het niet weten, beste jongen, het probleem lijkt mij eerder een schijnprobleem.' De chauffeur glimlachte toen hij dat woord uitsprak, als een geduldige vader zat hij alles uit te leggen, het veraangenaamde zijn ritje, hij werd aardig afgeleid.

'U hebt toch een vrouw en een zoontje in Goes?' vroeg het jongetje nu.

'Welzeker,' zei de chauffeur.

'Maar in Kamperland zag ik u een meisje zoenen bij de halte, was dat soms familie? Uw vrouw was het in ieder geval niet. Het is een heel aardig meisje, ze maakt bij ons de school schoon, weet uw vrouw daar nou van? Ik heb al eens aan het meisje gevraagd of ze familie van u was, maar ze zei van nee.'

De chauffeur ging verzitten en keek even achterom naar de passagiers alsof hij om hulp wilde smeken. Op het ogenblik zaten er zevenentwintig man in de bus. 'Beste jongen,' zei hij, 'ga daar weg van die plaats, het is verboden met de chauffeur te spreken zoals daar op dat bordje staat en bovendien sta je voor mijn zijspiegeltje zodat je het verkeer belemmert en in gevaar brengt.' En daarmee was het gesprek afgelopen.

Besluiteloosheid

Ik zat in de huiskamer en keek naar mijn schilderij, een prachtig schilderij. Hoe heb ik dat toch kunnen maken? Het is een echte droomstad geworden. Alleen is niet uit te maken waar die stad nu eigenlijk ligt, maar ik zou er graag eens willen wandelen. Ik zat aan de koffie en luisterde naar de regen die bij bakken uit de hemel viel. Dan is het zo knus en gezellig in huis. Ik luisterde naar mijn nieuwe geluidsinstallatie en begreep niet dat mijn oude platen zo mooi konden klinken. Vooral het orgelconcert van Händel was prachtig, ik was zeer geroerd. Eva dribbelde maar af en aan tussen keuken en kamer. Ik keek naar de hond en onze acht zwerfkatten. Die hond gaat zo aardig met die dieren om. Ik was volkomen gelukkig. Daarom stak ik een sigaar op en begon erover te peinzen hoe een poes een hond ervaart en een hond een poes. Het was stil in huis op de muziek na, geen bezoek, geen telefoon. Ik nam een glas cognac. Ja, volmaakt lekker voelde ik me, het was nu echt de tijd om een boek te gaan lezen. Er zat mij alleen één ding dwars, ik wilde een verhaal van vier bladzijden schrijven en ik wist niet waar het over moest gaan. Al zeven verhalen had ik geschreven en allemaal had ik ze verscheurd. Mijn vrouw kwam binnen met de koffie en ik vroeg haar: 'Weet jij nou niet iets leuks? Ik moet toch iets schrijven. Jij moet nu maar eens als mijn Muze dienen.' Ze zette de koffie neer en begon na te denken. 'Ik hoorde van mijn tante die pas naar *La Traviata* is geweest in de Rotterdamse schouwburg,' zei ze, 'dat daar op de eerste drie rijen allemaal Chinezen zaten, een hele groep was het, het was een delegatie uit de zusterstad Sjanghai, ze zaten helemaal vooraan. Het licht in de zaal ging uit en de dirigent betrad het podium. Hij boog voor de klappende zaal, in de schemer zag hij alleen die eerste rijen met Chinezen en toen keek die man toch zo verbaasd dat iedereen ervan giechelen moest. Het leek immers net of hij dacht dat de hele zaal vol Chinezen zat en dat had hij niet verwacht. Koddig, vind je niet?' 'Best koddig,' zei ik, 'maar weet je nou niet iets leukers te bedenken?' 'Wacht even,' zei ze, 'ik hoor iets op de galerij.' Ze ging naar buiten en kwam vijf minuten later terug met een zwerfkat, een kater, helemaal onder de modder en de halen, een gescheurd oor had hij en een takje stak door zijn poot. 'Ach, wat een schat,' zei Eva, 'die moeten we beslist houden.' 'Ja leuk,' zei ik. 'Ik ga hem alvast eten geven,' zei Eva, 'hij is helemaal uitgehongerd.' Toen de kater was uitgegeten rolde hij zich gezellig tussen de kussens van de divan op, van de andere poezen trok hij zich niets aan, en toen viel hij in slaap. Ik luisterde naar de muziek en hoorde tegelijk nog steeds de regen vallen. 'Heb je nou niets anders?' vroeg ik. Ze dacht weer een hele tijd na. Onderdehand dronken we een kopje koffie en ik schonk mezelf en Eva nog een cognacje in. 'Je kent Joop toch wel?' vroeg Eva, 'die studeert nog steeds, maar hij heeft een baantje in Katwijk. Met een paar vrienden heeft hij een huisje op de kop weten te tikken. Wordt hij laatst opgebeld op z'n werk dat zijn huis in brand staat. Hij met de bus naar Leiden terug, rent buiten adem de hoek van de straat om, zegt een klein jongetje: "U hebt pech meneer, de brand is net geblust!"' 'Heel leuk,' zei ik. 'Ik geef jou het ene verhaal na het andere,' zei Eva, 'en jij bent maar niet tevreden.' Ik zweeg en dacht: 'Verdorie, wat moet ik nou toch doen? Aantekeningen heb ik niet meer en uit het niets kan ik niet verzinnen.' Ik luisterde naar de plaat, ik hoorde de regen. Nu hoorde ik de stem van Kathleen Ferrier. Ze zong 'Aber abseits wer ist's? Ins Gebüsch verliert sich sein Pfad.' Ik keek naar mijn schilderij. Ik zag de piano. Ik hoorde de regen vallen. Een rustige avond, maar ik voelde me schuldig omdat ik nog niets had. 'Ik hoor wat,' zei Eva. Ze ging naar de deur. Daar stond de hond van de buren die met Mikkie onze hond wilde spelen. Het was leuk om te zien. Er sneuvelde een bloemenvaas en de katten sprongen verwilderd in het rond. Eén sprong er op de grammofoon zodat de naald een krassende zwenking van Brahms naar Hugo Wolff maakte. 'Weet je nog iets?' vroeg ik mijn vrouw. Ze begon nu heel lang na te denken. Ik zag aan de rimpels in haar voorhoofd dat er iets kwam. Werkelijk een uitstekende vrouw. Die zou ik voor geen goud kwijt willen. Een kat sprong op het toetsenbord van de piano, hij sprong op de laagste bastonen en het was alsof er een bom insloeg. Ik schrok zo dat ik mijn koffie liet vallen. 'Ik weet iets,' zei Eva, 'dat ik daar niet eerder aan heb gedacht. Je kent de vader van Dik toch wel? Dat is zo'n leuke man. Laatst fietste hij op weg naar zijn werk door het Haagse bos, het was herfstweer en wat zag hij op een kale tak zitten? Een papegaai. "Een papegaai," denkt hij, "dat is een vreemde vogel. Hoe komt die nou weer hier?" Een kwartier later is hij op zijn werk en het eerste dat hij doet is de politie bellen. Hij krijgt een brigadier aan de lijn. "U spreekt met Hilarius," zegt hij, "ik wilde even zeggen dat ik daarnet in het Haagse bos, in de buurt ongeveer van Huis ten Bosch, toch een hele vreemde vogel heb gezien." "Een ogenblik," hoort hij, "ik zal u even doorverbinden." Hij hoort een klik en dan zegt een man die eerst zijn keel schraapt: "Met de zedenpolitie."' Eva lachte erom. Ik grinnikte ook. 'Heel leuk,' zei ik. De honden renden nu achter hun eigen staart aan en de poezen waren iets rustiger. Ik ging water drinken. Ik voelde me steeds leger en leger, wat moest ik in hemelsnaam opschrijven? Zo besluiteloos was ik nog nooit geweest. Ik dacht aan manieren om de Chinezen, de brand of de vreemde vogel tot de gewenste lengte op te blazen maar ik zag er geen mogelijkheid toe. 'Een heel lange inleiding,' dacht ik, 'gewoon over niets, een beetje vulsel en dan vertel je op het laatst het grapje.' Op dat ogenblik werd er gebeld. Het was Dik. 'Ik kom maar heel even,' zei hij, 'maar ik heb zoiets vreemds te vertellen.' 'Ga zitten,' zei Eva, 'wil je een glaasje wijn?' 'Nou, een glaasje wijn sla ik niet af,' zei hij en ging er breeduit voor zitten. 'Vertel op,' beval ik en zette de grammofoon uit. Terwijl Eva de hond van de buren terugbracht begon Dik: 'Mijn vader en moeder zouden een etentje geven voor de chef. Mijn moeder wil de zalmsalade opdienen en ze ziet dat de kat van de salade zit te eten. Ze maakt het gat in de salade dicht en dient hem op. Ze zegt niets van de kat die ze trouwens het huis uit heeft gezet. Tijdens het hoofdgerecht gaat ze een fles champagne uit de schuur halen om die in de ijskast te leggen en struikelt ze in de tuin over een dode kat. Het blijkt Miepie haar eigen kat te zijn. "Allemachtig", denkt ze, "die salade was vergiftigd." Ze rent naar binnen en vertelt alles. Met taxi en ambulance scheuren mijn ouders en de chef van mijn vader en zijn vrouw naar het ziekenhuis. Maag leeggepompt. Wat een pijn geeft me dat, wat een rotzooi in die chromen bakken, pijpen langs je strottehoofd, een verkrachte en verkreukelde maag. Het leek wel een abortus. Haast jankend van de pijn komen ze thuis. Daar drinken ze nog een glas melk en dan stappen de chef en zijn vrouw op. Mijn ouders beginnen brood te eten om tenminste iets in de maag te hebben. Op dat moment belt de buurman aan. "Ik had het jullie al eerder willen zeggen," zegt hij, "maar het was zo gezellig bij jullie en ik wilde de feestvreugde niet verstoren. Wat was dat overigens een lawaai met die ambulance, hè?" "Maar vertel nou," zegt mijn vader, "wat er aan de hand is." "Miepie jullie kat is doodgereden," merkt de buurman op. "Toen heb ik hem maar voorzichtig bij jullie in de tuin gelegd en verder niets gezegd."' 'Haha,' lachte Eva, 'en we waren net sterke verhalen aan het vertellen.' Ik wist nog steeds niet wat ik nu eigenlijk schrijven wilde. Wat een besluiteloosheid! Alles leek mij belachelijk, geen gegeven was het waard om ervoor achter de schrijfmachine te gaan zitten! Ik zette weer een plaat op, ditmaal Mozart en merkte dat de poezen ingeslapen waren en dat de hond uit wilde. Ja, hij wilde dolgraag naar buiten. Dat kon heel makkelijk trouwens, want de regen was opgehouden.

Eiland More

Een van de dwaaste, prettigste en koddigste ervaringen die ik ooit heb gehad is wel een bezoek aan het eiland More geweest. More ligt midden in de Atlantische Oceaan en valt onder de Engelse regering. Ik heb het verhaal nooit durven vertellen omdat ik dacht dat toch niemand het zou geloven. U moet bijvoorbeeld niet op de kaart gaan zoeken waar het eiland ligt want tien tegen een zult u het niet vinden, het is eenvoudig te klein. Maar laat ik toch vertellen hoe het is gegaan. Ik zat op een avond met mijn vriend Karel in de huiskamer, het was herfst en hij zei: 'Nu gaan we weer zo'n malle winter tegemoet.' 'Ja,' zei ik, 'overdag werken en 's avonds bij de kachel hangen, een beetje pianospelen, een beetje lezen, een beetje schrijven, af en toe slapen, kennissen ontvangen, de krant lezen en voor je het weet ben je dood.' 'Avonturen,' lispelde mijn vriend en ineens klaarde zijn sombere gezicht op. 'Wij gaan samen varen,' zei hij, 'ik heb immers een heel grote boot en we nemen de vrouwen en kinderen mee. Hoeveel snipperdagen kun je nog opnemen?' 'Nog zesennegentig,' zei ik, want ik werk bij een erg prettig bedrijf. Karel is hoogleraar, ook hij kon over genoeg vrije tijd beschikken, en de volgende dag gingen we scheep. Voor de donder wat kan het op zee in de herfst hard waaien! De vrouwen en de kinderen vielen steeds om en dan moesten wij ze weer rechtop zetten. 'Waar gaan we eigenlijk heen?' vroeg ik. 'Naar het eiland More,' zei Karel, 'daar heb ik altijd al eens een kijkje willen nemen.' Een paar dagen later zag ik een heel klein stipje aan de horizon. 'Dat is het eiland,' zei mijn vriend, 'nu gaan we lachen.' Er was op het eiland maar één kamer voor vreemdelingen en zo sliepen wij met zijn allen op matrassen op de grond. Maar het eten was heel bijzonder en lekker. Nu was het juist vrijdag en wij besloten naar de synagoge te gaan. Er was geen synagoge op het hele eiland, moet je voorstellen, iedereen was er katholiek, dus moesten wij 's zondags wel een mis bijwonen. De priester vertelde heel boeiend over Jona in de walvis. Hij beschreef ons de maag van de walvis of hij er zelf in had gewoond. Hij danste de horlepiep op de rand van de preekstoel om voor te doen welke bewegingen Jona in de maag had gemaakt om uitgekotst te worden zodat hij veilig naar de wal kon zwemmen. 'Waarom vertel ik altijd van die grappige verhalen?' zei de priester, 'dat doe ik omdat de burgemeester en ik niet willen dat u naar de radio luistert of naar de televisie kijkt. Wij willen, om met Israëli te spreken, wij willen het goede, het oude behouden, wij voltooien het werk van de ouden. Wanneer de wereld eindelijk zal vergaan, zal het eiland More nog heel lang bestaan. Amen.' Wij geloofden hem niet maar toen we het gingen onderzoeken, bleek er inderdaad op het hele eiland geen radio, geen televisietoestel te zijn. Er waren maar tweehonderd boeken op het hele eiland en die werden door iedereen gelezen. Toch waren de mensen vrolijk en ze maakten een gelukkige indruk. Ik geloof ook dat wij in West-Europa te veel hebben in onze overvolle maatschappij. De eilandbewoners hadden alleen een huis, een tafel, een paar stoelen, bedden, een lamp, wat speelgoed, een schroevedraaier en meer hadden ze beslist niet! Ik zou zeggen dat wij daar een voorbeeld aan kunnen nemen. En ga nu eens na wat een schaap eigenlijk heeft! Die heeft helemaal niets. Zijn wij dan soms zo belangrijk? Nu was er één rijk jongetje op het eiland en dat had een fiets. Op een dag stapte hij op dat ding en begon te trappen. Het hele eiland rende achter de jongen aan. 'Wat ga je doen?' vroegen en riepen de mensen. 'Ik ga een konijnehol uitgraven,' zei de jongen. Nou, dat kwam hem duur te staan. Wij zagen toe hoe hij begon te graven en natuurlijk beschadigde hij daarbij een trollennest. Het barst van de trollen op het eiland More en die hebben gruwelijk de pest aan fietsen en alles wat modern is. Trollen zijn eigenlijk konijnen, maar ze hebben een mensenhoofd. De trollen beheksten de fiets, dat was binnen vijf minuten gepiept. Aan de fiets was niets te zien, maar toen de jongen weer wilde opstappen viel hij gedurig om. Dat kwam omdat de fiets naar rechts ging als de jongen naar links wilde en andersom. De fiets was gewoonweg onbruikbaar. Ik heb hem ook nog even geprobeerd maar zelfs het achterlicht brandde niet meer. En toen heeft de jongen hem maar in zee geworpen. Zo wordt het eiland More geregeerd door de burgemeester, de priester en de trollen. Wij wandelden een hele week en aten onze buik vol. De volgende zondag gingen we weer naar de kerk want we wilden toch wat meemaken. De priester vertelde van Abraham en Isaäc en vervolgens van het brandend braambos en de ezel van Bileam. Toen zei hij: 'Er moet zo snel mogelijk een wonder gebeuren op ons eiland, anders verzinkt het in de zee.' De gelovigen trokken de natuur in en wij gingen mee. De burgemeester was er ook. De trollen echter lieten zich niet zien. Iedereen ging bidden voor een eeuwenoude eik. Het was winter, de takken waren kaal. Uren baden de mensen en ineens gebeurde er iets dat wij niet verwacht hadden. Wij dachten misschien een zwevende triangel te zullen zien of gewoon brandend water maar niets van dat alles. Er gebeurde iets veel gekkers. Terwijl het winter was en de takken van de boom kaal, nat en glimmend waren, vlogen er ineens duizenden blaadjes naar de boom, ze kwamen uit de hemel vallen en wij hoorden de boom ruisen alsof het volop zomer was. Dat duurde tien minuten en toen verdwenen de blaadjes weer naar de hemel. Het wonder was gebeurd en het eiland was gered. Een eiland zonder radio, televisie, een eiland met trollen en behekste fietsen, een eiland waar wonderen gebeurden! Ik was over mijn toeren en bedankte mijn vriend dat hij me hierheen had meegenomen.

Op een dag stormde het en mijn vrouw wilde naar de kust. Wij gingen allemaal naar de rotsen en zagen hoe de hoge golven helemaal van Amerika af hierheen kwamen rollen. Het leek waarachtig wel of ze het eiland weg wilden spoelen, maar het bleef rustig liggen en weerstond alle aanvallen van het water met gemak. Het was een ziedende, grauwe zee en gemene, zwarte wolken trokken aan de hemel voorbij. Opeens zag ik een roeibootje. Het kwam langzaam nader. Dat moest wel een heel vermetele roeier zijn die in deze storm nog het eiland durfde te benaderen! De roeier was geheel doorweekt. Wij renden naar de haven en een kwartier later legde hij aan. 'Waar komt u vandaan?' vroegen wij. 'Uit Denemarken,' zei hij, 'allemachtig, wat een klotebaan.' 'Wat is uw baan dan?' vroegen wij. 'Ik probeer condooms op de Engelse eilanden te verkopen,' zei hij. De priester en de burgemeester hoorden van het geval. De roeier werd in hechtenis genomen en op de inhoud van de roeiboot werd beslag gelegd. 'Ik weet wel hoe die condooms werken,' zei de priester, 'daar hebben wij allemaal richtlijnen voor. Beminde broeders en zusters, dit zijn heel gevaarlijke dingen. Het is maar het beste om er geen aandacht aan te schenken. Laten we het grappig bekijken en de condooms waar Europeanen vlees in verpakken als ballonnetjes beschouwen. Ik stel voor dat iedere eilander honderd condooms bij de heliumbron zo groot mogelijk opblaast en dichtbindt.' Dat gebeurde en iedereen was vrolijk bezig. De priester bond alle ballonnetjes met touwtjes aan elkaar. Vele kleintjes maken een grote. Tenslotte hadden we een hele wolk. Nu werd de man uit Denemarken uit het cachot gehaald. De priester zei tegen hem: 'Nu leveren wij jou een koekje van eigen deeg.' De man uit Denemarken werd aan de geweldige ballon gebonden en steeg zachtjes op, helium is lichter dan lucht. De duizenden opgeblazen condooms voerden hem naar hogere sferen en in de richting van de grote en lege Atlantische Oceaan. Terwijl de eilanders zongen: 'Dies irae, o terra, terra, qui ardebit in favilla', zagen wij de schreeuwende Deen gejaagd door de wind over de horizon verdwijnen. Er is nooit meer iets over hem vernomen. Ja, werkelijk een heerlijk en prachtig eiland. Het bezoek aan More behoort tot de dwaaste, prettigste en koddigste ervaringen die ik ooit heb gehad. Ik ben van plan me op dat eiland te gaan vestigen als ik met pensioen ga, want ik baal onderdehand van het onrustige, vieze bestaan vol overbodige onzin in Europa.

De opdracht

Johan van der Kok werkt op de bibliotheek van het Vredespaleis en is een saaie man, een vrijgezel van veertig jaar. Op een dag zit hij op zijn werk als de directeur binnenkomt. Deze draagt een eerste druk van het werk *De jure belli ac pacis* van Hugo de Groot in zijn handen. Dat boek in die uitvoering en die druk is zijn gewicht in goud waard. Er zijn maar dertig exemplaren van te vinden op de wereld en op volkenrechtelijk gebied is het een standaardwerk. 'Het goodwill committee van de United Nations wil dit boek aan de universiteit van Sao Paulo aanbieden,' zegt de directeur, 'nu wilde ik eerst zelf gaan, er begint daar volgende week een volkenrechtelijk congres, maar ik kan helaas niet, misschien wil jij het boek brengen?' Johan is geheel van zijn stuk, hij is nog nooit buiten Europa geweest, hij heeft nog nooit gevlogen, naar Venetië gaat hij eens per jaar per trein. Over zijn hele lichaam trillend van emotie neemt hij het boek in ontvangst en leest het schema van het congres. Hij zal morgen moeten vertrekken. Die middag kan hij niet meer werken. Hij probeert te verzinnen wat hij zal zeggen op het ogenblik dat hij het boek in de grote zaal vol professoren en andere geleerden aan de rector van de universiteit van Sao Paulo moet overhandigen. Hij legt zijn hand op het boek en het lijkt of het genie van Hugo de Groot door zijn lijf siddert. Het boek is door de loop der eeuwen goed bewaard gebleven. Hij belt een reisbureau en laat zich alle reisbescheiden nog dezelfde middag op het werk bezorgen. De Verenigde Naties betalen alles. Weer kijkt Johan naar het boek. Een zo zeldzaam en kostbaar, een zo prachtig en onvervangbaar boek heeft hij nog nooit in handen gehad. Tegen vijven bergt hij het op in zijn zwarte koffertje, neemt afscheid van de directeur en wandelt naar een restaurant in de stad. Zomaar midden in het jaar een reis maken! Nu lijkt hij wel op de avonturiers uit de boeken die hij leest. Hij eet stamppot met zuurkool en rookworst en drinkt er zijn wijn bij. Dan gaat hij met het boek en zijn reisbescheiden naar huis. Die avond kan hij niet lezen en van opwinding ligt hij om acht uur al in bed. Hij kan de slaap niet vatten en ligt de hele nacht klaar wakker. Wat zal hem toch overkomen? Hij is een beetje bang om op reis te gaan. Tegen vieren wordt het licht en hij gaat aan het raam van zijn kamer staan. Van de Van Alkemadelaan ziet hij een kangeroe zijn stille, uitgestorven straat inspringen, met een rustige gang huppelt het dier de straat aan de andere kant voorbij het huis van de groenteboer weer uit en verdwijnt in een park. Johan wrijft zich zijn ogen uit. Trillend van angst gaat hij weer naar bed en leest in de ochtendkrant dat er een kangeroe uit de dierentuin is ontsnapt. Hij kleedt zich aan, ontbijt, hij pakt het koffertje met het boek en een grote koffer met zijn kleren. Hij bestelt een taxi naar het Centraal Station en daar neemt hij een bus naar Schiphol. Hij vliegt naar Rio de Janeiro en leest in het toestel twee boeken. In Rio neemt hij zijn intrek in een rustig hotel. Hij bemerkt dat hij nog drie dagen de tijd heeft voor het congres begint. Het koffertje met het kostbare boek sleept hij overal met zich mee. Hij is ontzettend bang dat het gestolen wordt voor hij het op de afgesproken dag heeft kunnen overhandigen aan de rector van de universiteit van Sao Paulo. Er is een plaatsje dat midden in de wildernis ligt. Dat heet Italka en daar in de buurt moet de enige Indianentempel staan die van duizend voor Christus dateert. Hij heeft erover gelezen, nu wil hij die tempel zien, hij heeft immers nog tijd zat? Nu hij toch aan het vliegen is kan hij wel even doorvliegen. In het Frans en Engels probeert hij zich verstaanbaar te maken. Alleen met het boek in het koffertje neemt hij een taxi naar het vliegveld en laat zich in drie uur naar de stad Cuiabá vliegen. Het vliegveld daar bestaat uit een landingsstrook en een loods in de rimboe. Er lopen maar drie man rond in de loods. Johan loopt naar een van de mannen toe en vraagt of iemand hem aan een kaartje naar Italka kan helpen. De man neemt hem mee naar een klein kamertje waar een groot bureau staat. Daaruit neemt hij een papier en tikt erop: 'Italka...', de rest is onbegrijpelijk. Dan zet de man nog vijf verschillende stempels op het papier en vraagt om tweehonderd dollar. Met Hugo de Groot in het koffertje sjouwt Johan het veld weer op en vraagt wanneer het vliegtuig naar Italka vertrekt. Er blijken helemaal geen vliegtuigen naar Italka te bestaan. Een functionaris legt hem uit dat hij een neppapiertje heeft gekregen. Er staat in het Portugees op: 'Retour Italka' en de stempels betekenen: 'Alleen voor gecastreerde schapen', 'niet voor brieven boven de veertig gram', 'adres onleesbaar' en 'namens de secretaris van het vliegveldbestuur', daaronder staat: 'Contant voldaan, tweehonderd dollar.' Johan is hoogst verbaasd maar na een half uur zoeken naar de man die hem het papiertje heeft verkocht loopt hij iemand tegen het lijf die zegt dat hij over vijf minuten als piloot van een klein vliegtuigje naar Italka zal vertrekken. De vriendelijke man biedt Johan een gratis reis aan. Gewapend met het boek in zijn koffertje gaat Johan in het kleine toestel zitten. Het moet plastic golfplaten naar Italka brengen. Vier uur later stapt hij uit in de wildernis in zijn meest verheven vorm. 'Kan ik mee terugvliegen?' vraagt hij de piloot, die zijn toestel aan het volladen is met zakken bloempitten nadat het plastic eruit is. 'Dat gaat niet,' zegt de piloot, 'het is al de vraag of ik met duizend kilo lading en mezelf wel van de grond kom.' 'Wanneer gaat er dan een toestel terug naar Cuiabá?' vraagt Johan. 'Voorlopig niet,' zegt de piloot, 'misschien gaat er over twee weken een toestel naar Manaus, maar dan moet je geluk hebben.' Johan haalt zijn schouders op en loopt de wildernis in. Urenlang bekijkt hij met het koffertje in zijn hand de oude, verweerde tempel, die tussen hoge bomen staat, alleen het gekrijs van beo's en papegaaien is hoorbaar, misschien murmelt in de verte de brede, woest stromende Tapajos-rivier. Hoe moet hij nu *De jure belli ac pacis* op de bestemde tijd en de juiste plaats overhandigen? Johan strijkt neer op een boomstronk en blijft daar piekerend tot de avond zitten. Dan wordt hij door vier man beetgepakt. Het zijn inboorlingen. Hij wordt geblinddoekt en een uur later ligt hij vastgebonden op een bed. Het koffertje is van hem afgepakt. Hij kan zijn handen en voeten niet bewegen. Een kleine jongen komt hem maïspap, water en vlees voeren. Dan komt er een prachtig meisje binnen, ze begint Johan te strelen en knoopt zijn overhemd en zijn broek open. Wild geworden rukt Johan, die niet gewend is aan vrouwen, zich los uit de touwen en rent het belendende vertrek binnen.

Als hij eindelijk aan het licht gewend is ziet hij driehonderd mannen in een soort rieten tempel. De priester scheurt de beschreven bladen uit *De jure belli ac pacis* en verdeelt die ernstig onder de mannen. Ze rollen er zware tabak in en steken op. De zaal staat blauw van de rook. Johan valt flauw, hij wordt weer op het bed gelegd en daar droomt hij van de rector van de universiteit van Sao Paulo, die met lege handen staat, van een woedende directeur van het Vredespaleis en een kangeroe die heel langzaam door zijn stille straat in Den Haag komt springen om in het parkje voorbij het huis van de groenteboer te verdwijnen...

Spreken in tongen

Ik was een paar weken geleden met mijn vrouw enige dagen weg uit de Randstad. Wij logeerden bij een professor, een oude kennis van mij. Hij is nog jong, pas vijfendertig, en twee jaar geleden heeft hij zijn vrouw opgeduikeld. Hij geeft college in de stad Groningen en ze wonen op het platteland, vlak bij de zeedijk, heel idyllisch in een boerderij en zijn erg gelukkig met elkaar. De boerderij staat onder aan de dijk en op stormachtige nachten hoor je hoe de zeegolven de dijk beuken. De plek is van God en alleman verlaten en het is een verrukking om daar te wandelen. Bij helder weer zie je in de verte de Waddeneilanden liggen. Op een avond hadden we uitgebreid gegeten. Jannie, zo heet de vrouw van mijn vriend, had heerlijk gekookt. Vooral de Irish coffee voor toe smaakte lekker. We gingen in de luie stoelen zitten en Peter, de hoogleraar, zei: 'Zo, nou is het echt tijd voor een sterk verhaal.' De wind ging buiten flink tekeer en de open haard brandde. Ik begon over de tijd dat ik op olietankers had gevaren, we kregen het langzaamaan over het milieu, over politiek en over godsdienst. Peter had nooit iets geloofd en Eva, mijn vrouw, ook niet. Maar Jannie was bij de Pinkstergemeente geweest. Wat ik van het geloof dacht wisten we allemaal, ook hoe ik ervanaf was geraakt, maar van Jannie wisten we niets op dit gebied. 'Dat moet je toch eens vertellen,' zei Peter, 'ik weet zeker dat Eva en Maarten het leuk zullen vinden om te horen wat jouw ervaringen bij de Pinkstergemeente zijn geweest.' Jannie bloosde: ze zegt niet zoveel en is bepaald niet gewend om over intieme dingen te praten, om aan anderen dan haar man iets op te biechten. 'Misschien later op de avond,' zei ze, 'het is nu nog zo vroeg.' Er kwam een goede fles whisky op tafel en binnen een uur hadden we die met zijn vieren leeggedronken. Omdat er toen geen whisky meer was, begonnen we aan de cognac. Het werd een vrolijk innemen en op een gegeven moment zaten

Peter en ik elkaar weer verhalen te vertellen. Ik had het over de stormen die ik op zee had meegemaakt en Peter vertelde over de manier waarop hij zijn proefschrift nagenoeg geheel had overgeschreven uit een oude Indiase dissertatie, zonder dat het zijn promotor en de andere leden van de promotiecommissie was opgevallen. Daarna kregen we het over de kwaliteit van het bestaan bij geestelijk achtergebleven mensen en krankzinnigen. Het liep tegen twaalven en buiten begon het steeds harder te waaien. Wij lasten een gesprekspauze in om de golven tegen de dijk te kunnen horen slaan. Het begon te regenen ook. Een zware bui ontlastte zich en er kwam flink onweer. 'Geen tijd om op zee te zijn,' dacht ik, 'wat ben ik blij dat ik hier warm en droog zit achter mijn glaasje, achter mijn in salami gerolde asperge en de stukjes kaas met gember, achter mijn cognac, met een vriend en twee aardige vrouwen in mijn nabijheid.' De boerenklok sloeg luid tingelend twaalf uur en wij waren allemaal moe. 'Zullen we nu maar niet naar bed gaan?' vroeg Eva, 'want straks als de cognac op is beginnen we aan de jenever en daarna aan de Berenburger en zo zitten we hier morgen tegen zessen nog. Maarten moet morgenochtend studeren.' 'En jij moet je college voorbereiden,' zei Jannie tegen Peter. 'Dat kan overmorgen ook nog,' antwoordde Peter, 'na ons de zondvloed, laten we het er nu eens gezellig van nemen.' Toen begon hij een anekdote te vertellen waarin iemand van het Koninklijk Huis betrokken was. Het verhaal was zo frivool dat ik me schaam om het hier te herhalen. Bovendien is het bij verhalen over hoogstaande personen vaak moeilijk om verzinsel van waarheid te onderscheiden. 'Foei toch Peter,' zei Jannie toen het verhaal was afgelopen en ze voegde eraantoe: 'Mijn man is weliswaar hoogleraar maar hij zal nooit volwassen worden.' 'Nu is het tijd voor jouw verhaal, Jannie,' lachte Peter. 'Welk verhaal?' vroeg ze verlegen. 'Het verhaal over het spreken in tongen,' zei hij, 'daar zul je Eva en Maarten een groot plezier mee doen.' Aanvankelijk sputterde Jannie tegen. Ze ging koffiezetten en toen we allemaal achter een dampende mok vol met het nuchter makende bruine vocht zaten, keek Peter zijn vrouw weer aan. Hij maakte bepaalde gebaren naar haar. Hij fronste zijn wenkbrauwen en zat met zijn handen in haar richting te zwaaien. Hij trok zelfs aan zijn tong.

'Ik ben heel gelukkig geweest als kind,' begon Jannie toen aarzelend. 'Mijn vader en moeder waren lid van de Pinkstergemeente en iedere zondag gingen we twee keer naar de kerk. In de Pinkstergemeente gaat alles, geloof ik, net zoals in de katholieke of in de hervormde Kerk. Alleen preekt de voorganger veel vuriger over het genot van de hemel en de ellende die ons op aarde te wachten staat. Soms lijkt hij de Verlosser zelf wel, soms preekt hij zo ontroerend dat de tranen je in de ogen springen. Tijdens zijn preek last hij af en toe een pauze in. Dat gaat heel natuurlijk. Hij zegt bijvoorbeeld: "Toen heeft God onze Vader Zijn eniggeboren Zoon naar de wereld gestuurd om voor ons aan het kruis te hangen." Dan geeft een ouderling een kreun en springt midden in de kerk. Op dat moment zwijgt de voorganger op zijn preekstoel. "Achwami!" roept de ouderling, die op een verhoginkje is gaan staan. "Ik geloof dat de geest waardig is geworden over ouderling Pelkman," zegt de voorganger, "laten wij met grote aandacht luisteren naar wat hij te zeggen heeft." Op dat moment komt de ouderling pas goed los en schreeuwt door de kerk: "Ballamiere, dostojozwenieje prachmatoej! Iesoes zallekoem prabenum. Mundus solvendira prachmata sjach et kakemento prastos. Iesos trafol gefalle, halleluja!" Het schuim staat tegen die tijd de ouderling op de lippen. Hij gaat op zijn verhoginkje zitten en zegt tegen een jongetje dat naast hem in de banken zit: "Ik kan niet meer, geef me een pepermuntje, vlug!" Dan springt een andere ouderling uit zijn bank en gaat door de kerk hollen. "Gemeenteleden!" roept hij uit, "kinderen van één Vader, oh wij deelhebbers aan het grote heil, ik heb verstaan wat ouderling Pelkman heeft gezegd en ik zal het voor u vertalen: 'De Verlosser is gekomen en alle droefenis zal van ons afvallen. Hij zal ons reinigen van de zonde en in de hemel zullen we eens melk en honing drinken, zolang wij ons maar aan de geboden van God houden, halleluja!'" Dat was voor mij altijd een heerlijk moment,' zei Jannie, 'en iedere zondag ging het anders toe. Iedere zondag preekte er een andere ouderling in tongen, en soms waren er twee ouderlingen tegelijk die uitleg wilden geven. De honderden mensen in de kerk raakten opgewonden en na afloop van de dienst trokken wij, geestelijke liederen zingend, naar huis. "Het leek vandaag op Russisch," zei mijn vader dan, "looft den Heer." Thuis dronken we koffie en 's nachts vroeg ik me af of ik ooit ook in tongen zou kunnen spreken. "Het is maar een enkeling gegeven," zei mijn vader, "vaak kunnen de voorgangers zelf niet eens in tongen spreken en het gesprokene ook niet vertalen. Je moet geheel opgaan in de heerlijkheid des Heeren, een duif de Heilige Geest gelijk moet je worden." Twintig jaar lang ben ik erg gelukkig geweest. Toen ik vierentwintig jaar werd, zouden we met de gemeente een buitendag houden. De voltallige gemeentes uit Rotterdam, Den Haag, Gouda en Amsterdam zouden in een monstertent vergaderen, op een gewone donderdag, aan de voet van de piramide van Austerlitz. Het was een zakelijke bijeenkomst. Er werd veel over geld en de nieuwe organisatie van onze Kerk gesproken. Op een gegeven moment kreeg ouderling Pelkman ruzie met meneer Ter Vreeze, die over het geld in onze kerk ging. Het was beschamend om mee te maken. De ruzie ging gewoon over de soort nieuwe collectezakjes in Den Haag en of de voordeur van de kerk zwart of groen moest worden geverfd. Het was nu helemaal geen heilige stemming meer. De geest der mildgestemden was ver te zoeken. Het werd nagenoeg stil in de tent. Alle aanwezigen zwegen en luisterden bedroefd naar het geruzie van de twee broeders uit Den Haag. "Wat een schande," zei mijn vader, "dat het net leden van onze gemeente moeten zijn." Toen ineens begon er een ouderling uit Amsterdam door de tent te rennen. "Achwataballa!" riep hij uit, "gnoerstikom Pelkman passejewietsj huichsja Ter Vreeze patom, etiem djelo snatsietjelno objechtsjajetsje, halleluja." "Het is net Arabisch dit keer," zei mijn moeder. Een andere ouderling uit Amsterdam sprong op een verhoging en sprak met luide stem: "Gode zij dank kan ik verstaan wat ouderling Ruisblad heeft gesproken. Hij zegt namelijk dat ouderling Pelkman gelijk heeft en niet meneer Ter Vreeze. Aldus spreekt namelijk God: 'De collectezakjes blijven gewoon in hun oude vorm gehandhaafd en de voordeur van de kerk der Haagse gemeente wordt groen geverfd.'" De ruzie was meteen bijgelegd, maar ik was mijn geloof kwijt: ik kon me niet voorstellen dat God ouderlingen voor zulke dagelijkse en makkelijk oplosbare problemen in tongen zou laten spreken. Ik zag in dat ik me twintig jaar had laten beduvelen. Ik lachte bij mezelf: "Achwataballa," en verliet de tent. Tegen mijn ouders zei ik dat ik misselijk was. Ik nam de trein naar Den Haag en ben in Scheveningen aan het strand gaan liggen. Nooit ben ik meer naar een dienst van de Pinkstergemeente geweest. Zozeer ben ik geschrokken dat ik vanaf die tijd bij geen enkele groepering meer heb willen horen.'

Wij lachten smakelijk. 'Toch doet zoiets pijn,' zei Jannie droevig, 'ze hebben me jarenlang blij gemaakt met een dode mus.' We dronken nog een kop koffie en toen doken we in bed. Nog een kwartier luisterde ik naar de storm die de pannen op het dak deed rammelen. Ik overdacht de woorden van die avond en viel door drank bevangen in slaap...

Van oude dingen

De stoelen die je op straat vindt zijn gewoon de beste. Een tijdje geleden zat ik midden op straat, nog net op het trottoir, een nieuwe stoel te proberen. Ik vind het een schande wat de mensen weggooien. Laten we maar wat zuiniger gaan doen. Het was werkelijk een prachtige stoel. Van notehout en ribfluweel. Alles keurig donkerbruin. Echt een luie stoel om een boek in te lezen, een heel dik boek, echt een stoel om je helemaal in te ontspannen. En een fantastische zit! Een stoel om in te genieten van een glaasje Campari met veel ijs. Ik nestelde me in de stoel, helemaal op mijn gemak, en daar kwam professor dr. Frits Kalshoven aan, die onder andere het standaardwerk *Belligerent reprisals* heeft geschreven. Ik zag die man vaak op het Vredespaleis toen ik daar nog werkte en ook op de tennisclub zie ik hem vaak. Hij is iemand van wie je denkt: 'Met die man moet ik nou eens bevriend worden.' Ik vind hem aardig: hij is zo bescheiden. Dat blijkt ook uit het feit dat hij bij de Spar boodschappen voor zijn vrouw had gedaan. Vroeger zag je hier in Leiden Zuidwest filmregisseurs van goedlopende films en ook Maarten 't Hart, Andreas Burnier en Frits, die laatste kan prachtige boeken in vloeiend Engels schrijven, daar heb ik grote bewondering voor. Het ontbrak er nog maar aan dat Elsa Triolet gearmd met Aragon de winkel binnen kwam stappen om stroop en koffie te halen 'en een pond van die bintjes graag'. Nu ja, nu zit ik hier nog maar met een paar man. Kalshoven is overgebleven. Als ik bijvoorbeeld ga tennissen met Cees Waal, dat moet de belangrijkste wethouder hier zijn want hij mag het hele verkeer in de binnenstad in de war gooien en hij doet dat met veel plezier, dan kom ik ook Kalshoven met zijn vrouw tegen. Dan voel ik me helemaal opgenomen in de toplaag van de maatschappij. Maar goed, ik zit in die stoel op straat die eigenlijk voor de kraakwagen is bedoeld, ik zit tussen een pedaalemmertje, een oude

Suprafoon platenspeler, een bed en een nog heel bruikbare ijskast en daar komt die Kalshoven aan. Hij zegt: 'Ben je er maar even bij gaan zitten?' Even denk ik aan mijn stand, aan het Vredespaleis en aan de tennisclub, vooral denk ik: 'Nou wordt die man nooit mijn vriend meer.' Maar ik verman me en blijf rustig zitten. Kalshoven treedt aarzelend naderbij. Hij weet dat ik een paar keer in het gekkenhuis heb gezeten. 'Prima stoel,' zeg ik monter, ik probeer hem ervan te overtuigen dat hij ook even moet gaan zitten. 'Ik heb haast,' zegt hij. Dan neem ik de stoel op mijn hoofd. (Draagt heel lekker, stoel ondersteboven, hoofd in het zitvlak gedrukt en handen tegen de armsteunen.) Ik draag de stoel de brandtrap van onze flat op. Boven gekomen werp ik nog een blik op Kalshoven, hij loopt achteruit en geeft mij een knipoog. 'Binnen is binnen,' roep ik naar hem, 'moet je ook doen, zit binnen een jaar het hele kabinet met de handen in het haar. Rouleersysteem van voorwerpen. Alles repareren, niets weggooien, alles gebruiken!' Zo heb ik ook iets vreemds met schrijfmachines. Ik kan eenvoudigweg niet op een nieuwe machine tikken. Een machine moet oud zijn en minstens drie gebreken hebben. Men zou trouwens eens een blik moeten kunnen werpen in mijn kelder. Die ruimte is niet meer te gebruiken. Laatst zei Eva: 'Ga jij even de koffers halen.' Ik ben de hele dag bezig geweest. De koffers lagen achterin. Ik kwam op mijn tocht boeken tegen, tijdschriften, tafels, een vloerroller, een eiersnijdertje, stoelen, oude matten, fietsen, dozen met kleren. Heel handig. Ik had pas een feest en er kwamen wel veertig mensen in ons huis. Nu vind ik dat iedereen moet kunnen zitten bij een feest. Ik ben een negentiende-eeuwer. Een echte salon moet het zijn. Toen ben ik gewoon achttien stoelen uit de kelder gaan halen en iedereen kon zitten, want tweeëntwintig man zaten al.

Mikkie

We hebben een hondje thuis en dat hondje heet Mikkie. Nou, daar hebben we heel wat mee uit te staan. We hebben hem nu drie jaar. Hij is klein en zwart en heeft een enorm uitwaaierende krulstaart, als een plumeau. Als hij hard rent, bijvoorbeeld op het strand, dan wappert die staart lijnrecht als een verlengstuk van zijn ruggegraat achter hem aan. Maar gewoonlijk is het een allerdottigst varkenskrulstaartje. Het gekke is dat als ik een angstbui heb Mikkie dat dan onmiddellijk in de gaten heeft. Hij laat zijn staartje zakken en loopt ermee tussen zijn pootjes totdat ik een slaappilletje neem en naar bed ga. Wij hebben negen poezen in huis, daar speelt Mikkie graag mee. Hij heeft een lief snuitje en prachtige, bruine ogen. Hij schijnt het fijn te vinden om mij af te likken. Het liefst likt hij mij op mijn lippen. Eva vindt dat niet goed, maar gevaarlijk acht ik het niet. Omdat wij Mikkie niet te veel te eten geven, wij houden niet van die tonnetjes op dunne pootjes met uitpuilende knikkeroogjes, vragen mensen weleens: 'Wat is dat toch voor een hond, meneer?' Ik zeg dan altijd dat het een Weens staandertje is. 'Een Weens staandertje,' mompelen de mensen dan, 'lijkt mij toch wel een heel leuk ras.' Wij hebben Mikkie uit het asiel. Daar heeft hij iets vreemds van overgehouden. Ach mensen, waar praat ik eigenlijk over, u begrijpt toch niet hoe ik van mijn hondje hou. Honden zijn de beste dieren die er rondlopen. Ik heb altijd een zwak gehad voor bedelaars. En dan moet je hem 's avonds zien als wij naar bed gaan: zodra hij mij mijn tanden hoort poetsen, poetst hij de plaat uit de kamer en gaat op het echtelijk bed liggen. Hij wil graag in een groot, warm, gezellig nest liggen. De hele dag gehoorzaamt hij mij, maar als wij in slaapkleding de slaapkamer in komen, mijn vrouw en ik, dan knort hij en gaat op bed op zijn ruggetje liggen. Hij toont zijn blote buikje en intieme delen. 'Mik, de kamer in,' zeg ik dan, 'vlug de huiskamer in, hup!'

Dat schijnt hij helemaal niet leuk te vinden. Hij krimpt in elkaar en weet niet waar hij blijven moet. Hij zwaait met alle pootjes door de lucht en als een zakje zand moet je hem naar de huiskamer dragen. Daar gaat hij heel droevig op de sofa liggen. (Over die sofa moet ik het ook nog eens hebben, zit een heel grappige geschiedenis aan, er schiet mij nu ineens van alles te binnen. Sigaren, daar moet ik het ook eens over hebben. Gebrek aan karakter bij schrijver dezes ook. Waarom ik graag dassen draag. Waarom ik graag in de wasbak plas. Wat ik van die rare ventilator op mijn kamer vind. Over de klok in de huiskamer kan ik het hebben. Ook over mijn huwelijkssluiting op Schiermonnikoog. Over de vlieg die gisteren verschrikt uit mijn inktpot kwam vliegen, ik had mijn vulpen in geen jaren gebruikt. O Mozes Mina, er is genoeg geloof ik, meer dan genoeg.) Dan kijkt hij je aan met die droevige oogjes alsof hij zeggen wil: 'Moet ik nu de hele nacht alleen? Ik wil zo graag vlooien aftrappen in het grote bed, snebbelen op de buik, grommen als er een brommer voorbijkomt, vrouwtje likken aan de hand, dan weer vlooien enzovoort dat jullie de hele nacht geen oog dichtdoen.' Mikkie neukt de katten. Daar heeft hij groot plezier in. Het kan natuurlijk niet echt maar hij houdt vol. Je kan echt zien dat hij uit een asiel komt. Blinde konijnen in de duinen probeert hij ook te neuken. Als je een stok oppakt op straat, dat vinden alle honden leuk, dan duikt hij in elkaar van angst, en pas als je de stok een heel eind wegwerpt (ik heb bij granaatwerpen nooit de achtenveertig meter gehaald en me zo nooit het sportspeldje kunnen verwerven), wordt mijn hondje weer normaal en begint te kwispelen. Dan kijkt hij je aan met een blik van: 'Met die stok kan ik niet meer op mijn lazer krijgen.' In het begin poepte hij in huis. Je kon uren met hem wandelen, hij hield het op tot we thuis waren. De eerste keer dat hij het buiten deed, ik was toen helemaal van Leiden naar Zoetermeer gewandeld, deed hij zijn rug in een hoog boogje en keek mij aan: 'Moet het dan in godsnaam maar in de vrije natuur en niet voor het radiotoestel?' Ik loofde en prees hem maar toen we thuiskwamen scheet hij diarree onder de piano. Het heeft lang geduurd, die onzindelijkheid. Wij wonen boven een bedrijfsgarage. Als je een hondje hebt kom je met allerlei mensen in aanraking, met leuke meisjes die ook een hond uitlaten, met Tunesiërs die de benzinepomp bij de garage doen. Achmed, die onder onze flat bij Van der Velde voor de Citroëns werkt en vaak bij de pomp staat, is dol op Mikkie. Mikkie rent altijd naar hem toe. En dan knuffelt Achmed de hond en zegt: 'Jij kleine gekkie, jij grote schattebout, ik jou lang gemist.' Mikkie is dol op Achmed en likt hem dan ook op zijn mond. Omdat Achmed zo van Mikkie houdt en ik Achmed weleens met een Franse detective in zijn handen heb gezien, ben ik uit dank voor de liefde die hij Mikkie betoont een Frans boek gaan brengen. *Twintigduizend mijl onder zee* van Jules Verne. In het Frans begint Achmed te ratelen: 'Verne is een groot man, hij heeft een rijke woordenschat en kan de meest fantastische situaties uitbeelden. Hij heeft een gedegen kennis van alle onderwerpen die hij beschrijft en ik ben u zeer dankbaar voor dit boek. Mocht u *Le rouge et le noir* ook nog hebben dan houd ik mij aanbevolen.' Door Mikkie leer je heel wat mensen kennen en vooral andere honden. Doordat Mikkie uit een asiel komt en een droevige opvoeding heeft gehad gromt hij tegen alle honden die hij tegenkomt. Dan moet ik hem optillen en bijten de bouviers en herdershonden mij. Op een keer is hij driemaal achtereen door drie verschillende honden langs de Vliet gebeten en drie keer achter elkaar heeft hij het diepe water boven een gevecht verkozen. Met een hond maak je veel mee. Drijfnat kwam ik thuis, want ik moest hem steeds tegen de hoge stenen wal optrekken en afdrogen. 'Jij grote schattebout.' Bij de garage wordt nogal eens een keertje ingebroken. Dat gebeurt steevast om vier uur 's nachts. Mikkie ligt blijkbaar de hele nacht wakker, als er buren over de galerij van de flat lopen slaat hij niet aan, maar hij hoeft maar één onbekend geluid te horen of de beer is los. Mijn vrouw rent dan in het pikkedonker naar de telefoon en trommelt de politie op. Zelf slaap ik meestal door. Van Eva heb ik die verhalen. Binnen vijf minuten is de politie ter plekke en vangt de dief. De bewakers van onze orde lopen roepend over het dak van onze flat en van de garage. Ze ontsteken schijnwerpers en zwaailichten. Politieauto's scheuren rond. Er zijn meer honden in onze flat maar die slaan nooit aan. De hele flat wordt wakker en iedereen staat voor het raam, behalve ik want ik slaap. 's Morgens durft Eva de buren niet aan te kijken omdat ze niet weet of er nu wel of niet een dief gevangen is. Ze is bang dat ze de buurt voor niets in rep en roer heeft gebracht. 'Heb je het al gehoord?' vragen de buren aan haar, 'er is vannacht weer een dief gevangen.' Dan zegt mijn vrouw met een pokerface: 'Ja, ik heb de politie maar even gebeld want Mikkie bespeurde onraad.' Drie keer zijn er nu dieven geweest en gevangen. De directeur van het garagebedrijf heeft mijn vrouw bloemen gestuurd. Er was een kaartje bij. 'Met veel dank voor uw oplettendheid,' stond erop. Een rookwost voor Mikkie was er echter niet bij. Ondank is nu eenmaal 's werelds loon.

Het schot

Ik was van goede wil in dienst. Toch kon ik geen goeddoen bij mijn superieuren. Daarom moest ik vaak voor straf wachtlopen op het koude strand bij Den Helder. Ik kan de vuurtoren van Huisduinen uittekenen. Er waren schietoefeningen. Er was een man tekort, ik moest meedoen. We zaten bij de luchtdoelafweer die met zware, logge, langzame en onhandige kanonnen in oorlogstijd op vijandelijke vliegtuigen moest schieten. Van al het zinloze dat een mens tijdens zijn leven mee moet maken is de diensttijd nog wel het belachelijkste. Ik zat op het kanon op het strand en de granaat was in de kamer, achter in de loop geschoven. Links en rechts van de loop waren stoeltjes en daarvoor zat een wiel. Het ene wiel was om de kaarthoek van de loop, de horizontale beweging te bewerkstelligen. Het wiel aan de andere kant, het was meer een stuur, diende om de loop omhoog en omlaag te brengen. Dat laatste noemde men de elevatie. Ik zat aan het elevatie-wiel. Ik voelde mij onzeker. Mijn bril was beslagen, mijn kleren waren doorweekt van de motregen. Anderhalf uur hebben we op dat kanon gezeten. Kapiteins, wachtmeesters en kolonels drentelden rond. 'Waar blijft dat vliegtuig nou?' vroeg iedereen zich af. Voor de derde keer kwam iemand mij vertellen dat achter het vliegtuig een ballon hing, dat we daarop moesten schieten. Op zee, gehuld in grijsblauwe nevels, ging een vissersscheepje voorbij. Meeuwen cirkelden roepend over het strand. Ik vond dat het wachten lang duurde. 'Heb je alles begrepen?' vroeg een korporaal. Er stonden nog drie andere kanonnen. Als het vliegtuig kwam waren wij het eerst aan de beurt om te schieten. Eindelijk hoorden we een vaag gezoem. Ik maakte met mijn te gore en snotterige zakdoek vlug mijn bril schoon,maar de glazen werden vet. Zandkorrels, druppels regen, zeezout lagen op mijn oogprothese gekleefd. Het vliegtuig kwam in zicht. Ze zullen het mij hebben verteld, maar in de verwarring der zinnen – ik kan niet goed denken en begrijp maar weinig van wat ik eigenlijk moet doen, de vraag 'wat moet ik doen?' kwelt mij van 's morgens tot 's avonds – was het niet tot me doorgedrongen dat de ballon vijfhonderd meter achter het vliegtuig hing. Mijn maat, die de kaarthoek had, begon te richten. Het vliegtuig kwam recht op ons af. De korporaal riep zenuwachtig: 'Kaarthoek goed?' 'Jawel, korporaal,' zei mijn maat. 'Elevatie goed?' riep hij nu naar mij. Ik draaide aan mijn wiel en tuurde omhoog. Ik volgde het vliegtuig. 'Dat ballonnetje is wel erg klein,' dacht ik, 'het is haast niet te zien.' Ik aarzelde met mijn antwoord en keek even naar de grauwe zee. 'Elevatie,' riep de korporaal. Ik was verstijfd van paniek en onzekerheid. Ik keek weer naar boven, zette mijn bril af en meende de ballon te zien. Ik richtte naar beste kunnen. 'Elevatie goed,' zei ik. 'Vuur,' riep de korporaal en met een donderende knal ging de granaat de lucht in. Een kolonel zag hem ontploffen en kwam verschrikt op mij afrennen. 'Wat doe jij, sukkel?!' krijste hij, 'de ballon moet nog komen, daar is hij.' Ik had op het vliegtuig gericht. Gelukkig had ik de fout gemaakt het toestel niet in mijn vuur te laten vliegen. Op die manier ontplofte de granaat vlak achter het vliegtuig, een Piper Cup. Maar toch hadden twee scherven het staartstuk en het roer beschadigd. 'Jij krijgt een maand streng,' zei de kolonel, 'was het opzet?' 'Verwarring, angst, onzekerheid, vette brilleglazen en eerste keer, gewoonweg onzekerheid,' mompelde ik, 'het is echt de eerste keer dat ik schiet.' 'Maar je hebt toch honderd keer geoefend in de trainer?' vroeg de kolonel. 'Dat was op op het doek geprojecteerde toestellen,' zei ik, 'dat beeld is misschien blijven hangen.' 'Hufter,' mompelde hij, 'als je een doodslag had gepleegd was je voor de krijgsraad gekomen.' Ik zette mijn bril weer op. Vet, regendroppels en het witte zout van de zee, zandkorrels..., die glazen waren mij zo niet tot nut. Ik had geen schone zakdoek en kon geen papier vinden. De kolonel kwam vlak voor me staan, tikte met zijn officiersstokje op mijn helm en zei steeds: 'Gottogod, ellendeling!' Ik stopte de bril in mijn zak. De oefening werd afgelast. De piloot zei over de radio dat hij niet meer durfde. Hij zette zijn toestel aan de grond en kwam in een jeep naar het oefenterrein op het strand rijden. De ogen puilden hem haast uit de kassen van schrik. 'Waar is die zak die het op mij gemunt heeft?' vroeg hij sissend. De kolonel probeerde hem gerust te stellen maar onderdehand bracht hij hem bij mij. De piloot nam mij op van top tot teen en stroopte zijn mouwen op. Ik heb een week in het hospitaal gelegen. En nooit daarna heb ik meer op een kanon hoeven te zitten.

Het einde van kapitein O'Durrell

In het jaar negentienhonderdentien lag in een donkere slaapkamer van een klein huis vlak bij de rivier, in Dublin, een gewezen kapitein op zijn dood te wachten, hij lag daar al een jaar en het zou heel goed mogelijk zijn dat hij nog lang moest lijden voor hij stierf, maar de dokters sloten de mogelijkheid niet uit dat hij binnen de maand het leven zou laten. Midden op zee had de ziekte hem overvallen. Het was trouwens toch al een rampreis geweest want in Ceylon kreeg hij het bericht dat zijn vrouw overleden was. Het was op het moment dat de thee werd ingeladen. Kapitein O'Durrell voer voor de Hampshire Company in Londen en de klipper waarover hij het bevel voerde, de Palinurus, was een van de snelste schepen van zijn tijd. Hij was er twaalf jaar schipper op geweest en die tijd was hem goed bevallen. Hij was verschillende malen met het schip naar Chili gevaren om er salpeter te halen, hij was een paar keer in Sydney geweest om stukgoed op te halen en schoenen af te leveren, maar het vaakst was hij in Ceylon geweest. Hij kende de weg van Ceylon naar Londen over zee als zijn vestjeszak. Bang was hij nooit geweest. De klipper was tachtig meter lang en kon, geladen, met alle zeilen bij, een zo grote snelheid halen dat ze stoomboten voorbijscheerde. Op een dag zat O'Durrell in een sloep laag op het water onder de achtersteven van het schip om het roer te inspecteren, in een duister hoekje van de haven, toen hij een bekende stem hoorde: 'Kapitein, kapitein, waar zit u toch? Kapitein, waar hangt u toch uit?' Het was de stem van de bootsman. De klipper was onderweg van Londen naar Ceylon in een orkaan terechtgekomen en had twee van haar masten en geweldig veel zeil verspeeld. 'Ik ben bij het roer!' riep de kapitein. 'Hier is een expresbrief voor u,' zei de bootsman zacht, 'komt u niet even boven om de brief te lezen?' De kapitein roeide rustig naar de bakboordszijde van het schip en klom waardig een touwladder op. Hij was aan dek en keek verwonderd om zich heen. Het was zinderend heet en nagenoeg windstil. Dertig man, zowel Ceylonezen, als Engelsen, en een groot gedeelte van de bemanning van het schip waren bezig het schip weer zeeklaar te maken. Op de looppaarden zongen en neuriedden ze hun liedjes. Het schip had nu weer drie masten en zeilmakers waren in een loods op de kade bezig zeilen voor het schip te naaien. Het was een drukte van belang, want terwijl de klipper hersteld werd, werd ook de thee in de ruimen gestouwd. O'Durrell had tamelijk goedkoop een goede partij op de kop weten te tikken en wist dat de handelaars gewiekst waren: als je de thee in de loodsen liet waren ze in staat de partij voor een tweede keer, en duurder, te verkopen en jou met de strop te laten zitten. Weliswaar kreeg je je geld terug, maar je moest de markten weer af en zien een goede transactie voor de opdrachtgever thuis af te sluiten. Het was een komen en gaan van donkere mannen met balen op hun rug, terwijl de voorste mast met behulp van een stoomlier op de kade op zijn plaats werd gezet. De kapitein keek er een beetje angstig naar. Het dek kraakte vervaarlijk en de mast stond nagenoeg rechtop, maar werd slechts door twee stagen op zijn plaats gehouden. 'Zet als de wiedeweerga die mast vast,' riep de schipper, maar het leek of de werklieden en de matrozen hem niet hoorden. O'Durrell wilde er niet nog meer doden bij hebben. Zijn twee beste mannen was hij in de orkaan kwijtgeraakt en het zou een schande zijn als zijn matrozen in de haven bij werkzaamheden aan het schip het leven lieten. Tegelijk werd de middelste mast tot aan het kraaienest geverfd, de voorste mast werd opgezet, zeilen werden genaaid, proviand voor onderweg werd aan boord gebracht en de thee werd ingeladen. De theebalen geurden verrukkelijk, de stoomlier rook naar hete olie en de longen vulden zich met stoom, daartussendoor was de lucht van menie en witte lak, om de geur van nieuw touw en teer niet te vergeten. Op het voordek waren vier man bezig bij het ankerspil. Het was een compleet gekkenhuis, en dan die stilte in de rest van de haven, die krankzinnig makende zon en de windstilte. Het leek wel of de bemanningen van alle schepen hier in hun kooien onder de dekens waren gekropen, het leek of de hele haven sliep, of de hele stad, de zee, de hele wereld sliep, alleen de Palinurus was een eiland van onrust en bedrijvigheid. Heel in de verte op de kade, in de buurt van een Hollands schip dat een halve mijl verderop gemeerd lag, zag de kapitein een postbesteller lopen. Hij herkende hem aan zijn rode kostuum en hoge hoed. Het kon niet anders of dat was de besteller van de expresbrief waar de bootsman de schipper op attent had gemaakt, want de postmeester rende gewoon. O'Durrell keek om zich heen en begreep er niets van: waar was die bootsman nu gebleven? De schipper werd haast omvergelopen door een kleine bruine jongen met een veel te zware baal thee op zijn rug, de jongen wankelde, men vroeg zich af hoe hij in vredesnaam de gangway opgeklauterd was met al die thee op zijn rug. Haast op de horizon zag de schipper een andere Engelse klipper die zijn best deed om de haven te bereiken. Het leek of het schip daar in de verte in drie uur nog geen twee meter van zijn plaats was gekomen. Ineens ontwaarde O'Durrell de bootsman in een wolk van stoom bij de lier op de kade. Hij stond daar alle lucht uit zijn longen te schreeuwen en aanwijzingen te geven. De kapitein haalde opgelucht adem. In ieder geval was nu de derde stag vastgemaakt zodat de mast alleen nog maar voorover van het schip kon vallen, over de voorsteven heen. De kapitein riep naar hem: 'Durkins!, waar is die brief voor de donder?' 'Ik heb hem in uw hut op tafel gelegd, kapitein,' riep de bootsman terug. De schipper dacht bij zichzelf: 'Het is kwaad nieuws of het is een goede brief.' Maar hij had een voorgevoel dat er iets verkeerd was, dat er onheil in de lucht hing. Hij rende naar de voorsteven, tussen het gekrioel van mannenlijven door, en het lawaai op het schip donderde in zijn oren. De kapitein stond even stil om in zijn haar te krabben en zag hoe een man in het ruim viel. Gelukkig kwam hij op de balen thee terecht die al zo hoog gestouwd lagen dat hij maar een smak van anderhalve meter maakte. Toch lag de man te gillen: 'Ik ben gevallen, ik ben gevallen!' De schipper kon nog net voorkomen dat twee balen vanaf het dek op de gevallene zouden worden gesmeten. De beduusde man kwam via een houten ladder weer aan dek. 'Heiho, hoha, had ik die nacht een pret, lag ik zowaar met drie blondines in bed,' hoorde hij een mollige matroos hoog in de mast zingen tussen het andere lawaai door. De kapitein rende verder naar de voorsteven en ging eroverheen hangen. 'Waarom zijn de landvasten in de ankergaten niet omwonden?!' riep hij, 'als de donder, lappen om die touwen, de verf is nog niet droog of het schip zou alweer krassen oplopen?' Hij zag juist hoe twee ratten langs de landvast aan boord kropen. 'En rattenweringen om die landvasten!' riep de kapitein, 'zijn jullie helemaal bedonderd geworden? Haal drie rattenvangers en laat mijn schip reinigen van dat ongedierte. Bootsman, kom aan boord en doe wat. Sta daar niet zo dwaas bij die lier te lummelen!' Hij ging nog verder over de voorsteven hangen en zag een matroos op een stellage die aan vier touwen onder de boegspriet hing. De matroos was bezig het boegbeeld te schilderen. Nu moet gezegd worden dat hij zijn werk heel precies en nauwgezet deed, maar juist op het ogenblik dat de kapitein zijn blik op de matroos liet vallen, vertelde hij een daverende mop aan een gewaardeerd lid van de bemanning, de kok, die op de kade met gekruiste knieën op de grond grote vissen in een ijzeren teil zat schoon te maken. De ingewanden smeet hij steeds met een sierlijk gebaar in het water, maar voor de levers konden zinken, de darmen en wat er al niet meer in de buik van een vis zit, vlogen de krijsende meeuwen ermee heen. (Meeuwen met vis-afval in hun snavel krijsen niet, o God, nee, dat gelukkig niet, nee, dat zou te mal worden, het zou vreemder zijn dan een worm die een aria uit een opera van Mozart neuriet.) Zon, wat een zon, en dan die krankzinnige windstilte en al dat lawaai aan boord waardoor het leek of de rest van de wereld was ingeslapen. 'Poolreisexamen!' riep de matroos, die aan het boegbeeld leek te zitten vastgekleefd alsof hij er iets onoirbaars mee uit wilde halen, 'een Amerikaan, een Engelsman en een Rus zullen examen doen. Want iemand, de leider van de expeditie naar de pool, wil weten of ze geschikt zijn voor de reis. De ondervraagden moeten achter elkaar een hele fles whisky in één teug opdrinken, vervolgens moeten ze een ijsbeer de hand schudden en tenslotte moeten ze twee uur bij een Eskimovrouw slapen. De Amerikaan is het eerst aan de beurt...' De matroos hoorde niet dat de schipper meeluisterde en O'Durrell dacht: 'Tijd voor een mop heb ik wel even, ik zal hem straks wel uitfoeteren.' 'De Amerikaan,' zei de matroos vanaf zijn boegbeeld, of eigenlijk was het meer roepen, terwijl de kok zijn handen als schelpjes aan zijn oren hield als een ouderling in de kerk die geen woord van de preek lijkt te willen missen, 'was het eerst aan de beurt. Hij dronk de fles whisky in één teug leeg en viel terstond dood neer. Toen was het tijd voor de Engelsman. Deze dronk met kennelijk genoegen achter elkaar de fles whisky op maar was nergens meer toen hij de ijsbeer zag. De Engelsman was dus ook afgevallen. Toen was de beurt aan de Rus. Hij dronk de fles whisky op en verdween met de ijsbeer in een klein kamertje waar een bed stond. Drie uur later kwam hij daar weer uit en zei toen vergenoegd in zijn handen wrijvend: 'Zo, en waar is nou die Eskimovrouw die ik de hand moet schudden?' De kok viel om van de lach, maar de schipper, die zelf ook geglimlacht had, riep met stentorstem: 'Aan je werk, kok! Geen tijd voor kletspraatjes.' En tegen de matroos riep hij, zij het iets zachter: 'Zulke moppen duld ik niet op mijn schip, dit is een christelijk schip, ik zal een halve pond van je gage inhouden, nee, kom vanavond maar eens bij me, dan zal ik je eens laten horen wat echte moppen zijn!, en wat doe je trouwens met de voeten van dat boegbeeld? Ben je nou helemaal belatafeld? Die muiltjes die ons dametje draagt moeten niet goudkleurig maar zilverkleurig zijn, zo is het altijd geweest en zo zal het blijven totdat een andere commandant, na mij, misschien iets anders verordonneert.' De bootsman was nu aan dek gekomen en de schipper liep naar hem toe. 'Ik wil op de boegspriet vijf fokkesteunen, let daar goed op, ik wil met vijf fokken kunnen zeilen, dat is pas scherp zeilen, de bovenste fok komt op de grietjesmast, knoop dat goed in je oren.' Toen liep hij langzaam naar zijn hut die op het achterdek was. Onderweg kwam hij de scheepsjongen tegen en hij greep hem bij de arm. De jongen keek verschrikt naar de schipper, die zwaargebouwd was, blauwe ogen had en een rode snor droeg, zijn haar was bruin en hij was nog nergens kaal. O'Durrell was uit stevig hout gesneden maar zijn lijfspreuk was altijd: 'Ik wil geen man op mijn schip die niet bang is voor de zee.' Hij zei tegen de jongen: 'Breng jij even het stroopvaatje naar de timmerman. Ik heb gemerkt dat het lekt. Ik denk dat de hoepels steviger rond de duigen moeten worden geslagen. Laat de timmerman de stroop zolang in een emmer in de proviandkast achter mijn hut zetten, want hier aan boord kan niemand van zoetigheid afblijven en stroop eten we alleen op zondag, heb je dat begrepen?' Struikelend holde de jongen weg. Even bleef O'Durrell met zijn handen in de zij op het tussendek staan. Wat een belachelijk lawaai aan boord en wat een geren! Stoom, geur van thee en zweet, zon en windstilte. Rennende matrozen en bruine Ceylonezen. 'Na die brief gelezen te hebben ga ik door met wat ik aan het doen was,' piekerde de schipper, 'wat deed ik eigenlijk?' Hij dacht een tijd na en kwam erachter dat er een nieuw roer moest komen. Hij besprak dat met de bootsman, die beweerde dat dat allerlei moeilijkheden zou opleveren. Het achterschip moest dan iets omhoog en het schip begon nu juist diep te liggen omdat het weer hersteld was, omdat er weer een twintig ton aan ijzeren masten was bijgekomen en alle thee haast in de ruimen lag. 'Het spijt me,' zei de schipper, 'geen onzin, dat nieuwe roer moet er beslist komen. Ga zelf maar eens in de roeiboot onder de achtersteven kijken. Dat roer is gewoon verroest en de scharnieren zijn nagenoeg gescheurd in het slechte weer dat we hebben gehad. Overigens boots, wat hersens zijn voor een man als jij, is een roer voor een schip. Iedere schipper zou na elke lange reis het roer moeten inspecteren en ik heb wat dat betreft weleens een foutje gemaakt. Ik ga nu even proberen te slapen en wil een uur lang niet gestoord worden.' Langzaam liep hij naar zijn hut. Daar ging hij zitten en vond de brief op tafel. Hij greep de briefopener en maakte hem resoluut open. De brief was afkomstig uit Dublin en was met verschillende stoomboten hierheen gebracht, zoveel stempels stonden er op de enveloppe. Hij vouwde de brief open en meteen schoten hem de tranen in de ogen, hij las het volgende, de woorden waren in grote hanepoten neergekrast en spraken een duidelijke taal:

Dublin, 23 maart 1912

Geliefde en gewaardeerde David,
Ik moet je helaas condoleren met het verlies van je vrouw. Je was nog geen dag uit Londen vertrokken of ze stierf aan een bloedprop in het hart. Ik kon je net niet meer bereiken. Dit is natuurlijk een grote slag voor je want zoals jij van je vrouw hield... dat was een voorbeeld voor alle zeelui. Rose is in het familiegraf begraven, er is nu nog plaats voor drie personen. Ik

hoop dat God je steun en sterkte mag geven om dit zware verlies te verwerken en te dragen. Het is werkelijk verschrikkelijk en je weet niet hoe ik met je meeleef! Over drie jaar zou je immers ophouden met varen? Rose en jij hadden nog wel vijftien jaar als tortelduifjes in het huis in Dublin kunnen zitten. Je had een heerlijke oude dag kunnen hebben met zulke schatten van dochters als Molly en Mary. Jammer, werkelijk heel jammer dat het je niet gegeven is dat mee te maken. Maar wees ervan overtuigd dat Rose nu meezingt in de grote hemelse engelenkoren en voor Gods rechterstoel zul jij haar weer ontmoeten. Ik hoop dat je in goede gezondheid verkeert en dat ik je gauw weer zie. Ik wens je nogmaals sterkte. Je weet dat ik geen schrijver ben, ik hou het kort, hartelijke groeten en een omhelzing van je zwager,

John Boston

P.S. ik heb je huis vanbuiten laten schilderen. Het kostte vijftien pond en ik heb het geld voorgeschoten. Hierbij ingesloten vind je ook nog twee brieven van je dochters. Gegroet en de Heer zij met je!

O'Durrell zat te schokken op zijn stoel van het snikken en bevend haalde hij nu de brieven van zijn dochters uit de enveloppe. Ze begonnen allebei met 'Lieve Pappie', maar veel meer dan uit de brief van zijn zwager kwam hij niet aan de weet. Natuurlijk was het goed te weten dat zijn dochters zoveel van hem hielden als ze in hun brieven schreven, maar O'Durrell zou nu eenmaal het liefst meteen thuis zijn. Hij ging op zijn Moorse kapiteinsbed liggen en las de drie brieven nog eens over. Toen stond hij op en deed de deur van zijn hut vanbinnen op slot. Hij zette de wekker zo dat hij over twee uur zou rinkelen. Nu pas merkte hij dat hij doodmoe was en op van de zenuwen. Terwijl hij over de Golf van Biskaje voer moest zijn vrouw begraven zijn! Wat een gruwelen kunnen de zeeman treffen. Hij kon niet slapen en zijn kussen werd nat van tranen. Hij voelde pijn in zijn hart en zijn hersens en het was of alle vaste grond, ieder stevig dek hem onder de voeten was weggeslagen. Reeds voelde hij zich wegzinken in de golven, in een koude en donkere nacht, ergens in de buurt van het Kanaal, niet ver van huis. Zijn leven lang had hij zich verheugd op een gelukkige oude dag... Hij moest er zich doorheenslaan maar was plotseling zo moe, zo onuitsprekelijk moe. Nooit van zijn leven was hij ziek geweest en nu was het of de een of andere afschuwelijke kwaal aan zijn gezonde, getaande en bruine lichaam, nog haast zonder plooien, begon te knagen. Toen de wekker, eerder nog dan hij verwacht had, rinkelde, belde hij om de scheepsjongen. De jongen klopte even later op de deur en de schipper deed open. 'Laat de stuurlui, de timmerman en de bootsman naar mijn hut komen,' zei O'Durrell. Een kwartier later zaten ze allemaal om de kapiteinstafel. De schipper vertelde over de onheilsbrief en voegde er tenslotte aan toe dat hij zich niet wel voelde. Hij was van plan om voorlopig het bed te houden. Hij droeg het bevel over aan de eerste stuurman en stond op. Terwijl hij naar zijn bed liep zakte hij in elkaar. Hij lag bewusteloos op de grond. De mannen legden hem onder de dekens en gingen stilletjes de hut uit. Alleen de bootsman bleef om een paar uur te waken. De stuurlui vertelden alles aan de matrozen en zo heerste er een droevige stemming op het hele schip: Mevrouw O'Durrell gestorven, die lieve vrouw die vlak voor het vertrek nog stichtelijke boeken voor iedereen aan boord had gebracht, lakens voor de stuurlui en babbelaars voor iedereen, babbelaars die je in de tropen aan huis deden denken – een schat van een mens en een toegewijde echtgenote.

Vier dagen later, er stond in ieder geval een beetje wind, verliet de Palinurus de haven van Ceylon op weg naar Londen. De stuurlieden konden het karwei best zonder de kapitein af. Toen het schip twee weken op zee was, voelde de schipper zich iets beter en verscheen, zij het toch nog op wankele benen, aan dek. Een paar dagen voerde hij het bevel, aan de ene kant was hij blij naar huis te varen, aan de andere kant kon hij zo afschuwelijk droevig worden als hij aan zijn vrouw dacht. O'Durrell scheen te voorvoelen dat dit zijn laatste reis was. Op een nacht ging hij naar de roerganger en nam het werk over. Hij stond een paar uur aan het roer en genoot van het gefluit van de wind in de zeilen, van het geklapper der zeilen, van het gebruis van het water rondom. Hij keek naar de hemel waaraan de wolken voorbijgleden en af en toe zag hij een ster of een stuk van de maan. Het was langer dan een jaar geleden dat hij zelf, bij rustig weer, het schip had bestuurd. Misschien was het iets te koud voor hem, hij had eigenlijk het bed moeten houden, dat was beslist beter voor hem geweest, in ieder geval voelde hij tegen de ochtendschemering een neiging om te hoesten en toen er eindelijk een raspend geluid over zijn tanden kwam, leek het hem of zijn borst werd opengescheurd. Hij leed afschuwelijke pijn en zakte achter het stuurrad in elkaar. De roerganger kwam aangesneld, het was zes uur in de morgen, de scheepsjongen was er ook al. O'Durrell zag zo bleek, hij hijgde en er stond bloederig slijm op zijn mond. De jongen haalde een paar mannen en de kapitein werd voorzichtig in bed gelegd. De eerste stuurman, die half en half dokter was, zat er lang over na te denken, maar tenslotte moest hij het de schipper bekennen: 'Het kan niet anders of u hebt last van de tering.' De kapitein was geestelijk en lichamelijk zo verzwakt door het bericht van de dood van zijn vrouw dat hij alle mogelijke ziektes had op kunnen lopen. 'Hoe lang gaat dat duren, stuurman?' vroeg hij. De stuurman, die altijd eerlijk en recht op de man af was, antwoordde: 'Het kan met een paar maanden over zijn, schipper, maar waarschijnlijker is het dat u er jaren aan lijdt en er tenslotte aan krepeert.' O'Durrell wist zelf ook wel wat tering voor een ziekte was en hij probeerde zich met zijn lot te verzoenen. Zijn enige hoop was tenslotte nog om tenminste het huis te bereiken in Dublin dat hij dertig jaar geleden gehuurd had en waar hij zo vaak gelukkig was geweest.

Vijf weken later liep het schip, het had onderweg nogal wat tegenwind gehad, de thuishaven Londen binnen. De kapitein was nog steeds ziek. En toen hij de mond van de Theems zag en later de bekende gebouwen langs de rivier, toen het schip eindelijk in een achterafhaven afmeerde, wist hij zeker dat dit zijn laatste reis was geweest. Hij liet een telegram naar Dublin sturen dat hij er aankwam. En twee dagen later, na alle zaken zo goed mogelijk met de reder en met de opdrachtgevers tot de koop en het vervoer van de thee te hebben geregeld, nam hij bedroefd afscheid van zijn schip. Hij bekeek het nog eens goed, van voor naar achter. Alle plekjes waar hij benauwde ogenblikken had doorgebracht, nam hij nauwkeurig in zich op en toen ging hij in het koetsje zitten dat hem naar het station zou brengen. Dit keer had hij niet één scheepskist bij zich maar twee, omdat hij veel meer spullen uit zijn hut mee naar huis nam dan gebruikelijk was. De stuurman en de jongen gingen mee om de kapitein bij het station af te leveren. De trein naar Liverpool stond al klaar. O'Durrell vroeg zich hardop af of hij wel een goede kapitein was geweest en de stuurman antwoordde dat er in heel Engeland geen betere kapitein, geen beter schip te vinden zou zijn, de stemming aan boord was altijd die van een gelukkig gezin geweest. Ze stapten uit de koets en begaven zich in het gewoel. Wat een mensen, wat een stoom, wat een geroezemoes! Een paar kruiers haalden karretjes en daarop werden de twee zware hutkoffers gelegd. In een van de koffers zaten alle boeken van de kapitein en alleen die boeken wogen al tweehonderd kilo. De koffers werden in de bagagewagen gezet. De kapitein had van alle mannen aan boord hartelijk afscheid genomen. Omdat de stuurman en de scheepsjongen met hem waren meegegaan, tastte de kapitein nu diep in zijn zak en haalde er een Engelse vertaling van *Een simpele ziel* van Flaubert uit. Die gaf hij aan de jongen. 'Dit is een van de mooiste boeken die ik ken, jongen,' zei hij, 'lees het en bewaar het goed, wacht, ik zal er nog iets inschrijven,' en met potlood krabbelde hij iets vriendelijks op de eerste lege pagina van het boekje. Toen schoof hij een gouden ring van een van zijn vingers. De ring had een zwart zegel en in dat glimmende vlakje dat in twee parten was verdeeld, was aan de bovenkant in ivoor een albatros aangebracht, in het onderste part zwom beeldschoon een narwal door de wateren. 'Deze ring heb ik ooit in een zeemanskroeg in Vuurland gevonden,' zei hij, 'ik heb dagenlang moeite gedaan om de eigenaar van de ring te vinden, maar het mocht me niet lukken. Toen ben ik begonnen hem te dragen en sindsdien heb ik hem nooit van mijn vinger gehaald. Het had ook moeilijk gekund want ik had dikke en gespierde vingers. Door mijn ziekte zijn mijn vingers zo smal dat ik de ring er, zoals je ziet, nu met gemak kan afhalen. Ik geloof dat als ik tijdens mijn vele en grote reizen geluk heb gehad ik dat te danken had aan God, de heerser over wind en water, maar ook enigszins aan deze ring. Neem deze ring, stuurman, ik heb er moeite voor gedaan dat jij mijn opvolger wordt, en vrees God!' De jongen en de stuurman bedankten O'Durrell met tranen in hun ogen. Toen stapte de kapitein in zijn trein. Een halve minuut later vertrok de locomotief met aanhang, gehuld in dampen van stoom en sissend en puffend. De stuurman en de jongen bleven zwaaien tot er niets meer van de trein was te zien. In de kleine coupé begon de kapitein in het Oude Testament het boek van Job te lezen en juist toen hij het uit had was de trein in Liverpool aangekomen. O'Durrell draalde nog een tijdje, hij had nog een uur voor de boot naar Dublin vertrok. Na een kwartier kwam er een schoonmaker, die schrok toen hij de vloer zag. Die was namelijk bezaaid met plekken bloederig slijm. O'Durrell gaf de man een halve pond en bood hem zijn verontschuldigingen aan.

De volgende dag kwam de boot in Dublin aan. De kapitein zag zijn zwager, zijn twee dochters en zijn vrienden al vanaf een halve kilometer op de kade staan. Hij had zijn leven lang goede ogen gehad. Er stonden vier koetsjes klaar. Nadat de kapitein iedereen had omarmd en begroet, stapten ze met zijn allen in. De begrafenis van Rose was immers nog niet geschied zoals het behoorde. Ze waren met zijn twintigen. De koetsjes bleven voor de poort van het kerkhof staan en ondersteund door zijn dochters Molly en Mary bereikte O'Durrell het graf waar veel bloemen op lagen. In de steen was een portret van Rose achter glas vastgemetseld. Het graf lag onder een hoge populier waarin vrolijke merels en lijsters hun liedje floten. De schipper sloot zijn ogen en hield die een kwartier lang dicht. Toen hield hij een grafrede die ongeveer een half uur duurde. Hij had weken over zijn woorden na kunnen denken en sprak gloedvol en vol ontroering over zijn vrouw. Er stond echter een koude wind op het kerkhof en dat veroorzaakte weer dat hij bloed begon te spuwen. Pas nu begrepen de dochters hoe ziek hun vader was en snel ging het op huis aan waar de schipper in bed werd gelegd. De slaapkamer keek uit op de rivier en vanuit zijn bed kon O'Durrell de zeilschepen en kleine stoomboten, de sleepboten en de vissersschepen zien aankomen en vertrekken...

Nu moeten we het eens hebben over de dochters Molly en Mary. De eerste was drieëntwintig, de tweede was dertig jaar. Mary was niet bijzonder mooi, ze had een pokdalig gezicht en was plomp. Haar moeder was altijd al een beetje ziek geweest, zwak en onhandig, niet helemaal in staat om het huishouden op een goede manier gaande te houden. Zo kwam het dat Mary altijd thuis was gebleven om te helpen. Molly echter had een goede opleiding gehad en werkte nu op een klein rederskantoor in Dublin. Een paar jaar geleden waren ze allebei een paar maanden op dansles geweest. Dat was aardig voor Molly die er leuk en fleurig uitzag. Molly had een fris en vrolijk gezicht, prachtig krullend, lang bruin haar en leuke, vriendelijke ogen. Ze had een koket figuurtje en als mannen haar onderbeen te zien kregen riepen ze allemaal: 'Olala!' Mary daarentegen was iets te dik. Haar ogen stonden wat fletser dan bij Molly en over haar benen valt niet veel te vertellen. Langzamerhand was Mary een echte huismus geworden. Ze was altijd bezig de bedden te verschonen, de was te doen en de boodschappen in te slaan. Nu kreeg ze het pas echt druk omdat ze ook haar zieke vader moest verzorgen. Op die dansles had Mary trouwens wel gemerkt dat mannen over het algemeen niet zo in haar geïnteresseerd waren. Meestal had ze als een muurbloempje langs de kant gezeten terwijl Molly in de armen van de een of andere dandy rondzwierde.

Een jaar ging voorbij na de thuiskomst van de schipper. Hij lag in bed en werd niet beter en niet zieker, niet sterker en niet zwakker. De hele zomer hadden de ramen van de slaapkamer opengestaan, want het was aangenaam weer geweest en zo had O'Durrell altijd frisse lucht kunnen opsnuiven. Mary zat vaak naast zijn bed voor te lezen. Ze hielp haar vader als hij naar het toilet moest, ze gaf hem zijn medicijnen. Ze deed de boodschappen, stofte en waste de ramen. Het huis was niet groot en Mary en Molly sliepen op één kamertje in een groot bed. Dat gaf geen moeilijkheden en bij geen van de meisjes kwam het gevoel op dat het nu eens anders ingericht moest worden. In de herfst kreeg Molly een vrijer. Hij was een zakenman in tamelijk goeden doen die in een deftige buurt van de stad op kamers woonde. Een paar weken later kwam hij kennismaken met de oude O'Durrell en twee keer had hij in het kleine huis van de zieke kapitein gegeten. Na het eten bleef Henry, zoals de vrijer heette, niet langer zitten, hij moest, zoals hij zei 'hier en daar nog een zaakje opknappen' en kon dan meteen, als Molly meeging, 'in de stad nog wat drinken'. Pas om één uur die nacht kwam Molly thuis. Mary lag al twee uur in bed. Molly deed het licht aan en sloot de gordijnen zo dat er geen kiertje meer was. Langzaam kleedde ze zich uit en Mary zag haar frivole ondergoed. Eindelijk was Molly bloot en Mary besefte nu pas goed hoe mooi haar zuster was. Molly schoot in haar nachthemd en na de kaars te hebben uitgeblazen kroop ze vlug in bed. Binnen vijf minuten was de schoonheid in slaap gevallen, maar Mary lag nog tijden te woelen. Molly werd midden in de nacht wakker omdat ze gesnik hoorde. Het geluid kwam van haar zuster die vlak tegen haar aanlag. 'Wat is er toch?' vroeg Molly. En toen vertelde de ongelukkige haar hele verhaal. Mary was altijd maar in huis, altijd deed ze het huishouden, terwijl ze weleens wat anders wilde, ze wilde eigenlijk ook graag op een kantoor werken en een beetje vrolijk zijn, ze wilde er ook best mooi en vrolijk uitzien. Haar grootste bezwaar was eigenlijk dat ze te weinig buitenkwam. De laatste tijd was de zorg voor vader erbij gekomen. Op dat ogenblik hoorden de dochters de stem van hun vader: 'Mary, Mary, kom eens hier.' Het was herfst en het waaide buiten flink. Mary snelde naar haar vader toe; deze vroeg of ze de ramen niet eens open wilde zetten omdat hij zo graag 'net als vroeger de wind wilde horen fluiten en huilen en loeien'. Mary gooide de vensters open en de wind nam bezit van de gordijnen die als zeilen in de storm fladderden boven het hoofd van de zieke kapitein. Portretjes vielen om, de lakens begonnen ook te flapperen en zwaaiden de potjes en flesjes met medicijnen van het nachtkastje, er viel een portretje op de grond en Mary vroeg vriendelijk of het nu genoeg was. 'Die wind is trouwens niet goed voor u,' zei ze erbij. O'Durrell begon te hoesten en knikte van ja. Mary sloot de ramen en bracht de kamer weer een beetje op orde. De oude schipper zei: 'Dankje, lieverd,' en viel meteen in slaap. Mary sloop door het huis en kroop op de tast weer in bed. Molly was nog steeds wakker en vroeg haar zuster zich nu eens helemaal uit te spreken. 'Ik ben thuis,' zei Mary, 'dat is het eigenlijk, ik ben niet mooi, ik zou zo graag op kantoor werken net als jij, ik doe hier maar het huishouden en plezier heb ik nooit echt, hoewel het goed is om voor vader te zorgen. En omdat ik niet mooi ben en nooit buitenkom, behalve om een paar boodschappen te doen, kom ik nooit aan een vrijer. Over een paar jaar is vader misschien gestorven, dan ben jij getrouwd, moeder is gestorven en hoe moet het dan met mij ?' Mary begon te snikken, het was de uiting van een hartverscheurend verdriet, een wild dier in de klem kon niet bitterder wenen. Molly verschoot van kleur: zo had zij het nog nooit bekeken. Ze had eigenlijk nooit het gevoel gehad een egoïste te zijn. Ze werkte de hele dag en de helft van haar verdiende geld gaf ze thuis af. Ze was zich nooit bewust geweest van het feit dat ze eigenlijk haar zuster kwetste. Ze zei dat het pijnlijk was om er vanaf nu rekening mee te moeten houden.

De volgende dag gedroegen de zusters zich of er die nacht niets was gebeurd, maar Molly had alles goed in haar oren geknoopt. Ze lette goed op hoe Mary zich gedroeg als Henry haar vrijer er was en het moest volgens haar inderdaad vervelend zijn voor iemand die nooit uit huis kwam en de hele dag voor haar vader zorgde om te zien hoe haar zuster het hof werd gemaakt door een leuke vent met manieren, die het trouwens nog ver zou schoppen in de papiergroothandel. Tegen haar vader zei Mary nooit iets over haar droevige lot. O'Durrell had misschien het gevoel dat Mary helemaal niet naar mannen taalde. Zo gingen er maanden voorbij. De winter was koud en guur. Henry kwam vaker en vaker over de vloer in het kleine huis. Soms zat de vrijer urenlang naast het bed van de zieke kapitein en liet zich dan van alles over de zee vertellen. Mary redderde opgewekt het huishouden, hoewel ze diep in haar hart wist nooit meer aan de man te zullen komen. Molly was de hele dag weg. Het enige uitje voor Mary was 's zondags samen met haar zuster naar de mis gaan. De laatste tijd kleedde Mary zich zo voordelig mogelijk. Ze leende geld van Molly en kocht in de stad leuke kleren. Ze maakte zich nu ook een beetje op, maar het scheen de jonge mannen in de kerk beslist niet op te vallen. In de tweede week van juli moest Molly samen met haar baas, de reder zelf, naar Liverpool voor een weekje, hij moest daar zaken doen en Molly zou de vrouw van de baas, die ook meeging, tot gezelschap dienen...

Het was een warme zomeravond en de ramen stonden open in de slaapkamer van de kapitein. Buiten op de rivier zag je een sleepbootje, nijdig puffend, een groot dok de rivier op slepen, terwijl een jolige schoener zee koos. Vanuit zijn bed kon O' Durrell trouwens de zee zien en soms bromde de kapitein als hij een zeilschip bij deze wind zag: 'Scherper zeilen man, iets meer bakboord anders haal je de boei niet en moet je kruisen vlak voor je in de haven komt, dat is ongunstig.' Mary las haar vader voor uit het werk van Byron en dacht: 'Dat doe ik tot elf uur en dan ga ik naar bed, na het kussen van pa te hebben opgeschud.' Om negen uur werd er aangebeld. Mary ging opendoen en zag tot haar verbazing Henry voor de deur staan. 'Maar weet je dan niet dat Molly naar Engeland is?' vroeg ze verbaasd. 'Zeker, zeker,' antwoordde Henry, 'maar ook zonder mosterd kan een worstje nog heel goed smaken, ik zoek alleen maar gezelschap, ik kom eigenlijk zomaar.' Echter, toen ze allebei door het huis liepen, op weg naar de slaapkamer om daar O'Durrell gezelschap te houden, greep Henry plotseling de hand van Mary en vroeg haar: 'Zouden we vanavond niet een uurtje kunnen wandelen?' 'Waarom dan?' vroeg Mary blozend. 'Nou zomaar voor de grap,' antwoordde Henry. 'Nou misschien van tien tot elf,' zei Mary tenslotte, 'maar mijn mooie jurk is nu toevallig in de was, zodat ik hem niet kan dragen.' 'Maar dat geeft toch niets?' zei Henry en voegde er zenuwachtig aan toe: 'Ook zonder mosterd kan een worstje soms nog heel goed smaken.' 'Dat heb je al gezegd, mallerd,' giechelde Mary. 'Neem me niet kwalijk,' zei Henry. 'Ik wist het niet, dus om tien uur kan het wel, denk je?' 'Het hangt van pa af,' antwoordde Mary, als, hij om tien uur al wil gaan slapen, dan vind ik het ook best.'

'Nu ja, we zien wel,' antwoordde Henry. Ze gingen samen aan het bed van de oude zitten en lazen hem om beurten uit Byron voor. Maar om halftien wilde O'Durrell ineens Coleridge horen. Ook die dichter lazen ze voor. De zieke lag vanavond harder en heviger te hoesten dan voorheen en vaak zag zijn zakdoek flink rood van het bloed dat hij opgaf. Zijn eens machtige, nu ingevallen borst zwoegde onder de aanvallen van de aandoening. Maar Mary zag de ernst van de situatie niet zo erg in.

Ze meende om tien uur wel even te kunnen vragen of ze nog niet een uurtje met Henry wandelen mocht. 'Dat is aardig van jou, Henry,' zei de zieke, 'natuurlijk moeten jullie nog even gaan wandelen nu het zulk lekker weer is.' Toen de zieke helemaal alleen in huis was begon hij aan zijn vrouw te denken. Hij overpeinsde hoe mooi het zou zijn geweest als ze allebei nog gezond waren geweest en nog tien jaar of misschien wel vijftien jaar in pais en vree van hun oude dag hadden kunnen genieten. Het is ook nagenoeg niet voor te stellen hoeveel O'Durrell van zijn vrouw gehouden had en hij kon wel in tranen uitbarsten, hij voelde een knagend gevoel bij zijn hart, hij werd duizelig en het beklemde hem als hij eraan dacht hoe vaak hij Rose in de steek had gelaten om te varen. Hij dacht beurtelings aan zijn vrouw en aan de zee. Hoe vaak was hij nét niet overboord geslagen? En dan te denken aan die keer dat hij met zijn schip door een heel hoge golf toevallig over het gevaarlijke rif voor de Australische kust werd gezet. Windstilte had hij meegemaakt en orkanen. En al die tijd hadden zijn vrouw en Mary het huishouden hier geredderd. Tweemaal had hij zijn vrouw op een reis meegenomen, maar dat waren kleine reisjes geweest. Eén keer naar le Havre en terug en één keer naar de Oostzee. Ze had het varen niet leuk gevonden, maar gezellig was het 's avonds in de kapiteinshut wel geweest. Op zijn dertigste was hij al kapitein op een brik geworden en hij had allerlei mannen leren kennen. Goede en slechte karakters, opgewonden en rustige mensen, droevige en vrolijke mensen, doorzetters en opgevers. Hij had eigenlijk nooit last gehad met zijn bemanning. Eén keer was er een moeilijkheid geweest: drie matrozen wilden opium smokkelen van China naar Engeland. Halverwege de reis kwam O'Durrell ter ore dat er opium aan boord was, hij zette de zeelui in het cachot en kieperde de opium overboord. Hij wilde beslist geen gedonder met de reder. Zo lag hij maar te denken terwijl hij geheel en al alleen thuis was. Hij had nu een nieuwe grote witte zakdoek in zijn hand en daar rochelde hij soms in. Hij dacht aan zijn wittebroodsweken. Drie weken had hij met zijn vrouw in Parijs doorgebracht. Het was een heerlijke tijd geweest. In le Havre was hij scheepgegaan op een Iers schip dat hem speciaal kwam ophalen, hij was toen nog stuurman. Zijn vrouw vertrok naar het huisje dat ze langs de rivier in Dublin hadden gehuurd. Hetzelfde huisje waar hij nu ziek te bed lag. Hij herinnerde zich hoe hij een maand na de bruiloft de wateren van de Middellandse Zee had bevaren. Weinig wind, kleine golfjes, lekker warm weer. Ze zeilden toen naar Istanboel en het was de bedoeling vandaar verder te gaan naar de Zwarte Zee en Odessa. Hij stond aan het roer en dacht aan Odysseus, die held!, die hier drieduizend jaar geleden of eerder ook had gezeild. Moeizaam kwam hij uit bed en zette de ramen open. In de verte hoorde hij de branding, hij hoorde de brulboeien, hij zag het licht van de vuurtoren, hij hoorde de tram die om de hoek van de straat kwam, hij hoorde een schip op zee loeien. Het werd nu fris in de kamer, O'Durrell lag weer in bed en sloot zijn ogen... hij overdacht zijn leven. Plotseling hikte hij en er kwam een grote golf bloed uit zijn mond, weer hikte hij en er kwam nog meer bloed. Hij keek ernaar en schrok, toen riep hij: 'God, ontferm U over mij en mijn ziel.' Hij schokte met heel zijn lichaam, hij deed zijn ogen dicht, vouwde zijn handen op de bebloede deken en blies de laatste adem uit.

Onderdehand wandelden Henry en Mary over de kaden. Mary kon maar niet begrijpen wat de vrijer van Molly nu eigenlijk van haar wilde. Ze gingen een café binnen en dronken bier, ze praatten wat over koetjes en kalfjes, maar Henry scheen nogal zenuwachtig te zijn. Toen ze weer buitenkwamen en de pier een eind opgelopen waren – er waren hier haast geen mensen meer en je hoorde alleen de wind en het kabbelen van de golven tegen de basaltblokken – zei hij: 'Ik heb er eens flink over nagedacht Mary, ik heb jou al die tijd dat ik Molly ken goed bekeken. En weet je wat het is? Ik denk dat Molly nogal een frivool type is. De aard van mijn werk zal over een paar jaar met zich meebrengen dat ik vaak van huis ben en dan zal ik me afvragen of ze me eigenlijk niet bedriegt, want je houdt haar moeilijk thuis. Ik heb mensenkennis. En ze zal erg veel geld eisen voor kleding en een leuke inrichting van het huis.' Mary bloosde. Hij keek haar aan. Toen greep hij haar hand en sprak: 'Jij hebt een heel ander karakter. Jij bent veel meer iemand op wie je kan bouwen. Jij hebt een goede inborst, jij zoekt de pleziertjes niet. Jij vindt het niet nodig dat de mannen voortdurend naar je kijken. Bovendien ben je gewend om de hele dag thuis te zijn. Dat alles is mij veel liever dan al die fratsen en malle eigenschappen van Molly. Misschien is Molly te hartstochtelijk en als ik er dan een maand niet ben... je begrijpt wel wat ik zeggen wil. Nu weet ik niet hoe ik dat Molly aan haar verstand zal moeten brengen, maar... maar... Mary, ik heb eigenlijk liever jou. Denk je dat je van me zou kunnen houden?' Mary begon zachtjes te wenen. Ze vlijde zich tegen Henry aan en zei tenslotte: 'Een man als jij heb ik altijd willen hebben, maar ik vind het zo verschrikkelijk dat ik hem nu van Molly moet afpakken. Ik heb maar één zuster en zij is toch samen met vader het liefste wat ik op aarde heb.' 'Molly vindt vast een ander, met haar wipkontje en leuke gezicht, met haar lange wimpers en verleidelijke lach, met haar manieren en dat krulhaar,' zei hij. Mary zweeg een hele tijd. Voor het eerst van haar leven had ze een vrijer. 'Ik ben zo gelukkig,' zei ze tenslotte. 'We kunnen over een half jaar trouwen,' zei Henry, 'dan kom ik zolang bij jullie in huis wonen.' Mary keek op haar horloge. 'Jeetje!' riep ze, 'het is al over elven, laten we vlug naar vader gaan.' Met rappe tred begaven ze zich gearmd naar het huisje. In de slaapkamer van O'Durrell aangekomen had Mary de neiging om flauw te vallen. 'Juist nu jij me zo gelukkig hebt gemaakt Henry, is vader gestorven,' huilde ze, 'wat moeten we nu doen?' 'Er moet allereerst een dokter komen om de akte van overlijden op te maken,' zei de vrijer terwijl hij de ramen sloot. 'En over drie dagen komt Molly terug,' jammerde Mary. 'Op tijd voor de begrafenis,' zei de vrijer, 'en maak je maar geen zorgen, ik zal mijn plannen wel aan haar vertellen en ik zal het zo doen dat ze jou geen verwijten maakt.' Henry haalde de dokter die maar een kwartier bleef omdat hij het druk had. Toen ze hem hadden uitgelaten kroop Mary, in de slaapkamer naast het bed waarin de dode O'Durrell lag, bij Henry op schoot en begon over haar vader te vertellen. Urenlang vertelde ze en het waren niets dan roerende verhalen. Tegen drieën gingen Mary en Henry naar bed. Henry lag op de plaats van Molly. Hij was helemaal bloot en lag languit op zijn rug naar het plafond te staren. Hij hield Mary's hand vast. Toen het begon te bliksemen, te donderen en te regenen en wel zo dat het water bij bakken uit de hemel stroomde, sliepen ze tevreden in...

Volwassen

Luisteraars, lezers, kijkers, landgenoten, buitenlanders! In Gent had je een krant en die bevatte nieuws van de binnen en nieuws van de buiten. Nieuws van de binnen ging bijvoorbeeld over een jongen in Gent die een moer had ingeslikt waarna dat ijzeren ding maanden later in zijn ontlasting werd aangetroffen, want op last van de dokter moest de moeder de excrementen van het jongetje zeven. Nieuws van de binnen was ook dat dokter De Keuvelaer was gestorven en dat de jonge dokter Godfried Rickels hem zou opvolgen. Nieuws van de buiten was een oorlog in Korea en een pestepidemie in Afrika. Ik kan dat heel goed begrijpen: als ik een kleine teen verlies ben ik daar meer door geschokt dan door de dood van Kemal Basturk in Kürkeli in ver Turkije – hij werkte zijn leven lang in een steenmijn en liet acht kinderen en een vrouw na. Die krant dacht dat hij de enige krant ter wereld was. Op mijn zesde jaar dacht ik al dat ik de enige mens was die er bestond, want als ik dood was kon ik de wereld of het heelal niet meer waarnemen. Men noemt dat met een geleerd woord solipsisme. Dat geloofde ik op mijn zesde en, eerlijk gezegd, hoe pedant het ook klinkt, ik geloof het nog. Waarom hebben kippen geen gebitje? Met die vraag zat ik vroeger en nu weet ik het nog niet. Vaak kom ik in het donker thuis en dan zie ik het bordje met de naam Biesheuvel op de deur. Ik denk dan: 'Dat is vaders bordje, vaders naamplaatje, vaders huis, zal hij niet boos zijn?' En pas een paar seconden later dringt het tot me door dat ik al eenenveertig ben, negen poezen, een hond, een vrouw en een huis heb. Men zou zich bij dit alles af kunnen vragen of ik wel volwassen ben geworden. Ik laat die vraag maar wijselijk in het midden. Toch heb ik óóit het gevoel gehad dat ik echt volwassen werd en daarover wil ik nu vertellen.

Ik was zo onnoemelijk gelukkig in mijn jeugd. Ik draai de

tijd nu maar terug tot negentienhonderdvijfenvijftig. Ik was toen zestien jaar en een grote dromer. Ik zat op het gymnasium en rookte al een klein pijpje. Ik wilde later kapitein op een zeeschip worden. Omdat ik toen al een bril droeg kon men mij vertellen dat me dat niet lukken zou. Ik meende wel een zekere ontheffing te zullen krijgen, een of andere vergunning om toch met bril kapitein te kunnen zijn. 's Zomers kwam ik vaak om twee, drie uur in de middag thuis, ik maakte dan snel mijn huiswerk. Precies om zes uur was het altijd warm eten en na het eten ging ik wandelen. Wij woonden in Schiedam en steevast zette ik op die avondlijke wandelingen mijn schreden naar de rivier. Langs de oever ging ik in het gras zitten en keek smachtend naar de schepen die binnen kwamen varen. Schepen die vertrokken brachten me zelfs aan het snikken. Wanneer zou voor mij toch het echte leven gaan beginnen? De wereld was zo groot en ik kende alleen maar Schiedam en de provincie Utrecht van korte vakanties. Ik wilde vertrekken naar verre landen waar mensen leven en werken in huisjes van brood, waar mannen zittende plassen en vrouwen staande, ik wilde naar plekken waar het gouden kalf nog wordt aanbeden, waar mensen wijn drinken waar visjes in zwemmen omdat dat zo lekker kriebelt aan je slokdarm en in je maag, ik wilde reuzen zien met twee koppen en schapen met vijf poten, ik wilde vogels zien die kunnen zweven op gas in hun buik. Ik wist alleen van karnemelk, van vierkantswortels, van met twee woorden spreken, van huizen van steen met puntdaken, ik wist dat aqua water in het Latijn was en voluptueux wellustig in het Frans. Elke zondag ging ik naar de kerk. Ondanks mijn dromerijen had ik een goed rapport: ik ging over naar de vierde klas. Omdat ik zolang erom gezeurd had kreeg ik van mijn vader en moeder, via het stadhuis en de waterschout in Rotterdam een echt paspoort en een monsterboekje dat mij tot aspirant-zeeman stempelde. Ik liet mijn haar kort knippen en vroeg om een iets mondainere bril. Ik fietste alle rederijen af en op een avond kon ik tegen mijn vader zeggen: 'Vijftien juli vertrek ik als scheepsmaat naar Rastanura in de Perzische Golf om olie te halen met een groot schip genaamd de Esso Rotterdam.' Dat zou nog een week duren. Ik treurde en lachte al om de sleur in het bestaan van mijn vader, om de wasteil van mijn moeder, het rubberschort en de rubberklompjes die ze altijd weer op maandagochtend aantrok waarna in de douchecel het met de stamper bewerken van het vuile goed in de teil met gloeiend water en schuimende zeep een aanvang nam. Ze neuriede daarbij psalmen en volksliedjes, ik begreep niet hoe ze zo dapper haar lot kon dragen. Op zaterdag kreeg ik een plunjezak van mijn vader, die had hij van iemand op de werf waar hij werkte gekregen. Ik stopte die zak vol kleren en boeken. Ik ging nog eens naar de rederij en hoorde dat het het beste was als ik met de avondtrein van zondag vijftien juli, die om twintig uur veertien van Rotterdam Centraal Station vertrok, naar Antwerpen zou reizen, want daar ergens lag het schip in de haven en de bemanningsleden zou ik in de trein vanzelf tegenkomen. 'De kapitein draagt een zwarte pet met gouden klep waar Esso op staat,' zei een bediende me, 'je ziet het gewoon vanzelf.' Mijn vader en moeder brachten me naar de trein. Ik probeerde op het perron aansluiting te vinden bij de overige bemanningsleden, maar ik zag kapitein noch matrozen. Toen de trein op het punt stond te vertrekken stapte ik in, gaf mijn vader een hand en mijn moeder een zoen en daar ging ik. Om kwart voor tien was het donker buiten, het begon te regenen maar toen waren we haast in Antwerpen. De douane was al geweest en had in mijn paspoort gesnuffeld. Ik vroeg de conducteur en de douaneman naar de overige bemanningsleden van de Esso Rotterdam. Ze wisten van niets. Zelf was ik al zes keer de hele trein doorgelopen en hier en daar had ik naar ze gevraagd. Aan een ruig type met een plunjezak naast zich, net zoeen als ik in mijn bagagenet had liggen, vroeg ik: 'Esso Rotterdam?' De man glimlachte, verstond me niet en wilde me een vuurtje geven. Verschrikkelijk! De mannen zaten helemaal niet in de trein en zo zou ik waarschijnlijk nooit het schip vinden. In gedachten zag ik me de ganse nacht door Antwerpen zwerven, overvallen worden en de volgende dag met een messteek in de rug per ambulance naar het ziekenhuis in het vanouds bekende Schiedam vervoerd worden. De stad of het dorp Essen was een kwartier geleden gepasseerd. Maar ja!, dit was toch al een prachtige belevenis! Helemaal op je eentje naar Antwerpen en dat midden in de nacht op een zondag. Ik tuurde naar buiten en zag de regendruppels banen trekken over het ruime venster. Gezellig! De trein reed een koepel binnen en stopte. Het was hier droog en licht. Ik vroeg nog eens en toen ik zeker wist dat dit Antwerpen Centraal was, stapte ik uit. Met mijn plunjezak op de rug sjouwde ik naar de uitgang. Honderden mensen zag ik lopen. Onder paraplu's en in regenjassen, fietsers en auto's kwamen voorbij, taxi's en bussen. Overal waren lichtjes van winkels. Veel verwarrende neonreclame. Nu ik al op de helft van mijn leven ben weet ik waar ik in Antwerpen sigaren moet halen, waar je lekkere mosselen eet, waar goede films draaien en dat de Dierentuin vlak naast het station ligt. Alles kwam me vreemd voor, die vermaledijde auto's, het regende, de plassen lagen op het asfalt zodat ik behoorlijk nat werd omdat mijn kleren doorsausd werden met het dikke, grijze, vieze modderwater dat de banden van motoren en bussen tegen me opzwiepten. Zonder dat ik er erg in had was ik in een rij gaan staan van mensen die op een taxi wachtten. Op een gegeven moment kwamen er vier taxi's aanrijden. Ik keek juist naar een steeds aan- en uitfloepende lichtreclame: 'Coca Cola erbij? Zo is men verfrist en blij!' Ineens zag ik een man met een zwarte pet met gouden rand. Hij had inderdaad kapitein kunnen zijn, die man. Maar als ik daarvan zeker had willen zijn, had ik me door de rij van dertig mensen naar voren moeten dringen en misschien zou de man me dan ook een vuurtje aanbieden en glimlachen. De man met de pet en vijftien andere kerels stapten in de taxi's en reden weg. De achterste taxi stopte echter en de man met de pet met goud stak zijn hoofd nog even uit het raampje. Hij riep, het was voor iedereen duidelijk verstaanbaar: 'Zijn er nog méér bemanningsleden voor de Esso Rotterdam?' 'Ja, ikke meneer,' riep ik, maakte me uit de rij los en holde met de plunjezak op mijn schouders naar de wagen. Voor het eerst van mijn leven voelde ik me volwassen. Ik voelde de blikken van onbekende Antwerpenaars, die de volgende morgen op kantoor zouden zitten, nieuwsgierig op me rusten. De deur werd opengegooid en ik kwam naast de man met de pet te zitten. 'Bent u de kapitein?' vroeg ik. Hij glimlachte alleen maar en aaide me even over mijn haar. 'God, weer een bril,' zei de stuurman die naast de chauffeur zat. Ik rook een mengsel van aftershave en jenever. De taxi's reden achter elkaar aan. Ik keek naar de winkels en zag ergens staan: 'De Gouda is een Hollandse specialiteit', even verderop: 'Hoera, wij vieren moeder.' Ineens voelde ik gekrabbel aan mijn schouder, er drukte iets op mijn rechterschouder, ik keek en blikte in twee pientere apeoogjes. Het kleine lichtbruine aapje was de mascotte van het schip en eigendom van de kapitein. Het keek al net zo nieuwsgierig naar buiten als ik. Welnu, het avontuur kon wat mij betreft beginnen!

Een gil

Zwart het bureau, bruin de deken op mijn bed, blauw de lucht, zinderend de zon, lekker geurend mijn sigaren, glimmend de wekker. Buiten zingen de vogels en hoor ik de kinderen kraaien van plezier. Ik begin mij af te vragen hoe vaak ik zo in mijn kamer heb gezeten, achter mijn schrijfmachine. Ik zit hier nu al uren en nog steeds is er geen letter op het witte vel verschenen. Vijfhonderd keer heb ik dat al meegemaakt misschien. Maar ik ben ook een domme, domme man. Immers, wat heb ik gedaan? Eerst heb ik als een gierige man in mijn aantekeningen zitten graaien. Werkelijk honderden aantekeningen heb ik, en stuk voor stuk kunnen ze aanleiding zijn tot een kort verhaal. 'Maar,' denk ik, 'ik schrijf nu al tien jaar lang korte verhalen, ik moet toch ook een roman kunnen schrijven?' Diep in mijn hart weet ik wel dat ik alleen maar korte verhalen kan maken, verhalen die in een kwartier of hoogstens in een avond opgeschreven zijn. Ja, dat weet ik heel goed en ik moet blij zijn, want vaak zijn er verhalen bij die enige blijvende waarde hebben. Maar wat heb ik nu gedaan? Ik heb al mijn aantekeningen onder het bureau geveegd waar de werkster ze morgen misschien weghaalt. Wat belachelijk, immers ik had nog jaren korte verhalen kunnen schrijven en zal nu alles weer opnieuw moeten verzinnen. Ik schijn het prettig te vinden om het me moeilijk te maken. Met een anekdote ben ik niet tevreden. Er moet toch iets meer zijn? Ik ken ongeveer tien boeken waarin schrijvers in vierhonderd bladzijden hun zieleleven blootleggen. Dat is het enige dat ik ook wil, maar dat kan ik juist niet. Van nature ben ik een sombere, ziekelijke, pessimistische, huilerige en melancholieke man die eigenlijk de hele dag in zijn bed moet liggen. En ik lig ook vaak in mijn bed. Terwijl de zon schijnt, terwijl het regent denk ik aan mijn roman; op kantoor, op de fiets denk ik aan mijn roman; op feestjes en bij begrafenissen denk ik aan mijn roman.

Waarachtig, ik voel me net een varkentje dat een leeuwerik wil zijn. Want ik kan nu eenmaal best korte verhalen maken, ik kan er zelfs mijn brood mee verdienen, mijn vrouw heeft vaak gezegd dat ze een goed kort verhaal even belangrijk vindt als de droevigste en langste roman, maar ik heb het gevoel dat ik in het korte verhaal altijd voor mezelf op de vlucht ben. Ik beweer dat ik wegren voor de werkelijkheid, maar in feite ren ik weg voor mezelf. Dat zie ik nu heel duidelijk. Voortaan geen korte verhalen meer over hondjes die achter een stok aanrennen, over bloemisten die een kinderhand in hun bloemenvaas vinden, over komisch kotsende mannen; voortaan geen verhalen meer over klokken die niet willen werken, over honden die niet afgericht willen worden, geen sterke verhalen, geen reisverhalen. Ik ben bang dat ik binnenkort voor meneer Koning de kantonrechter moet verschijnen en dat hij me zal vragen: 'Waartoe diende al die flauwekul? Waar is de roman gebleven? Als je eenmaal de gave hebt moet je tijdens je leven minstens drie romans schrijven.' Dan zal ik hem de dankbrieven in de schoot werpen van mensen die gierend van de lach in bed mijn korte verhalen hebben gelezen. Maar meneer Koning zal dat afwijzen en me in een apart kamertje zetten waar het wachten is op de foltering. Dat is te zien aan de kale muren, aan de haak hoog in het plafond geslagen, aan de slaapplaats die half brits, half operatietafel is. Ik zie het nu duidelijk in. Ik zie het mijn leven lang al in: de enige manier waarop ik mij kan rechtvaardigen is door het schrijven van een lange roman. En ik heb genoeg om over te schrijven, laat ik het hebben over hoe ik op mijn kamer zit en probeer het wereldraadsel op te lossen. Onderdehand moet ik dan vertellen over mijn angsten, over mijn zondige gedachten, over mijn zwartgalligheid, over mijn somberheid, over mijn ziekte en mijn griezelige lachbuien. Walging en verveling kunnen er ook nog bij. Iedere dag zal ik achter mijn machine gaan zitten en me afvragen: 'Wat voel ik?' en dat zal ik opschrijven. Daar begin ik nu dan maar mee: 'Vandaag op bed gelegen, buiten veel wind en regen, veel angst, niet naar het werk geweest, veel zenuwachtigheid, ik heb het gevoel achtervolgd te worden, ik heb een schuldgevoel maar ik weet niet waarom ik schuldig ben. Vandaag niet geschreven, veel nagedacht over de roman.'

Maar meer weet ik bij God niet te vertellen. Misschien is het het beste om maar iets over te schrijven uit de bestaande boeken? 'Gisteren is moeder gestorven of was het eergisteren?' Dat is een mooi begin. 'Toen ze K kwamen halen zeiden de mannen niet waarvan hij beschuldigd werd.' Ook een mooi begin. 'Het was laat in de avond toen K aankwam. Het dorp lag diep onder de sneeuw.' Ook niet onaardig. 'Ik zit op mijn kamer waar een wind waait, koud, kil en gemeen als de wind in de diepste regionen van de dood.' 'Er is mij iets overkomen, ik kan er niet meer aan twijfelen. Het is gekomen als een ziekte, niet als een gewone zekerheid, niet als een duidelijke gebeurtenis. Op een geniepige wijze heeft het zich voetje voor voetje genesteld, ik heb mij een beetje dwaas en een beetje gehinderd gevoeld – dat is alles. Toen het eenmaal gekomen was, heeft het zich niet meer bewogen, het heeft zich koest gehouden en ik heb mezelf kunnen overtuigen dat ik niets had, dat het maar loos alarm was. En op het ogenblik ontluikt het...' Mijn voeten maken een ritselend geluid in de aantekeningen onder mijn bureau. Daar liggen in concept zeker tweehonderd korte verhalen, maar ik moet zo nodig een roman schrijven. Ik wil niet afhankelijk zijn van wat ik van anderen heb gehoord, ik wil precies opschrijven hoe ik me voel en hoe het is om aan 'het' – ziekte, schuld, krankzinnigheid, melancholie, een lachbui tijdens een begrafenis te lijden. Ja, allemachtig, ik ben zeker al vijfhonderd keer begonnen. Soms heb ik op een avond weleens twintig bladzijden over mezelf geschreven. Dat was een aanzet. De volgende dag verscheurde ik ze weer en begon opnieuw. Ik schijn maar niet te kunnen beseffen dat ik een varkentje ben dat piept en korte verhalen schrijft, ik schijn maar niet te kunnen begrijpen dat ik geen leeuwerik ben die zingt en een roman schrijft. Zo heb ik bij elkaar misschien al tweeduizend uur van mijn leven woedend en niets doende achter een wit vel papier gezeten. En zo zit ik vanavond ook. Ik bijt op mijn nagels en ruk aan mijn haren, ik druk op mijn gesloten ogen en laat een boer en een wind. Het haalt niets uit. Het begin van de roman wil niet komen. Nu heb ik weliswaar iets op papier, maar ook dat is de roman niet. Want denkende over het begin van de roman begin ik vanzelf weer een kort verhaal te schrijven... Drie uur heb ik nu achter mijn machine gezeten en gerateld heeft hij niet. Het enige dat ik wil doen is schrijven over iets belangrijks. Iets belangrijks is met veel omhaal vertellen hoe men zich voelt. Zo zie ik het. Maar ik kom niet verder dan: 'Vandaag veel geslapen, buiten veel wind.' Zo gaat het niet. Ik ijsbeer door mijn vertrek. Ik trek aan mijn haren en bijt mijn nagels kapot. Om de haverklap neem ik een slok water, ga even op bed liggen, denk krampachtig na, zie de proppen op de grond en dan wil ik weer verder. Nu heb ik een kwartier doodstil achter de machine gezeten en gedacht: 'Als ik straks niet een ingeving krijg waardoor ik een jaar achter elkaar over hetzelfde kan schrijven, kan ik mezelf beter opknopen.' Mijn vrouw komt binnen met een kopje thee en vraagt 'of het korte verhaal wel lukken wil'. Ik zeg haar dat ik nu een roman aan het schrijven ben. 'Maar ik hoor je helemaal niet ratelen op de machine.' 'Dat komt omdat ik nog moet denken.' Lachend verlaat ze mijn vertrek en de thee smijt ik verbitterd het raam uit. Een hete natte kat springt klaaglijk miauwend weg. Ik zit te piekeren achter het witte vel, ik heb dat al zo vaak gedaan. Het willen schrijven van een roman is bij mij een ziekte waarvan men zelfs in bed geen genezing kan vinden. Eigenlijk zit ik alleen maar te wachten op de gil uit de huiskamer. Die gil zal het einde zijn. Hij klinkt in de huiskamer, dus is de gil gesmoord. Ik zal naar de huiskamer rennen en mijn vrouw zal krijsen: 'Het gebeurt!' Mikkie schiet als een meteoor voor mijn ogen het heelal in. Donderend scheurt het plafond in drie stukken. De boeken komen als stroop naar beneden zakken. De lampen staan onder stroom. De televisie springt aan en op de beeldbuis wordt een man levend begraven. Eva krijgt een hartaanval. De negen poezen veranderen in tweehonderd ratten en krioelen om me heen. De telefoon rinkelt achter elkaar. Er wordt gebeld en ik doe de deur open. Drie kleine meisjes vragen of ik nog oude ansichtkaarten heb. Ik sluit de deur. De ramen breken. Ik val op mijn gezicht. Mijn gebit is van glas en de scherpe stukken schieten tot diep in mijn keel als ik opsta. Ik durf niet te gaan zitten want ook mijn billen en mijn rug zijn van glas. Ik kan niet meer op steen of een houten stoel gaan zitten. Dan begint er een rivier door de kamer te stromen. De tafel reutelt. De snaren van mijn viool springen. Eva komt weer bij en gilt. Onderdehand denk ik: 'Maar de roman is nog niet af!' De piano knalt uit elkaar en de portretten vallen op de grond, overal stroop, ratten, gebroken glaswerk, kalk van het plafond en krullende snaren... Nu wordt er nog niet gegild, maar het kan ieder ogenblik gebeuren. Ik heb dat gevoel altijd als ik drie uur achter een leeg vel zit en een roman wil opzetten. Er staan sterren aan de hemel. Ik zie de maan en Venus. Onderdehand ben ik zo kwaad, zo teleurgesteld, zo angstig en schuldig omdat ik het al zo vaak heb geprobeerd dat het nu maar het beste is om op mijn machine te gaan zitten en precies tussen maan en Venus door te zeilen. Precies zoals de ruiter op de lege kolenkit. Ik wil mij in het eeuwige niets verliezen en als ik daar dan eenmaal ben zal ik misschien denken: 'Ga toch terug naar je kamer.' Ja, dat zal ik na eeuwen denken. 'Ga toch terug naar je kamer en raap alle aantekeningen voor de korte verhalen weer op en strijk ze glad als de werkster het nog niet heeft gedaan. Die vrouw is niet zo onmenselijk dat ze je aantekeningen weggooit, hoewel ze er onooglijk uitzien, geschreven als ze zijn op sigarettevloeitjes, op servetjes en vergeeld, op straat gevonden krantepapier. Ja, het is toch net een omgevallen prullenbak. Ga naar je kamer terug en zoek de aantekeningen van de komisch kotsende man, het geeft niets, ook al is het maar een anekdote. Schrijf dat dan op en wees gelukkig. Wees een varkentje dat piept en korte verhalen schrijft. De volgende dag schrijf je weer een kort verhaal en drie dagen later weer. En zo ga je door tot je met je voeten naar voren tussen zes plankjes het huis wordt uitgedragen. Zo zul je gelukkig leven.' Een glimlach speelde in het niets van het heelal om mijn mond en weer kroop ik op mijn schrijfmachine. Binnen een half uur zeilde ik langs twintigduizend sterren naar huis. Mijn vrouw had me niet gemist. Ik pakte de aantekeningen en deed ze allemaal weer in een doosje. Ik begon dit korte verhaal te schrijven en toen het af was keek ik tevreden in het rond.

Dat is alles, gewoon een kort verhaal. Ik hoop dat ik nu genezen ben en nooit, nooit meer aan het schrijven van een roman wil beginnen. Ja, ik moet mezelf sparen en zo nu en dan moet ik me ontspannen. Ik geloof werkelijk dat ook ik af en toe echt gelukkig mag zijn...

Slager op plezierboot

Ik heb een tijd een bootje gehad. Zo'n drijvende ijskast met een grote buitenboordmotor. De ligplaats van dat ding was bij een kleine scheepswerf tussen Leiden en Voorschoten aan de Vliet. Het was daar altijd een lawaai dat horen en zien je verging. Ze waren er nieuwe ijzeren schepen aan het bouwen en schoten de klinknagels in het harde metaal met een kracht of er giganten bezig waren. Ook sloegen de werkmannen om mij onbekende redenen met grote gietijzeren hamers op de holle rompen dat je oorvliezen er haast van scheurden. Dan was het er een druk gedoe van sleepbootjes die nog niet afgebouwde schepen aan kwamen voeren en hijskranen die af- en aanreden. Een uiterst bedrijvig en lawaaiig werkplaatsje. Ik schaamde me voor die werklui als ik op een vrije dag in mijn bootje stapte en wegvoer. Smachtend keken ze mij na, het bootje was best leuk, de mannen lieten hun klinknagelkanonnen even voor wat het was, en zagen mij met pijn in het hart vertrekken. Het valt ook niet mee om, terwijl je zelf in het zweet van je aanschijn je brood staat te verdienen in een schemerige lawaaierige werkplaats, een ander de vrije natuur in te zien trekken en de blits te zien maken op een jofel bootje. Mijn bootje was echt eigentijds. Het was van plastic en het leek op een strijkijzer. Daar is alles mee gezegd. De motor maakte gelukkig niet veel lawaai maar gebruikte te veel benzine. Ik had gas, licht, water en een toilet aan boord. Ik kon er koffie zetten, mijn handen wassen en mijn natuurlijke behoefte doen. In het roefje waren aan weerszijden banken met leren kussens. Een tafeltje stond er, dat kon je tussen de banken laten zakken. Er kon een taartpuntvormige matras op en zo verkreeg je een groot bed. Mijn vrouw hield ervan om met opgemaakt bed te varen omdat dat zo gezellig stond en ook ik maakte er een gewoonte van om dat te doen. In het roefje waren oranje gordijntjes, op bed lagen opengeslagen boeken, de kussens waren hoog en zacht, de lakens waren van een aangenaam stug, geruit linnen, het matras lag heerlijk en ik hield ervan om zo ergens aan te leggen en een boek te gaan lezen. Dan deinde ik op de golven die andere schepen maakten. Ik geef toe dat het een enigszins louche sfeer was aan boord.

Op een keer voer ik weg van de scheepswerf en toen ik onder een bruggetje door wilde dat de werf van groot water scheidde hoorde ik iemand achter me roepen. Ik dacht dat er een lijn buiten boord hing die in de schroef kon komen of zoiets en schreeuwde: 'Wat is er?' Een arbeider die bij een hijskraan stond riep naar mij: 'Vuile patser, dat is zeker werken aan de universiteit?!' Ik trok me er niets van aan en tufte door. Na een half uurtje legde ik aan onder een boom op een aangenaam en rustig plekje. Ik ging op het achterdek zitten en begon *Moby Dick* te lezen. Ook zette ik koffie. Onder de bomen door aan de kant liep een klein paadje. Daar kwam een oude man over aangewandeld. Hij keek naar mijn scheepje en liep voorbij. Vijf minuten later kwam hij weer terug en vroeg: 'Smaakt de koffie lekker?' 'Uitstekend,' zei ik. 'Dat heb ik nou van mijn leven niet gehad,' zei de man, 'zo'n bootje heb ik altijd willen hebben maar het is mij nooit in de schoot gevallen. Een heel gezellig bootje, het is wel heel modern niet?' 'Ja, dit schip is van een tamelijk recent model,' zei ik deftig, 'wilt u het eens bekijken?' 'Nou, dat laat ik me geen twee keer zeggen,' zei de oude, 'dan stap ik maar even aan boord.' Hij kwam gezellig naast me zitten op het achterdek en ik bood hem koffie aan. 'Heeft u geen jenever?' vroeg hij, 'een jonge zou er anders best ingaan.' Ik gaf hem jenever en hij dronk in een fluks tempo vier glaasjes achter elkaar. Hij begon te vertellen dat hij altijd slager was geweest en dat het een zwaar vak was om halve dode koeielijken te tillen, vooral 'omdat het vlees niet meegaf'. Hij was getrouwd geweest maar, hij werd nu heel vertrouwelijk, zijn vrouw was een vervelend sujet geweest, die hield niet van een lolletje, 'maar,' zei hij, 'het was in mijn tijd nu eenmaal niet de gewoonte om te gaan echtscheiden voor een beetje flauwekul. Ik hield, eerlijk gezegd, meer van mijn hond, meneer, maar die is nu dood. Mag ik nog een jonkie?' Ik schonk hem nog eens in. 'Ik praat liever niet over het verleden, lang leven doe ik niet meer.

En zolang ik er nog ben moet ik het er maar van nemen,' zei hij, 'maar wat een leuk bed hebt u anders in dat roefje, meneer. Dat is nou echt gezellig, en vriendelijk ook met dat roze, oranje licht.' Nu werd hij nog vertrouwelijker. Hij had het nooit op vrouwen gehad. Pas op zijn zestigste was hij erachter gekomen dat hij meer van jongens hield. 'Ik geloof dat u ook een heel fijne jongen bent,' hikte hij, 'ik geloof trouwens dat ik maar eens even moet gaan liggen.' Voor ik hem kon tegenhouden liep hij de roef in, ging op bed zitten en trok zijn broek, zijn jasje en zijn schoenen uit. Zijn sokken hield hij aan. De boeken die hier en daar op het bed lagen sloeg hij dicht. Hij maakte er een keurig stapeltje in een hoekje van. 'Boeken, dat is niets voor mij,' verklaarde hij. Op dat ogenblik had ik in moeten grijpen. Maar ik durfde een grijsaard, die in een kroeg of thuis al de hele dag had zitten drinken en die blijkbaar aan een treurig leven leed, niet te berispen. Ik ben altijd goed geweest. Tot mijn verbazing kroop hij onder de lakens en ging gezellig op zijn zijde liggen. 'U leest,' zei hij met een hand onder zijn hoofd. 'weet u dat lezen heel vermoeiend is? Ik geloof dat u dat boek beter weg kunt leggen. U moet eens naar mij luisteren. Verleden week was ik hier ook en toen lag hier ook zo'n bootje. Ik werd aan boord genood en het was een heel aardige jongen. "Wij gaan samen naar het Kaagmeer," zei hij. Ik mocht van hem in bed liggen en toen is hij naar het meer gevaren. We kwamen op een plekje waar niemand ons kon zien. De jongen voegde zich bij mij in het bed in het roefje. Het deurtje hebben we dichtgedaan en toen hebben we toch zo heerlijk liggen vrijen. Het was een hemelse verrukking, meneer. Ik had gehoopt hem vandaag weer te zien maar helaas. Misschien ziet u wel wat in mij. Ja, u bent een fijne jongen. Ik zeg dit alles ter overweging. Waarom zou u niet met mij naar het Kaagmeer varen?' Ineens werd ik woedend. Ik kan nu eenmaal niet vrijen met mannen en zeker niet met hele oude met vreemde praatjes en met zweetsokken aan. Van nature heb ik trouwens iets tegen slagers. 'Nu is het genoeg, meneer,' zei ik beslist. 'Gaat u het bed uit, kleedt u zich aan en verlaat mijn schip.' 'Maar waar ben ik dan?' kreunde hij, 'ik weet toch helemaal niet waar ik ben. Hoe moet ik de weg naar huis vinden? Ik heb misschien iets te veel op.' 'Het is afgelopen!' riep ik, 'u moet opdonderen.' Van schrik kroop hij helemaal onder de lakens en smeekte mij: 'Gaat u toch met me varen, meneer.' Ik trok hem aan zijn voet. 'Gaat u nu weg, meneer,' riep ik. 'Begrijpt u dan niet dat dit een grote en grove inbreuk op mijn privé-leven is? Uw gedrag is onwaarschijnlijk vreemd.' Ik trok hem harder aan zijn voet. 'Au au,' piepte hij, 'wat doet u nou? Nu schiet het ineens in mijn rug. Verschrikkelijk wat een pijn, zo kan ik niet opstaan. Daar heb ik altijd last van, net als ik lig schiet de pijn in mijn rug. Hebt u toch meelij met een patiënt.' Ik stapte van mijn scheepje en maakte de lijnen los. Ik zette de motor aan en begon te varen. De oude lag te neuriën. Na een half uur was ik weer bij de scheepswerf. De oude man was bepaald niet doof want van schrik ging hij rechtop zitten toen hij de klinknagelkanonnen, de gietijzeren hamers op de ijzeren holle scheepsrompen hoorde, het geratel van de hijskranen en het ruwe gezang en geroep van de arbeiders. De oude kwam uit bed naar me toe en zei: 'Dus niet naar het Kaagmeer gevaren hè? Sodemieters, je hebt me bedrogen!!!' Hij kleedde zich aan en ging tot mijn opluchting van boord. Voor hij echter om een hoek van een loods verdween riep hij met een stentorstem, een stem die niet bij zo'n oude man paste, in mijn richting: 'Klootzak, patjakker, nieuwe vrijgestelde, brillejood, zondagsvaarder!' Hij spuwde een groene klodder slijm op de grond. De arbeiders schaterden. Toen pas was ik van de slager af...

Bijgeloof

Ik heb een wonderlijke buurman. Hij is lang en mager en draagt een bril. Hij heeft een snor en behoort enigszins tot het melancholieke type maar hij is ook erg nuchter. Hij volgt in Leiden een opleiding tot dermatoloog. Het liefste zou hij reizen, het reizen zit hem in het bloed. Als het aan hem lag en hij rijk genoeg was zou hij zijn hele leven onderweg zijn. Hij komt vaak 's avonds naar mij toe en dan drinken en roken we wat. We praten over ons werk en hij vertelt over zijn reizen. Hij is in China geweest, in Australië, in Afrika, in Amerika, in Suriname. Gisteren had ik hem ook op bezoek. 'Over Suriname heb je het nog nooit gehad,' zei ik. 'Zal ik je daar eens een vreemd verhaal over vertellen?' vroeg hij. 'Ja,' zei ik gretig en ging wat makkelijker in mijn stoel zitten.

'In Suriname was ik luitenant-arts,' begon hij, 'en ik kreeg daar veel met bijgeloof te maken. In Nederland hebben wij natuurlijk onze demonen. Wij hebben de auto, de televisie, het vliegtuig, de radio, de moderne medische technologie. Wij denken dat wij dat allemaal begrijpen maar toch hebben we er angstdromen van. Het vliegtuig, de televisie, berichten over oorlog in landen waar je nog nooit van hebt gehoord, dat zijn onze demonen. Kijk op straat, er komt een auto aan, weet je vanwaar hij komt en waarheen hij gaat? Loop op een trap in een flat. Je komt mensen tegen, Chinezen, Amerikanen, Nederlanders. Je kent ze niet, je groet ze niet. Je gaat met je plezierboot varen en midden op het IJsselmeer gaat de motor stuk. Je kan hem niet maken en je dobbert tot er eindelijk iemand komt om je te helpen. Dat zijn allemaal demonen van de moderne mens. Maar in Suriname, dat een enigszins onderontwikkeld land is, hebben de mensen nog gewoon geesten waar ze bang van zijn, ook houten wezentjes, de zogenaamde bakkraatjes. Ik zat eens in de rimboe met dertig inheemse soldaten.

Dicht bij ons in de buurt was een houten bruggetje. De Surinamers durfden 's nachts niet over die brug te lopen uit angst dat ze bakkraatjes zouden wekken. Ik vroeg aan een jongen wat dat eigenlijk waren. "Dat zijn houten mannetjes en die wonen onder de brug," zei hij. "Ze kunnen je gek maken. Ze hebben grote voeten en kleine handen, ze hebben een griezelig hoofd en ze roken vaak een pijpje, ze lopen houterig. Ik ben zo bang om nog eens een bakkraatje tegen te komen." Ik lachte erom. Een maand later was er een soldaat uit onze barak die een bakkraatje had gezien. Hij was helemaal overstuur en de ogen puilden hem uit de kassen van schrik. "Ik zag hem bij maneschijn," zei hij. "Het bakkraatje kwam onder de brug vandaan en kwam recht op mij aflopen." De soldaat trilde over zijn hele lijf terwijl hij dat vertelde en ik constateerde een neurose. Ik gaf de jongen opiaten, trilafon en valium om weer een beetje op te knappen. Van de kapitein moest ik de soldaat naar huis sturen. Hij woonde in een rieten hut en iedere dag ging ik hem opzoeken. Zijn vader legde kippedarmen op zijn buik, en de nier van een jong geslacht varkentje. De vader prevelde gebeden en verbrandde kruiden die hij in het bos had geplukt in de rustkamer van de jongen. Ik gaf de soldaat in het geheim mijn pillen en middelen en als zijn meerdere kon ik hem bevelen die door te slikken. Na twee maanden werd de jongen beter. Ik prees de vader omdat hij zijn zoon genezen had maar wist dat het aan mijn pillen lag.

Een week later hadden we een feest in de officiersmess. Wij waren met Nederlanders onder elkaar en ik vertelde het verhaal van het bakkraatje. Wij gingen zelf onder een brug kijken of daar soms mannetjes zaten. Wij hoorden alleen de geluiden van het oerwoud, de rivier stroomde en boven ons hing stil de maan in het lege heelal. In de verte zagen wij een barak waar veertig Surinamers lagen te slapen. Wij vingen een hond en bonden hem een laken om. Het was een klein hondje en wij lieten het los in de slaapzaal. Ik, stom als ik was, riep hard: "Help, help een bakkraatje!" Iedereen was op slag wakker en die nacht had ik veertig patiënten. Het hondje rende weg als een spook in de nacht. Ik hield een toespraak voor de soldaten die in opperste verwarring verkeerden. "Dat was toch helemaal geen bakkraatje," zei ik, "dat was gewoon een hondje met een laken om.” De jongens durfden mij niet te geloven. De volgende dag kon er geen dienst worden gedraaid en lag de ziekenboeg boordevol met ijlende en krijsende patiënten. Van mijn grap heb ik later behoorlijk spijt gekregen. Een hoge ambtenaar hoorde van het geval en wilde mij naar Nederland terugsturen. Het geeft nu eenmaal geen pas te spotten met de plaatselijke geesten. Ik wist de zaak te sussen.

Een half jaar later, ik was de hele geschiedenis vergeten, werd ik 's nachts uit mijn bed gebeld. De burgerdokter was met vakantie en een oude man in de rimboe lag op sterven. Ik kroop in mijn jeep en reed naar het mij opgegeven adres. Ik herinner het mij nog goed, het was Brumakaay 44, maar ik vond alleen maar krotten in het oerwoud, ik raakte verdwaald op modderige, donkere paden en dacht aan de man die op sterven lag. Ik hoorde de rare geluiden uit het oerwoud, kleine ratten, slangen die sisten, eenden die af en toe kwaakten, blaffende honden. Boven mij was de halve sikkel van de maan in het lege heelal. Niemand kon ik iets vragen. Op een gegeven moment stond ik met mijn wagen op een houten brug en omdat ik zo alleen was dacht ik weer aan de bakkraatjes. Ik durfde beslist niet onder de brug te kijken en werd bang. Uit het donker kwam een man op mij af en ik vertelde hem dat ik een oude zieke man zocht. Ook vertelde ik hem het adres. De man dacht lang na en toen zei hij: “Misschien is het wel mijn vader. Laten we vlug naar mijn vader toe rijden.” Ik nam de man in de auto en een half uur reden we door het oerwoud. Toen betraden we een groot huis en daar was een groot feest aan de gang. Het was vier uur in de nacht en er zaten honderd mannen en vrouwen te drinken en te eten. Er werd gedanst. Aan het hoofd van de tafel ontwaarde mijn gids zijn vader en hij zei: “Die is tenminste gezond!” Ik werd vriendelijk ontvangen op het feest en binnen een kwartier was ik mijn slaap, het bakkraatje en de stervende man vergeten. Ik begon te eten en te drinken en te dansen. Ik dronk meer dan goed voor mij was. Het was het grappigste feest dat ik ooit heb meegemaakt. Een paar uur later, het werd al licht, ging ik naar buiten, ik moest overgeven. Ik ging daartoe op een houten brug staan en kotste vol overgave. Ineens dacht ik weer aan de stervende man op de Brumakaay 44 en het werd mij angstig om het hart. Op dat moment hoorde ik iets kraken onder de brug en ik zag in de ochtendnevels een houten mannetje met een pijpje in zijn mond op mij afkomen. Er was niemand in de buurt om mij te helpen. Het mannetje kwam recht op mij af en keek mij aan met zijn uitdrukkingloze houten oogjes. Toen zei hij met een kraakstem, maar in duidelijk Nederlands: "Ik ben van D66,* hebt u een vuurtje voor mij, meneer?" Ik schrok me een hoedje en rende halsoverkop het grote huis weer binnen en was een halve dag totaal overstuur. Ik gaf mezelf een trilafon-injectie en liet kippedarmen op mijn blote buik leggen, stinkende kruiden werden in een hoek van de kamer verbrand, het vertrek stond blauw van de rook." "De Nederlandse dokter heeft zelf een bakkraatje gezien," zeiden de mensen, "dat moet hij maar eens aan de andere Nederlanders hier vertellen." Een paar uur later voelde ik me pas weer beter en ging weer op zoek naar de Brumakaay 44. Toen ik daar eindelijk aankwam bleek dat 42 het hoogste nummer was, verderop begon de rimboe. Iemand had een grap met me uitgehaald. Maar hoe? Geloof jij in houten mannetjes die onder bruggen leven?' vroeg mijn vriend. 'Nee,' zei ik. En toen gingen we over op zijn zeeavonturen.

* Politieke partij in Nederland in de tijd dat dit verhaal geschreven werd.

Jacob en Ezau

De professor heeft het druk. De hele week is hij in de weer met wetenschappelijke onderzoekingen, met lesgeven aan studenten, vooral de vergaderingen nemen veel tijd. Collega's vragen de laatste tijd vaak: 'Wanneer publiceer je weer wat? Jouw artikelen zijn zo... hoe zullen we het zeggen, zo diepgravend en tegelijk zo begrijpelijk geschreven.' Ja, professor Van Dijke moet weer wat schrijven. Maar hoe moet hij dat aanpakken? Eigenlijk is hij uitgeschreven, eigenlijk heeft hij helemaal geen zin meer om te schrijven. Vroeger, toen hij jong was, toen had hij kracht en pathos, toen rolden de woorden hem vanzelf uit de hand op papier. Tegenwoordig is dat anders. Maar in tijdschriften komt hij zijn naam nog tegen: het artikel over de Koreaanse boekdrukkunst was zo interessant, het verhaal van hoe het wiel van Siberië naar Amerika kan zijn verhuisd, het artikel over het gemeenschappelijke element in de Indianentalen. Allemaal dingen die hij al jaren geleden geschreven heeft. Ze hebben er de mond nog van vol, die wetenschappers. Van Dijke begrijpt het niet. Zo belangrijk kan hij toch niet zijn? Maar voor de gek wordt hij niet gehouden, beslist niet. 'Wij missen de artikelen in *Antropologische Onderzoekingen* van professor Van Dijke,' schrijft iemand uit Dokkum die in Groningen studeert. Laatst kwam Van Dijke op een tuinpartij een industrieel tegen. 'Ik hou niet van antropologie,' zei deze, terwijl hij en de professor gezellig onder een eik Campari zaten te drinken en een sigaar rookten, 'het heeft mijn interesse niet, maar kom ik een artikel tegen van u dan lees ik het beslist. Onbegrijpelijk dat iemand zo leesbaar en zo eenvoudig over zulke moeilijke onderwerpen kan schrijven. U bent beslist een groot genie.' Eigenlijk heeft Van Dijke de moed opgegeven, hij wil niet meer publiceren, maar nu zoveel mensen hem het zwijgen blijken kwalijk te nemen wil hij wel weer wat op papier zetten. Hij zou het nu eens willen hebben over het vliegtuig als demon voor de inboorling. Daar weet hij veel van, daar heeft hij diep over nagedacht, daar heeft hij vaak college over gegeven. Hij heeft vaak met Gerard, een collega, over het onderwerp gepraat, en hij heeft er zeker vijf boeken over, ieder met honderden noten. Twee boeken in het Russisch (de professor beheerst twaalf talen), één in het Portugees, één in het Frans en één in het Zuidafrikaans. Die boeken kent hij nagenoeg uit zijn hoofd en hij vindt het allemaal belachelijke kletskoek. Voor zijn dertigste heeft hij veel reizen gemaakt in Nieuw-Guinea en met tientallen Papoea's over het onderwerp gepraat. De inboorlingen hebben hem in vertrouwen genomen toen hij hun voordeed hoe ze een landingsbaan moesten maken. Duizenden bomen hebben de Papoea's gekapt en ze hebben een landingsbaan in het oerwoud aangelegd. De professor heeft de bomen verkocht aan een handelaar uit Japan en het geld geschonken aan een wetenschappelijke stichting. Met de inboorlingen heeft hij gebid en gesmeekt of er soms een Douglas wilde landen. De Papoea's hebben hem alles verteld over wat er in ze omging. Ze hebben bepaald geen blad voor de mond genomen. En toen op een dag een Piper Cup een noodlanding maakte op de landingsbaan, sprong het hart van de wilden op van vreugde. Ze offerden een bokje voor de piloot en vroegen hem of hij de ouden en de zieken kon genezen. Het was verschrikkelijk grappig, interessant allemaal. De piloot uit Australië zong volksliedjes uit de streek waar hij geboren was en de wilden probeerden hem na te zingen. De melodie lag hun niet en de woorden konden ze niet uitspreken. De wilden boden hun vrouwen aan de piloot aan, want ze wilden allemaal een godenzoon met bovenmenselijke krachten hebben. Een week later had de piloot zijn motor gerepareerd en samen met de professor, onder gesnik en gejuich der wilden, is hij weggevlogen. Professor Van Dijke weet genoeg. Hij zou nog een artikel kunnen schrijven over de uitvinding van het glas in lood en haar betekenis voor de kerken. Hij zou kunnen schrijven over dorpse elementen op Manhattan..., maar hij heeft er geen zin meer in. Hij heeft vannacht gedroomd: er kwam een magere, lange, lichtgevende man zijn slaapkamer binnen, hij droeg een rode mantel bezaaid met witte sterretjes en een gouden punthoed met een kwast die de man tot aan het middel reikte. De man tikte de professor met een stokje op zijn neus en zei zacht: 'In het zwijgen toont zich de meester.' Toen ging hij boven het bed van de professor en zijn vrouw hangen en zong, zonder de vrouw van de hooggeleerde wakker te maken, iets van Bach: 'Agnus Dei, qui tollis peccata mundi, miserere nobis.' En voor hij door het raam verdween zei hij nog een keer: 'U hebt al genoeg geschreven, professor Van Dijke, geef het op. Zwijgen kan u alleen maar belangrijker maken. Spreken is zilver, zwijgen is goud. Dat zei Willem Taciturnus reeds.'

Nu zit de professor op zijn kamer. De hele week heeft hij zich met zijn studenten beziggehouden, hij heeft colleges voorbereid, hij is driemaal naar een vergadering geweest, hij heeft veertien boeken gelezen (waaronder ook *Lolita* van Nabokov en drieëntwintig volkssprookjes van Tolstoi). Hij heeft in *Playboy* een interview met de wereldberoemde antropoloog Joeri Koeznetsov gelezen. Hij heeft genoeg gedaan voor het huishouden en zijn vrouw. De kinderen zijn de deur al uit. Gisteren heeft hij met zijn vrouw boodschappen gedaan op de markt. 's Middags had hij hoofdpijn en darmkrampen. 's Avonds heeft hij bij muziek van Mozart gelezen. Vandaag is het zondag. Vroeger, toen hij nog artikelen schreef, deed hij dat altijd in de tuinkamer, het liefst in de zomer en het liefst op zondag. Hij wil proberen te schrijven vandaag. De omstandigheden zijn gunstig. De krekels sjirpen, de leeuwerik zingt hoog in de lucht. De zware eik werpt zijn schaduw in de tuin en op het huis. In de verte wandelen kleine, zwart geklede mensen naar de kerk. Hij zit in zijn tuinkamer. Er staat een lichte, verfrissende wind. Het is tien uur in de morgen. Zijn vrouw heeft hem juist koffie gebracht. Hij voelt zich kiplekker. Zijn bureau is geheel leeg. In het borstzakje van zijn hemd hangt een vulpen. 'Schrijven,' denkt hij, 'wat een malligheid eigenlijk. Men kan mij toch niet dwingen? En ik moet er immers zin in hebben? Professor ben ik. Mij kunnen ze niet ontslaan. Er zijn zoveel hoogleraren die na hun vijftigste niets meer schrijven.' Professor Van Dijke is niet dik, hij is niet dun. Hij heeft mooi zwart haar, vriendelijke ogen, smalle handen. Met zijn handen achter zijn hoofd leunt hij achterover in zijn stoel. Er gaat een klein vliegtuigje over.

De wind staat van het kerkje hierheen. Bij vlagen hoort hij het orgel spelen: 'Agnus Dei, qui tollis peccata mundi...' Een heerlijke dag. Hij zou er wat voor geven om vandaag Somerset Maugham te kunnen lezen. Een mens heeft recht op zijn ontspanning. Dan denkt hij aan de woorden van Nabokov: 'Je moet niet te veel van het leven genieten, als je er echt van wilt genieten.' Een paar keer ijsbeert hij door zijn kamer. Dan komt zijn vrouw hem een tweede kopje koffie brengen. Ze ziet *Playboy* naast zijn sofa liggen en vraagt: 'Lees jij zulke bladen tegenwoordig?' 'Maar er staan niet alleen half ontklede dames in,' zegt hij vergoelijkend, 'zal ik je eens een hoogdravend artikel tonen?' Zijn vrouw kijkt belangstellend. Ze vraagt of ze het blad mee mag nemen. 'Zo'n blad zie ik anders alleen bij de stationskiosk,' zegt ze, 'nu kan ik het eens op mijn gemak doorbladeren, lukt het artikel al?' 'Hm,' mompelt Van Dijke. Zijn vrouw verlaat de kamer, hij drinkt zijn koffie en zingt een Duits drinkliedje: 'Im tiefen Keller sitz ich hier...' Hij staart voor zich uit en hoort weer al die stemmen van de afgelopen weken: 'U zou weer eens wat moeten schrijven.' Hij loopt naar zijn kast, pakt twintig schone velletjes en gaat met een zucht achter zijn bureau zitten. Hij pakt zijn vulpen, maakt hem schrijfgereed en krabbelt op het eerste vel: 'Het vliegtuig als demon voor de inboorling.' Daarna kijkt hij voor zich uit. Hij weet genoeg, alleen weet hij niet hoe te beginnen. Als hij werkt gebruikt hij liever geen handboeken, hij doet altijd alles uit het hoofd. Dat was vroeger zijn gewoonte in ieder geval. Hoe moet hij nu beginnen? Voor de donder, eigenlijk heeft hij geen zin. Een bij gonst in de kamer. In de verte klinken kinderstemmen. Een koe loeit. Vaag klinkt het geluid van gezang uit het kerkje tot in zijn kamer door. De zon schijnt zo heerlijk. De blaadjes aan de eik ruisen. 'Is het u, lezer, weleens opgevallen dat wij in onze maatschappij geen inzicht hebben in de denkwereld van de inboorling? Zo iemand denkt misschien heel anders dan wij, soms ook op een gevaarlijke manier, maar toch altijd is zijn gedachtenschema heel logisch opgebouwd. Laat ik u een voorbeeld geven...' begint hij omslachtig.

'Hallo professor,' klinkt uit de tuin de stem van een veertigjarige man. Een harde, luide stem. Van Dijke staat op. Een reusachtige en gebruinde kerel met spieren als dikke touwen onder het strakke vel van zijn armen en borst staat tussen de tuindeuren. 'U hebt zeker niets te doen?' vraagt de man, die Jan Terborg heet en als knecht bij boer Leenderts een halve kilometer verderop werkt. Jan is ongetrouwd, is verzot op de natuur en een echte losbol. De pretlichtjes staan hem altijd in de ogen. Overigens is hij één bonk energie en als hij zich iets in het hoofd heeft gezet is hij daar niet gemakkelijk weer van af te brengen. 'Ik heb bepaald wel iets om handen,' zegt Van Dijke. 'Maar wat is dat schrijven nou voor onzin,' zegt Jan Terborg, die weinig achting heeft voor de wetenschap. 'Verleden week was het ook gezellig,' gaat hij door, 'op zondag moet je uitrusten en leuke karweitjes doen. Hier in de schaduw van de eik kunnen we gezellig werken. Je zit buiten en je doet nog iets nuttigs.' Hij neemt de professor bij de hand en brengt hem de tuin in. 'Wat staat daar?' vraagt hij. 'Een paard-en-wagen,' mompelt de professor. 'En wat ligt er op die wagen?' vraagt Jan. De professor kijkt eens wat beter en zegt: 'Daar liggen allemaal stukken hout.' 'En daar gaan wij palingdobbers van maken,' kraait Terborg, 'u hoeft op zondag toch niet te schrijven? Zes dagen zult gij arbeiden, maar de sabbath zult ge heiligen, dan zult ge rust nemen, zo staat het toch geschreven?' 'Ik heb geen tijd,' werpt de hoogleraar tegen. 'Ik heb in maanden al niet geschreven, het wordt nu tijd dat ik iets ga doen.' 'Maar u hebt de hele week al gewerkt en gisteren was u ziek,' zegt de arbeider. 'Het is niet goed voor een mens om altijd met zijn hoofd te werken, soms moet je iets met je handen doen. En een artikel kunt u altijd nog schrijven.' Vijf minuten lang probeert Van Dijke tegen te spartelen, dan geeft hij zich gewonnen. Jan trekt een kruiwagen van de kar en laadt die vol met houtblokken. Hij rijdt de kruiwagen tot onder de eik en kiepert hem daar om. Zo gaat hij een kwartier door en dan ligt de hele lading van de wagen onder de eik. Het paard knabbelt van het gras en blijft stilstaan. De professor staat nu naast de knecht en kijkt naar zijn kamer, hij ziet zijn bureau, de sofa en de boekenkasten. Hij slaakt een diepe zucht... 'Al dat denkwerk is niets voor een mens,' zegt de knecht, 'weet u, van al dat denken krijgt u nog eens een hersenkramp, professor. Er gaat niets boven op het land bezig zijn. Niets is heerlijker dan de motor van de tractor te horen zoemen en gieren en de zware, scherpe ploeg diep door de vette klei te trekken. Een uurtje slapen in het hooi is ook fijn, helemaal aan niets denken. Als ik dat werk van u moest doen was ik allang stapelmesjogge geworden. Het is mij best als u mij met een mol en uzelf met een nachtegaal vergelijkt, maar vergeet niet dat ze allebei een taak hebben. Nu ja, wat ik zeggen wil, bij mijn moeder is het water door het fondement geslagen, de dokter wil er niets aan doen, kan u niet eens naar haar kijken? Er zijn schapen bij boer Dieleman weggelopen. Er kwam 's nachts een snelle auto voorbij, de dieren schrokken, ze sprongen over het hek, niets meer teruggezien. Zou u nou in de stad willen wonen? Zo tussen al die kale flats met dat lawaai en al die uitlaatgassen om je heen?' Hij begint te zingen: 'Drie kleine kleutertjes, die zaten op een hek, boven op een hek...', de rest van het lied maakt hij neuriënde af. Hij stoot de professor aan en zegt: 'Nu gaan wij fijn samen palingdobbers maken. Dan kunt u het ook eens leren.' 'Maar ik wil helemaal geen palingen vangen,' stribbelt Van Dijke tegen. 'Komt u nu naast me zitten, hier op de grond, lekker in de wind, in de schaduw en uit de zon,' gebiedt Terborg, 'dan zal ik u laten zien hoe men een palingdobber maakt.' De komst van Terborg is voor Van Dijke een welkome aanleiding om niets te doen, om in ieder geval iets anders te doen. 'Er zijn misschien al duizenden boeken,' beweert de arbeider, 'waarom zou u er dan nog eentje bijmaken? Een mens moet ontspannen. U kent de Beulaker toch wel, dat hoekje in het noorden waar 's winters de grauwganzen zitten? Daar barst het van de paling. Daar wil ik de dobbers gaan uitzetten. Vannacht zet ik ze uit. Woensdag ga ik kijken wat ik gevangen heb en mijn vangst verkoop ik in de stad. Ik heb me laten vertellen dat je zo in één klap vijfhonderd gulden kan verdienen. Hoeveel verdient u nou met zo'n artikel?' 'Dat varieert,' zegt de professor blozend, 'soms meer, soms minder, maar het gaat niet om het geld maar om de eer.' 'Van eer kan je niet leven,' lacht de knecht, 'heeft u weleens eerder palingdobbers gemaakt? Het is heel makkelijk, kijk, je neemt een blok hout en dat keep je met een scherp mes, ik heb twee messen meegenomen, aan twee of drie kanten in, aan vier kanten voor mijn part. Dan knoop je er

stevig een nylondraad omheen. Die draad maken we ongeveer vier meter lang. Hoe diep denkt u dat het is daar in het noorden van de Beulaker? Zeker vijf meter diep? Voor de donder! Allemachtig! Nou dan maken we er voor de zekerheid zes meter van. Ik heb draad genoeg, kijkt u maar, een hele haspel, daar zitten honderden meters op. Goed, eerst een draad van zes meter en daar binden we een steen aan. En dan nog een draad van ongeveer vijf meter met een haakje op het eind. Dat haakje, daar gaat rot vlees op, dat vinden palingen het beste. Het moet zo worden dat het vlees net boven de bodem hangt, weet u zeker dat het daar zo diep is? Kijk, nou doe ik eerst een dobber voor. Als het moet doe ik er wel drie voor! Gaat u toch zitten professor, het is lekker weer en zo in de middag onder een boom maak je het fijnst palingdobbers. Ik deed het vroeger met mijn vader, maar die is nu dood. Weet u nou eigenlijk met wat voor een knoop je een haakje moet vastmaken? Zal ik dat ook voordoen? Weet u zeker dat het daar zo diep is? Of zullen we even met het paard naar het meer rijden? Dan gaan we meten of polsen. Dat vlees moet natuurlijk niet twee meter boven de bodem slierten. Het moet allemaal keurig in orde zijn. Vijfhonderd ballen! Allemachtig, dat is gauw verdiend! Zullen we naar het meer gaan?'
'Ik heb een waterkaart,' zegt de professor waardig, 'ik zal even kijken.' Hij scharrelt wat in zijn kamer, trekt laden open, gooit stapels papier en boeken omver. Eindelijk heeft hij de kaart gevonden. Hij gaat in de huiskamer kijken en vindt een briefje op tafel waarin staat dat zijn vrouw vanmiddag naar een vriendin is omdat ze hem niet wil storen. Dan loopt hij weer naar de eik en voegt zich bij zijn vrolijke, babbelzieke metgezel. 'Het is daar precies vijf meter diep,' zegt de professor. 'Dan is zes meter prima,' lacht de knecht, 'maar de haaklijn moet dan vier-en-eenhalve meter zijn. Geen flauwekul. Alles moet er piekfijn uitzien. Je moet er geen janboel van maken als je gaat vissen.'
'Waar is die eerste lijn, die lange lijn eigenlijk voor?' vraagt Van Dijke, 'ik begrijp er niets van.' 'Aan die lange lijn binden we een steen, ik heb tweehonderd flinke keien meegenomen, die moeten nog uit de wagen worden gehaald,' onderwijst Terborg, 'kijk, vannacht ga ik met een grote sloep het meer op en ik donder alles op de beste plekjes overboord. De stenen komen

op de bodem te liggen. De stukken hout blijven drijven, maar waaien niet weg omdat ze aan de steen vastzitten. En aan het hout hangt dan een tweede lijn naar beneden die het vlees een ietsje, aan die haak natuurlijk, boven de bodem houdt. Waarom moet ik dat toch allemaal uitleggen? U begrijpt toch zeker wel hoe een palingdobber werkt?' De professor krabt zich op het achterhoofd. 'Maar waarom ga je niet gewoon hengelen?' vraagt hij. 'Ik kan toch niet met vijfhonderd hengels tegelijk gaan zitten,' zegt Terborg snibbig, 'en dan zou ik nog drie dagen lang, dag en nacht moeten blijven zitten, dat is natuurlijk niets gedaan. Hier zijn de blokken, hier is een mes, als u nou de inkepingen maakt dan doe ik de rest.' De professor staat nog steeds. Een aarzelende glimlach breekt bij hem door. 'Maar mijn artikel,' werpt hij tegen. Hij durft de knecht niet te bekennen dat het maken van de dobbers voor hem eigenlijk een welkome afleiding is. 'Dat artikel kan de hele week nog,' zegt Terborg, 'anders hebt u volgende week zondag wel tijd.' Van Dijke gaat naast Terborg onder de eik zitten. Onhandig begint hij met een scherp, klein mes inkepingen in het hout te maken. De knecht lacht hem uit, hij doet voor hoe het werk gedaan moet worden en een half uur later zijn de twee gebroederlijk en vrolijk met het karwei bezig, ingespannen naar hun handen kijkend en onderdehand babbelend over koetjes en kalfjes. 'Mag je eigenlijk van die dobbers maken, mag je zo wel vissen?' vraagt de professor, 'want sommige vissen zitten nu misschien dagen aan het haakje.' 'Nee, het mag niet,' zegt de knecht, 'maar wat heb ik daarmee te maken? Er mag zoveel niet. Maar je moet toch wat doen om vijfhonderd gulden te verdienen? In een restaurant in de stad is een grote vette paling heel wat waard. U krijgt trouwens ook een paar palingen... Maar niemand merkt er iets van hoor. Je moet trouwens een visvergunning hebben... heb ik ook niet.' Tot zes uur maken Van Dijke en Terborg palingdobbers. De professor begint er echt plezier in te krijgen. Hij zou wel een hele week dobbers willen maken in plaats van vergaderen. Ze kletsen over honderd en één onderwerpen. Het is heel gezellig... Om kwart over zes gaan alle palingdobbers weer op de wagen, Terborg klimt op de bok en wil wegrijden. 'Maar dat gaat zomaar niet,' glimlacht de professor, 'we moeten toch eerst nog een glaasje drinken.' 'Nou, een glaasje gaat er wel in,' zegt Terborg en komt onmiddellijk weer van de wagen. Hij bindt het paard vast aan een paaltje en volgt de professor. Buiten de studeerkamer trekt Terborg zijn laarzen uit. Dan ploft hij neer in een leren fauteuil. Samen drinken ze Schotse whisky en ze steken er een sigaar bij op, een flinke havannasigaar. De professor voelt zich wonderwel. Terborg zit te vertellen hoe je het beste kan handelen met wintertarwe en met zwangere koeien. Van Dijke laat hem maar praten. Hij mag die man wel. Hij is helemaal moe van het zware werk. Terborg drinkt meer dan goed voor hem is en lallend verdwijnt hij in de avondlucht op zijn wagen, het paard kent de weg... De professor ligt op zijn sofa en mompelt: 'Een fidele kerel die Terborg, als we zulke hoogleraren hadden zou het heel wat beter gaan op de universiteit.' Hij valt in slaap en droomt van de vorige zondag. Ook toen was het warm weer, maar er stond een fris windje. Het was aangenaam buiten. Ook toen was hij gaan zitten om een artikel te schrijven. Ja!, ook toen wilde hij beginnen aan 'Het vliegtuig als demon voor de inboorling.' Maar na drie bladzijden kwam Terborg: 'Hallo professor, dat is toch niets om op zondag te schrijven. Ik ga jagen. Hebt u geen zin om met me mee te gaan?' Hij was meegegaan en de hele dag hadden ze over de akkers gezwalkt. Het was gaan regenen, een stortbui, en in een klein buitenhuis bij een oud vrouwtje hadden ze geschuild, ze hadden thee gekregen. En na de bui schoten ze twee hazen, een patrijs, een fazant en twee eenden. Een heerlijke dag... En vandaag had die Terborg hem verduiveld nog aan toe wéér van het schrijven afgehouden! Om negen uur die avond kwam de vrouw van de professor thuis. Ze vond hem in slaap op de sofa. 'Schiet je al op met het artikel?', vroeg ze. 'Het gaat aardig,' zei Van Dijke, 'een begin heb ik in ieder geval.' 'Het is een beetje laat om nog te koken,' zei de vrouw, 'zullen we niet in de stad gaan eten?' Een kwartier later had de professor zich verkleed en nog een half uur later zaten ze in het restaurant. Tot verbazing van de professorsvrouw at haar man paling, een gerecht dat hij anders verafschuwde. Hij was ook zo vriendelijk en toegeeflijk vond ze, heel anders dan anders. En de professor dacht: 'Ik kan er weer een week tegen.'

De dagen die volgden besteedde hij aan het voorbereiden van zijn colleges, aan het lesgeven, aan vergaderen. Weer kwam hij mensen tegen die tegen hem zeiden: 'Je moet toch weer eens wat schrijven.' De zondag daarop regende het. Zijn vrouw lag met een kleine temperatuursverhoging in bed. Hij was juist gaan zitten en had geschreven: 'Het vliegtuig als demon voor de inboorling,' toen de bekende stem van Terborg hem door de open deuren in de oren klonk: 'Professor, moet u nou eens zien!' Van Dijke keek expres niet op maar deed of hij doorschreef. Zijn geweten van geleerde knaagde: vanmiddag moest hij beslist iets schrijven! Hij hoorde een kleine klap en zag iets zilverachtig groens, hij schrok! Wat was er nu weer aan de hand? Hij keek op en daar stond een doornatte Terborg met een snoek in zijn handen. De knecht droeg het dier als een baby. Een snoek van zeker tachtig centimeter! De bek van het dier ging regelmatig open en dan met een klap weer dicht. 'Had u niet gedacht, hè?' zei Terborg, 'dat dit persoontje ook nog snoeken wist te vangen? Maar een snoek is niet lekker om te eten. Hij is alleen leuk om te vangen. Ik lag op bed, ik had een paar uurtjes niets te doen en ik dacht: "Verrek, het regent." Toen bedacht ik dat dat prima snoekweer was. Ik ben aan de sloot gaan zitten en binnen een half uur had ik beet.' De professor was zijn artikel reeds vergeten. Vol verbazing en bewondering staarde hij naar de geweldige snoek. 'Zullen we hem in bad zetten?' vroeg hij, 'dan kunnen we hem goed bekijken.' Terborg haalde zijn schouders op. 'Ik wilde hem meteen weer terug in de sloot zetten,' mompelde hij, 'ik dacht alleen: even aan de professor laten zien, die heeft daar wel aardigheid in.' 'We zetten hem in bad,' zei Van Dijke, 'dan doe je hem straks weer in de sloot.' Samen liepen ze naar de badkamer nadat Terborg zijn laarzen had uitgetrokken. Het bad liep vol en de snoek zwom er onhandig in. Het dier kon alleen maar vooruit en achteruit, hij was te stijf om te keren in het nauwe bad. 'Wat kan hij stil liggen, hè?' zei Van Dijke vol bewondering. 'Ze liggen soms zo stil dat je ze niet eens ziet,' zei de knecht, 'pas als ze wegschieten om een visje te vangen dat langskomt heb je ze in de gaten.' 'Zullen we visjes voor de snoek gaan vangen?' vroeg Van Dijke. 'Mij best,' zei Terborg. Ze sjouwden door de regen en vingen wat stekelbaarsjes en twee iets grotere vissen. Ook die deden ze in het bad en ze zagen hoe de snoek de visjes verorberde. 'Nu is hij in gevangenschap, wij kunnen hem ieder ogenblik zijn kop afsnijden en nog vreet hij door!' lachte de professor. Als kinderen zo vrolijk en opgewonden zaten ze voor het bad. Twee uur bleven ze naar de snoek kijken en onderdehand vertelden ze elkaar mopjes en verhaaltjes uit hun jeugd. De nieuwtjes uit het dorp werden doorgenomen en tenslotte begonnen ze whisky te drinken. Tegen vijven die middag besloten ze de snoek weer in de sloot te zetten. Terborg liep voorop over het weggetje en Van Dijke volgde als een kind. De knecht droeg de snoek als een kostbare baby zo voorzichtig. Bij een grote sloot gekomen zetten ze hem terug in het water. De mannen staken een sigaar op en begonnen te praten over de jacht van twee zondagen en de palingdobbers van één zondag geleden. 'Hoeveel heb je nou gevangen?' vroeg Van Dijke, 'was het veel paling?' 'Het viel nog behoorlijk tegen,' mopperde Terborg, 'maar de prijs was hoog, zo heb ik toch nog tweehonderd gulden gevangen. Ik heb trouwens nog drie palingen voor u gerookt, zal ik u die straks even aanreiken?' 'Ja, heerlijk,' zei de professor. 'ik heb verleden week voor het eerst paling gegeten en het was verrukkelijk, men zegt dat het lijkevreters zijn, maar daar moet je je toch niets van aantrekken. Wie weet wat een haring eet. En alles heeft zijn keerzijde. Tsjaikovski heeft prachtige muziek geschreven, maar hij schreef het beste als hij iets deed om uit een depressie te komen.' Het hield op met regenen en een laat zonnetje brak door. Een leeuwerik begon te zingen, het struikgewas naast hen ruiste in de wind. Ze zagen in de verte een konijntje huppelen. Een kwartier zaten ze stil naast elkaar. 'Kom vanavond om tien uur met die paling,' zei de professor, 'dan kun je ook eens met mijn vrouw praten.' Ze namen afscheid. Nog een uur lang probeerde Van Dijke te schrijven maar zijn gedachten waren bij Terborg. Wat had die man een gelukkig en nuttig leven!

De vrouw van de professor voelde zich iets beter en klopte op de deur van de studeerkamer. Ze kwam binnen en vroeg belangstellend hoe het ging met het artikel. Ze keek over het hoofd van haar man naar het kladje en zag 'Het vliegtuig als demon voor de inboorling' met een dikke streep eronder. Daaronder kwamen hele zinnen maar die waren allemaal doorgekrast. 'Wil het niet lukken?' vroeg ze, 'vroeger schreef je toch zo makkelijk?' De professor stoof op. 'Hoe moet ik zo ook schrijven?!' riep hij woest. Zijn vrouw schrok en deinsde achteruit. 'Ieder ogenblik word ik lastig gevallen door Terborg, die knecht van Leenderts. Ik zit nog niet aan mijn bureau, door de week heb ik geen tijd om te schrijven, dus probeer ik op zondag te schrijven, ik zit nog niet of daar heb je hem in de deuropening. Twee weken geleden vroeg hij me mee te gaan jagen, een week geleden moesten er palingdobbers worden gemaakt en vandaag had hij weer een snoek gevangen. En dat alles laten zien en uitleggen, opjagen, inkepingen maken, snoeken in het water zetten kost tijd, kost tijd, het is een verschrikking. Hij begint mij als zijn speelmakker te zien. Straks kan hij op zondag niet meer zonder mij en schrijf ik nooit meer. Ik moet er beslist iets tegen doen. Ik moet hem eens een grote mond geven. Kan jij hem niet eens de les lezen? Het is toch onzin dat een knecht van Leenderts mij voortdurend van het werk afhoudt. Volgende keer trap ik er beslist niet meer in. Ik slinger hem de waarheid in het gezicht: ik moet werken, beste man. Jij bent Ezau en ik ben Jacob, jij bent een boer en ik ben een geleerde, wij zijn nu eenmaal anders. Jij moet mij niet steeds lastig vallen. Ja, het wordt nu toch te mal. Ik laat mij niet langer afleiden. Het moet afgelopen zijn. Ik zal hem mores leren!' 'Waarom ga je niet op zolder zitten werken?' vroeg zijn vrouw. 'Daar heb ik geen inspiratie en is het klimaat niet goed,' antwoordde de professor. 'Maar Terborg kan je daar niet lastig vallen,' zei de vrouw. 'Dat is waar,' antwoordde de professor, 'ik zal er eens over nadenken...' Na het avondeten ging hij weer op zijn kamer zitten en probeerde over zijn werk gebogen met het puntje van zijn tong uit zijn mond nog iets te schrijven. Het wilde niet lukken, het was om wanhopig van te worden. Anderhalf uur gingen voorbij met woordjes, zinnetjes opschrijven en doorhalen, daar nieuwe woorden voor in de plaats zetten en ook dat weer doorhalen. Tot tien uur ging die marteling door. Toen hoorde Van Dijke de bekende stem van Terborg: 'Hallo professor, ik kwam die paling nog brengen, neem me niet kwalijk.' Van Dijke veerde op. Het was of hij uren in een donkere put had gezeten en nu eindelijk licht zag. 'Nee maar Terborg,' zei hij, 'ik was je haast vergeten. Kom toch binnen, wat gezellig nou, wacht even, dan roep ik mijn vrouw...'

Het vestzakhorloge

Ik kwam op straat een vent tegen die ik nog van vroeger ken. Wij begroetten elkaar en hadden elkaar een boel te vertellen. Het was een zonnige dag en we kwamen in het stadspark. Daar gingen we op een bankje zitten en hij vertelde me het volgende: 'Ik heb op het gymnasium gezeten bij doctor Piet Winter. Dat was een heel nobele man. Misschien wel de edelste figuur die ik van mijn leven ben tegengekomen. Piet Winter was de rector van die school. Hij heeft ons Grieks en Latijn gegeven. Als het regende leende hij regenjassen uit. Hij had er wel vijftien, maar je moest zo'n jas meteen de volgende dag teruggeven. Winter was vlijtig, vriendelijk, attent, vol liefde voor de leerlingen en voor het vak, hij was een goede leraar. Hij had vooral veel levenswijsheid. Hij had een horloge dat precies gelijkliep, een gouden zakhorloge was het dat aan een dunne ketting van goud aan zijn jas was vastgemaakt. Hij was altijd heel voorzichtig met dat horloge en dat mocht ook wel. Het had een heel fijne secondewijzer, veel dunner dan een naald. Het horloge was niet te dik en niet te dun, Winter droeg het altijd onder zijn hart in zijn vestzak. Ik heb het pas nog gezien, het merk was Westwood, niet bepaald een bekend merk voor horloges. We waren eens op excursie naar de Sterrenwacht in Leiden en daar zijn heel precies lopende klokken. Het bleek dat het horloge van Winter nog nauwkeuriger was. In al honderd jaar heeft dat horloge geen seconde voor- of achtergelopen. Het gaf precies de Greenwich-tijd weer. Je kon bijvoorbeeld het tijdsein bellen met het horloge van Winter in je hand en als de juffrouw van de telefoon dan zei: "Bij de volgende toon is het precies veertien uur tweeënvijftig minuten en veertig seconden", dan stemde dat precies overeen met de tijd die werd aangegeven door het horloge van Winter. De rector was erg trots op zijn horloge en hij gaf het nooit uit handen. Ik herinner me nog hoe hij op schoolavonden, na een toneelstuk waarin ik vaak urenlang Grieks had moeten spreken, het toneel betrad en ons, de toneelspelers, bedankte. Hij prees de curatoren en de leraren, de leerlingen en de amanuensis. Dat gebeurde altijd in de zaal Musis Sacrum, die nu niet meer bestaat of een tehuis voor weggelopen kinderen is geworden. Dan pakte hij met een teder gebaar zijn horloge. Hij maakte de klep open en zei plechtig: "Ik zie dames en heren dat het precies twaalf uur is. Tegen de toneelspelers zou ik willen zeggen: 'Non semper tendit arcum Apollo,' we gaan ons nu vertreden. We gaan drinken en dansen. Een kleine vrijage in een donker hoekje zal ik door de vingers zien, als het maar netjes blijft." Dan begonnen wij gymnasiasten een feest dat tot vier uur in de morgen duurde. Dat horloge was in zekere zin het symbool van onze hele school, het horloge stond voor orde en netheid, het stond voor "rustig aan dan breekt het lijntje niet", het stond voor precisie en wetenschap. Nu hadden wij op school een exclusieve club van leerlingen en daar heb ik nooit bijgehoord. De leden van de club waren zoons en dochters van rijke zakenlieden, van slimme advocaten, van professoren, schrijvers, beeldhouwers en dichters. Er was ook een dochter van een uiterst rijke Arabier, een zakenman die meende het wereldraadsel te hebben ontrafeld en die de grootste kunstenaars van Rusland tot Australië persoonlijk kende. Dat clubje gaf weleens een feest, maar ik mocht er nooit bijhoren. Als zoon van een kantoorklerk was ik te gewoon en te min. Ik heb vaak in bed liggen huilen dat ik niet bij dat clubje hoorde. Het waren interessante, prachtige meisjes en ontwikkelde, slimme knapen die lid waren van die club. Ze hadden van alles gelezen, van Goethe tot Byron, van Flaubert tot Mann, van Balzac tot Melville. Ik had geen geld om me die boeken te verschaffen en uitlenen wilde men ze niet. Het enige boek dat ik had was *Lettres Persanes* van Montesquieu, maar daar schoot ik weinig of niets mee op. Nu is het twintig jaar later en ik ben hoogleraar geworden. Jazeker, ik ben hoogleraar en publicist, maar ik hoor nog steeds niet bij de club. Ik kwam onlangs Piet Winter tegen die mij hoffelijk en heel vriendelijk groette. "Ik ga straks college geven," zei ik, "maar ik heb geen horloge, mag ik dat van u even lenen, zeergeleerde heer?" Hij stond even na te denken, er verschenen rimpels in zijn voorhoofd. Toen lachte hij en zei: "Ik heb het horloge nog nooit uitgeleend, maar als je er erg voorzichtig mee bent mag je het hebben tot vanavond tien uur. Kom het mij in principe om tien uur terugbrengen in mijn woonhuis, dan drinken we samen nog een borreltje en praten wat over vroeger." "Voorzichtig?" vroeg ik, "wat bedoelt u met voorzichtig?" Hij voelde mijn pols. Hij merkte dat ik een hartslag van zestig slagen per minuut had en dat mijn lichaamstemperatuur goed was. "Jij bent de ideale man om het horloge te dragen," zei hij, "het loopt nog altijd op de seconde gelijk, het is waarachtig een godswonder, maar je mag er niet mee tegen metaal tikken en je moet het niet op een magneet leggen, als dat gebeurt is het beslist afgelopen met mijn horloge. Breng het vanavond terug, ik moet nu verder. Vergeet niet dat ik het horloge van mijn grootvader heb geërfd en dat het mij zeer dierbaar is." Ik wilde het horloge teruggeven, maar hij zei: "Hou het toch, ik vertrouw je. Als leerling heb ik juist jou het meest liefgehad, hoewel ik het nooit heb laten merken. En mijn hoop is uitgekomen: de artikelen die je in Nederland laat verschijnen zijn de beste artikelen, al het andere verzinkt erbij in het niet. Dat zal je wel erg eenzaam maken. Misschien ga ik over een jaar al dood. Een zoon heb ik niet, zou ik het horloge nu niet het beste aan jou kunnen geven?" Ik bloosde en zei dat ik het werkelijk maar heel even nodig had, hoewel ik hem had kunnen omhelzen, dat magere heertje met zijn kleine bril met het zilveren montuur waarin ronde glaasjes waren gevat, de tengere heer met het witte snorretje, dat hoofd dat die smetteloze hersens bevatte. Die vriendelijke woorden! Een goed karakter! Goed, ik zou hem het horloge om tien uur die avond teruggeven. Ik gaf mijn college en deed dat geheel in de stijl van mijn oude rector. De studenten zaten ademloos te luisteren terwijl ik sprak over zwaartekracht, logica, de evolutietheorie, gekoppelde slingers en de snelheid van het licht. Ik sprak over klokken en de proeven van Morley en Michelson. Toen het college was afgelopen ging ik naar een goed restaurant genaamd De Doelen. Ik ontmoette daar een lid van de club van het gymnasium van vroeger. Die mensen waren allemaal persoonlijkheden geworden! De één een groot trompettist, de ander een bekend schilder, weer een ander schrijver van hooggeprezen boeken, de volgende was minister. Van de meisjes was er één met een Amerikaanse president getrouwd geweest en een ander tutoyeerde de leden van ons Koningshuis. De belangrijkste figuur in de club was een zekere Anna, een slimme en prachtige Arabische vrouw die van haar vader de kunst van het ontrafelen van het wereldraadsel had uitgelegd gekregen. Ja, Anna is beslist de meest interessante vrouw die ik ken en van jongsaf ben ik al verliefd op haar. En juist Anna kon je lid van de club maken! Ik ben heel gelukkig getrouwd, maar ik voel me zo dikwijls alleen. Mijn leven lang heb ik al lid van de club willen zijn, dolgraag zou ik erbij willen horen, al maakten ze me maar voor twéé jaar lid! Want dat clubje is uitgegroeid tot het machtige hoopje intellectuelen dat we in Nederland hebben. Ze zijn schatrijk en weten van het leven te genieten. Ze reizen overal heen, ze wonen in prachtige huizen, ze neuken links en rechts en de echtgenoot, die zelf ook aan de lopende band overspel pleegt, is niet bekrompen of jaloers. Wetenschap, talen spreken, het is allemaal niets voor ze. Misschien ben ik wel de beste essayist van Nederland, maar het vreemde is toch dat juist de leden van het clubje dat eerst moeten beweren vóór het een feit is. De man die ik ontmoette, het lid van de club, was een diplomaat. Wij aten samen forel, garnalen en daarna vlees, wij dronken Chablis en Pomerol zoals het hoort. Na de koffie staken wij havannasigaren op, in de cognac gedoopte sigaren, de brand ging erin met vlammend cederhout! De leden van de club zijn in alle opzichten kunstenaars. Een goed schilderij maken, een verbluffend gesprek voeren, een roman van de eerste orde schrijven, een oorlog afwentelen, zij draaien er hun hand niet voor om! Deze diplomaat bestond het om tegen mij te zeggen, en ik was er verbaasd over omdat ik het eens door Arthur Rubinstein had horen zeggen: "De gelukkigste man, mijn waarde, die ik ooit ben tegengekomen, dat ben ikzelf!" Volledig gelukkig ben ik nooit, hoewel de lof die de rector me die dag had toegezwaaid me veel plezier had gedaan. Ik dacht werkelijk, en bij God, wat is het misschien een misvatting, dat ik pas gelukkig zou worden als ik eenmaal lid was van die club. Ik sprak erover met de diplomaat en hij zei: "Maar mijn beste, waarom zouden we jou geen lid maken? Je zult eindelijk onder je gelijken zijn."

Zo ging ik een uur later met hem mee naar een groot huis langs de Vecht. Ik ontmoette daar al mijn oude kameraden die nooit echt mijn kameraden waren geweest. Yvonne, de vrouw van de president, trad op me toe. Ze was nu veertig, maar wat zag ze er slim en verleidelijk uit! Yvonne droeg een blauwe satijnen jurk met een diep decolleté. Dat zag er donders gewaagd uit! "Dus jij wilt lid worden van de club?" vroeg ze, "laten we dan even naar een apart kamertje gaan." Wij gingen naar een klein kamertje waar alleen kaarsen brandden. "Je zult er iets voor over moeten hebben," zei ze, "niet voor niets hebben we je nooit lid van de club gemaakt. Wat is je dierbaarste bezit?" Ik dacht vreemd genoeg niet aan mijn vrouw, maar alleen aan het horloge van Winter en waarachtig!, dat was ook het kostbaarste wat ik me op aarde kon voorstellen. Precisie en wetenschap van een nobel en karaktervol man. Ik haalde het horloge te voorschijn en zag dat het precies twee minuten over halfnegen was. "Dit is het horloge van Winter," zei ik. "Het horloge van Winter," mompelde Yvonne goedkeurend. Op haar prachtige volle boezem hingen kettingen, er hing ook een platina vliegtuigje op. "Geef mij dat horloge even," zei ze. Ik gaf het beschaamd en beschroomd uit handen. Het prachtige uurwerk kwam nu tussen de kettingen van zilver en goud, tussen de diamanten en robijnen naast het vliegtuigje van platina te hangen. "Blijf zo doodstil zitten," zei ik, "er mag geen metaal tegen het horloge tikken, dat is niet goed, misschien dat het dan één seconde per jaar achter of voor gaat lopen." "Koddig," zei Yvonne, "dus nu heb ik ook eens het horloge van Winter op mijn lichaam. Als ik wil beweeg ik me, een diamant tegen dat horloge kan geen kwaad. Als het daar niet tegen kan... poeh! En straks gaan we swingen, dan slingert het horloge lekker in het rond. Is het werkelijk het dierbaarste dat je hebt?" "Beslist," zei ik. "Dan is het goed," zei ze, "we krijgen nu eerst een lezing van de diplomaat die je hierheen heeft gebracht..." "Een lezing van Jan," verbeterde ik haar. "Goed," mompelde ze, "zoals je wilt, daarna gaan we dansen en tenslotte zal ik met een hamer dat horloge een flinke klap verkopen." Ze zat voorovergebogen als om mij een prachtig zicht te geven op haar borsten. Ineens ging ze rechtop zitten en een van de kettingen en ook het vliegtuigje dreigden hard tegen het horloge te zullen bonzen. "Geef terug," zei ik. Ik griste het horloge van haar hals. Meteen ging er een lampje aan en toen zag ik in een hoekje Anna zitten. De vrouw op wie ik altijd verliefd ben geweest, die ik altijd in mijn gedachten heb gehad. De slimme weetgierige, bepaald niet Weltfremde en mollige vrouw die mij uiteindelijk lid van de club had kunnen maken. Want als ik eenmaal beste maatjes met Yvonne was, die weer de beste vriendin van Anna was... Ik keek naar Anna die er prachtig uitzag; nog mooier dan in mijn herinnering, dan in mijn stoutste droom was ze. Ze droeg een korte rok en hield haar knieën iets van elkaar. Ik zag waar de kousen ophielden en het melkwitte vlees van haar dijen begon. Ik zweette. Ik had haar wel kunnen bespringen, ik had haar wel willen opeten. Seks en wereldraadsel ineen! Hoe is het toch mogelijk. Ik stopte het horloge weer in mijn zak en dacht: "Om tien uur moet ik het aan Winter teruggeven." "Hij pakt mij dat horloge weer af, Anna," huilde Yvonne, "dat koddige horloge waarop de kerkklokken van onze kleine stad vroeger werden gelijkgezet." "Klootzak," mompelde Anna uit het diepst van haar hart, "op deze manier zul jij wel nooit lid van de club worden. Je mag er toch wel iets voor overhebben? Wij allen hebben de meest nobele gevoelens voor Winter, maar we hebben allemaal wat in moeten leveren als we lid wilden blijven van de club, de één zijn naam, een ander zijn vrouw, ik mijn principes en integriteit, weer een ander zijn carrière, van Johan hebben we zelfs zijn eerste schilderij verbrand dat nu alleen nog maar in kopie bestaat. Het heeft eens op een veiling in Londen vier miljoen pond opgebracht. Ikzelf heb als paarlen voor de zwijnen aan de leden het wezen van het wereldraadsel moeten onthullen en jij neemt het horloge van Winter terug? Met mij zul je je nooit verenigen, verdwijn maar, je wordt geen lid van de club."

Ik werd eruitgegooid en heb Anna voor wie ik eigenlijk alles, behalve mijn gegeven woord dat ik voorzichtig zou zijn met het horloge, overhad, nooit meer teruggezien. Eenzamer dan ooit kroop ik in een taxi en liet me snel naar Winter rijden. Nu zou ik nooit lid meer van de club worden. Ik werd op de kamer van de oude rector toegelaten. Precies om tien uur kon ik hem het horloge teruggeven. "Dankjewel mijn beste jongen," zei hij, "is er niets mee gebeurd?" "Er is niets mee gebeurd," zei ik tevreden. We dronken nog een kopje koffie en een glaasje jenever en anderhalf uur later lag ik bij mijn vrouw in bed in een huis dat me eigenlijk te klein is en waar ik toch nooit leden van de club zou kunnen ontvangen, gesteld dat ik lid geworden was. Ik droomde die nacht dat ik lid was van de club, ik lag maar te woelen en mijn vrouw vroeg wat er toch was. Ik vertelde haar dat ik me afpeigerde met onzin.' Hij had zijn verhaal af. Ik keek hem aan en zei: 'Maar Karel,' (want zo heet hij), 'als ik jou was geweest had ik dat kleine horloge en dat gegeven woord maar opgeofferd.' 'Maar ik niet,' lachte hij, 'dan liever alleen...' Hij stond op, beende trots het stadspark uit en verdween in de Doezastraat waar ik hem binnen vijftien seconden in het gewoel der mensen uit het oog verloor.

Odor Dei

Wij schrijven 1985, de zon brandt nog steeds en de aarde zal nog miljoenen jaren bestaan. In de laatst overgebleven religieuze laboratoria in Brussel en Rome heeft men uitgevonden dat de laatste Verlosser zal komen, de Paus in ballingschap zelf heeft contact gehad met God. De Heer der heerscharen heeft toegegeven dat Jezus een mislukking is geworden. 'De laatste Verlosser zal komen,' heeft Hij gezegd, 'en Zijn naam zal zijn William Budd.' Onze wereld is er beslist niet beter op geworden door de kruisdood van Jezus Christus en daarom moet er nu eindelijk iets beslissends gebeuren opdat het Paradijs op aarde kan aanbreken. De oceanen en zeeën liggen vol gif en nucleair afval. Gif ligt tot in de verste, diepste lagen onder de grond. Geheel Europa behalve Engeland gaat gebukt onder een communistisch juk en er zijn meer verraders en samenwerkers met het neo-fascistische regime dan in de tweede wereldoorlog onder de Duitsers. Spaanse, Franse, Nederlandse, Duitse en Zweedse schrijvers zitten in kampen, daar zijn ook joden, zigeuners, studenten, homoseksuelen, beeldende kunstenaars en kappers. Driehonderd diersoorten zijn sinds de Schepping door de mens uitgeroeid. Er wordt op groter schaal gemarteld dan ooit. Mensen martelen mensen en dieren, er heerst meer zelfmoord dan ooit. Het Noordamerikaanse leger heeft het opkomend communisme in Zuid-Amerika onderdrukt. Heel Zuid-Amerika is bevrijd door de Verenigde Staten. Rusland staat tegenover Amerika en ieder ogenblik kan er een grote oorlog uitbreken. In Afrika is een proefoorlog geweest en daar leeft geen mens, geen dier, geen plant, geen boom meer. Het grote rijk van China staat tegenover Rusland en Amerika. Alleen Australië, Canada, Engeland, Groenland, Indonesië en Australië houden zich afzijdig. Ze hebben zichzelf neutraal verklaard. In Zuid-Amerika heeft men alle communistische schrijvers en studenten op de elektrische stoel gezet en ter dood gebracht. Dode vissen drijven in zee, uit de hemel komt roet vallen. Toch zijn er nog altijd duizenden dolfijnen en welgeteld twee walvissen, een mannetje en een vrouwtje. Het wordt tijd dat de laatste Verlosser komt. Alleen is het niet zeker waar Hij dit keer geboren wordt en uit welke ouders.

Laten wij eens een blik werpen in een kamp in Siberië. Er is daar een gevangene, Joeri Toepetskie is zijn naam, die gestraft wordt omdat hij gepoogd heeft in Leningrad een vliegtuig te kapen om daarmee naar Engeland te ontkomen. In datzelfde kamp zitten duizenden mensen gevangen die allemaal iets op hun kerfstok hebben. De één heeft geprobeerd er een privé-handel op na te houden, een ander heeft het aangelegd met een jongen van zestien, weer een ander had een vergeelde pornografische foto uit 1960 op zak toen hij werd gepakt, weer één zit in het kamp vanwege zijn geloof, iemand heeft gespuwd op het graf van Lenin, de bewakers zijn in het kamp omdat ze in het gewone leven moordenaars waren. Zo zijn er bij elkaar drie miljoen gevangenen in Rusland en West-Europa. Joeri Toepetskie zit al vijf jaar in het kamp en ziet er slecht uit. Hij draagt lompen en moet werken bij temperaturen onder nul. Hij krijgt 's morgens waterige koolsoep en 's avonds een boterham. Hij heeft recht op drie liter water per dag om te drinken en er zich mee te wassen en hij mag zoveel lucht inademen als hij wil. Sinds een jaar sjouwen hij en zijn lotgenoten met betonnen platen van tweehonderd kilo per stuk. Joerie zelf weegt nog maar vijftig kilo. 's Nachts wordt hij gestoken door neten, vlooien en wantsen, door teken en muggen. Overdag sjouwt hij met zijn platen beton over het koude veld. De platen zijn tien centimeter dik en precies één vierkante meter groot. De platen liggen bij duizenden achter het kamp opgeslagen en vijfhonderd gevangenen houden zich bezig met het karwei. Na het opstaan, wassen en eten van koolsoep begeven de mannen zich naar buiten. Ze nemen ieder een plaat van tweehonderd kilo op hun rug, een soort grafzerken zijn het eigenlijk, en die sjouwen ze vijftien kilometer over een onherbergzaam terrein. Het is november en het vriest dat het kraakt. Behalve beren, een enkele wolf, de bewakers die moordenaars waren en zijn, is er geen levend wezen te bekennen. De sjouwers denken aan hun onderkomens, grauwe barakken waar nooit muziek klinkt, waar boeken worden afgenomen. Vier jaar doen de mannen erover om een landingsbaan aan te leggen, een vliegveld in het klein. Tweehonderd mannen sterven in die tijd aan ondervoeding en oververmoeidheid, de doden worden vervangen door zigeuners en kappers. De mannen sjouwen door de harde sneeuw en over het ijs, en als eindelijk de baan af is moeten ze een gebouw neerzetten, een ontvangsthal. Die hal zal worden gebouwd in de vorm van een kerk. Het is de enige nieuwe kerk die sinds zeventig jaar in Rusland zal worden gebouwd. Met het bouwen zijn de gevangenen drie jaar bezig. Dan is de kerk af. De laatste overgebleven priester wordt uit Moskou geroepen en de gevangenen, van wie de meesten atheïst zijn, moeten religieuze Russische liederen zingen. Joeri leeft nog steeds, hij heeft met tegenzin gewerkt aan de landingsbaan, met weerzin heeft hij de kerk gebouwd en met walging tot in zijn nieren en botten zingt hij 'Halleluja!' Op een gegeven moment is alles klaar. Een sovjetkolonel komt het vliegveld en de kerk inspecteren en bevindt alles in orde. Dan krijgen de mannen een week vrij en aan het eind van de week krijgen ze vlees, gebraden, en een glas wodka. De gevangenen horen dat over drie weken precies hier een vliegtuig zal landen met een grote verrassing erin. De priester beeft bij de gedachte alleen al. 'De grote hoer uit Babylon zal komen,' fluistert hij...

In Amerika, in een mooi huis in Hollywood, woont een verleidelijke en mooie vrouw van ongeveer vijfentwintig jaar. Ze werkt meer op de seksuele fantasieën van mannen dan Marilyn Monroe ooit heeft gedaan. Maar ze is slecht, gemeen, doortrapt en helderziend. Zo jong als ze is heeft ze haast alle aandelen van Ford, General Motors, Anaconda Copper en de Shell. Ze is eigenaar van drie vliegtuigmaatschappijen. Ze heeft het duurste bordeel van Amerika en ontvangt daar geregeld Amerikaanse en buitenlandse staatslieden en belangrijke zakenmannen. Ze kan het een man beter naar zijn zin maken dan een Japanse courtisane uit de zeventiende eeuw, en haar waarzeggerij is ronduit griezelig. Er komt iemand bij haar en vraagt haar om raad. Ze neemt de klant mee naar een donker kamertje en kijkt in haar glazen bol. Na een minuut of twee turen zegt ze bijvoorbeeld: 'Over een jaar zult u uw slag slaan.' En inderdaad blijkt de man of de vrouw die haar om raad heeft gevraagd plotseling in goeden doen te komen. Ze voorspelt een gelukkig gezin dat de vader moeder en kinderen zal doden, waarna de vader krankzinnig wordt, en het komt uit. Ze voorspelt een rijk kind dat het over drie maanden onder de trein zal vallen en het gebeurt. Ze kan klokken terug laten lopen door ernaar te kijken. Ze weet alles van zwarte magie. Ze koopt een foto van een belangrijke man in Japan die haar onwelgevallig is en ze doorprikt de foto op de plaats van de ogen met spelden. Meteen wordt de man blind.

Op een dag komt een lakei haar roze kamer binnen en zegt: 'Alles is klaar in Rusland, mevrouw, men is gereed om u te ontvangen.' 'Het is goed,' antwoordt ze met een glimlach, 'laat de auto over een half uur voor de deur staan en ik heb het liefst dat jij rijdt.' Ze laat zich door drie meisjes wassen en aankleden, ontbijt en gaat dan in de Rolls Royce met gouden stuur zitten. De lakei rijdt haar naar Los Angeles, naar het vliegveld aldaar. In de salon voor very important persons kruipt ze in een met roze zijde gevoerde doodkist op wieltjes, ze laat de deksel op de kist leggen zodat ze niets meer kan zien, hoewel er kleine luchtgaatjes in de kist zitten. De kist begint uit zichzelf te rijden, het is een griezelig gezicht. Het is Suzy Wong die de kist bestuurt. De doodkist is van goud en platina. Het ding rijdt, terwijl niemand ernaar durft te kijken omdat men algemeen bang is voor Suzy vanwege haar bovennatuurlijke gaven, naar een jet-toestel dat met loeiende motoren klaarstaat. Er is een lang plankier en hierover schuift de kist met Suzy erin de Boeing 2000 binnen. De Boeing is het grootste en snelste toestel dat er bestaat. Eigendom van Suzy. De doodkist komt midden in het toestel tot stilstand. Uit de kist klinkt: 'My Bonnie is over the ocean, my Bonnie is over the sea...' Deskundige mannen maken lange draden vast aan de stuurknuppel en alle belangrijke knoppen, en het andere eind van de draden duwen ze door de gaatjes in de kist. Daarbij spreken ze niet. Suzy heeft de touwtjes in handen en weet precies welk touwtje de trimvlakken in de linkervleugel bestuurt, welk touwtje naar de stuurknuppel gaat, welk touwtje voor meer of minder gas is. Zwijgend en angstig verwijderen de technici zich. Dan klinkt er over de boordradio dat het toestel kan vertrekken. Vijf uur later landt de Boeing met niemand anders aan boord dan Suzy in haar doodkist op het vliegveld dat de mannen van het kamp Rozdjesvjestnik Toepolost hebben aangelegd. Honderden Russische militairen staan klaar en zien hoe de kist het toestel uit komt rollen en de kerk binnenrijdt. In de kerk zitten vijfhonderd gevangenen, vijfhonderd uitgemergelde mannen die voor het eerst sinds tien jaar een glaasje wodka hebben gedronken. De priester preekt over de laatste Verlosser en hoe Hij komen zal en dan zingen de mannen het 'Halleluja'. Wierook, belgerinkel, donderend orgelspel en nieuwe liederen, die keer samen met het orgel en vijftig strijkers. Strijklicht, duistere hoekjes waar kleine lampjes branden, rode lichtjes voor ikonen van duizend jaar oud. En als de mannen zingen: 'Heer ontferm u onzer' en de priester van louter schrik de handen voor zijn ogen slaat, gaat de deksel van de kist langzaam omhoog. De priester kijkt op zijn lijst en zingt het geslachtsregister uit het Oude Testament. Dan roept hij galmend: 'Wil Joeri Toepetskie naar voren treden om zich met Suzy Wong te verenigen?' Joeri loopt naar voren in de veronderstelling dat hij iets met een lijk moet doen. Als hij bij de kist komt en erin kijkt valt hij haast om van ontzetting: een zo verleidelijke vrouw heeft hij nog nooit gezien. Bontjas van zeehondevel open, rok van zijde omhoog tot op de buik, glanzende nylons met glitters, een met goud gevoerd gordeltje, geen broekje, tieten bloot in een open blouse. Suzy glimlacht naar Joeri, ze klemt de randen van de doodkist tussen haar knieholten, haar voeten staan nu op de Russische grond en met haar hoofd op het zachte Amerikaanse roze kussentje begint ze te wiegen. Haar tong komt tussen haar tanden door. Het is een slangetong. Spierwitte tanden. Een rode, natte tong, het puntje beweegt verleidelijk over haar lippen. Ze kietelt zich. Joeri roept: 'Bozje moj' (mijn God) en begint een gedegen paringsdans met Suzy. De priester draagt het Lukas-evangelie voor, er komt meer wierook, de kolonel glimlacht, het orgel speelt afwisselend religieuze liederen en ragtimes. Na Joeri klimmen nog vierhonderdnegenennegentig gevangenen op de verrukkelijke vrouw in haar kist. Als drie mannen zijn geweest gaat de mare door de kerk dat het heerlijk is. Je kan gewoon stilliggen als je te uitgeput bent. Suzy deint zelf met golvende buik. En bij iedere man begint Suzy te roepen van 'Ah' en 'Oh' en 'Ik voel het.' Alle mannen komen heerlijk klaar. Dan sluit Suzy de deksel weer en rijdt in haar kist naar het grote toestel. Weer is ze de enige in het vliegtuig. Ditmaal moeten Russische technici de touwtjes door de gaten van de kist stoppen. Vijf minuten later start de Boeing. Teleurgesteld horen de gevangenen in de kerk hoe het toestel vertrekt. De gevangenen worden weer naar het kamp afgemarcheerd en het gebouw wordt in brand gestoken.

Suzy draagt William Budd achttien jaar opdat hij zeer verstandig zal worden. Tegen de tijd dat ze hem baart is ze nog een prachtige vrouw. William is meteen de rijkste man ter wereld, maar ook een van de goedmoedigste en pienterste. Terwijl hij opgroeit haalt hij de doctorstitel in archeologie, in filosofie, in wiskunde, in Latijn, in theologie, in de rechten, dan komt hij op de diplomatenschool. Hij vaart op een keer met twee vrienden op een klein schip van Bedford aan de kust naar het walvisvaarderseiland Nantucket, vanwaar Melville zijn grote reis om de wereld is begonnen. William wilde eens de omgeving zoals die beschreven wordt in de eerste hoofdstukken van *Moby Dick*, leren kennen. Onderweg, midden op het water, wordt het schip overvallen door een storm en een van de passagiers valt overboord. Reddingspogingen falen en het lijkt erop of de drenkeling maar om moet komen. Zwemmen is ook haast niet mogelijk bij deze hoge golven. Dan verlaat William via een touwladder het schip en wandelt wel vijfhonderd meter over het water tot hij bij de drenkeling is; hij neemt hem op zijn schouders en brengt hem veilig terug naar het schip. Iedereen is blij en William verklaart niet precies te weten hoe hij dat nou heeft gekund. 'Ik denk weleens dat ik de nieuwe Verlosser ben,' mompelt hij. 'Dat ben je beslist!' roepen twaalf mannen die voortaan zijn volgelingen en discipelen zullen zijn. William bekijkt met zijn vrienden Nantucket en de volgende dag staat er een verward verhaal over de redding in de krant. Men durft alleen niet te vermelden dat William Budd over water heeft gelopen, dat hij golven heeft beklommen en is afgedaald alsof hij in de

Schotse Hooglanden liep. Toch wordt William een prediker van een nieuw soort. 's Zondags houdt hij diensten in een fabriekshal langs de rivier de Hudson. Hij verkondigt het volgende geloof: God bestaat en heeft alles gemaakt, de aarde en de sterren, de spinnen, de kamelen, de gifslang, de eend, de bomen, de planten en de mens. De evolutietheorie is nonsens. Waarom immers zou een eend miljoenen jaren nutteloze flappen of stompjes aan zijn lichaam hebben gehad, voor het echte vleugels werden? Dat is belachelijk. Een beest zit er niet honderdduizenden generaties, van moeder op dochter, van vader op zoon op te wachten tot het eindelijk vliegen kan. God heeft, meteen bij het begin al, alles gemaakt zoals het wezen moest, een haring met een staart, schubben en kieuwen, een gifslang met een blaasje gif in zijn bek waar een holle, loszittende tand op rust, een mens met hersens en nieren; eiken, beuken, populieren, berkebomen. Hij heeft zelfs apen gemaakt die zoveel op een mens leken dat ze van een bordje aten en het vuur uitvonden, maar mensen waren het niet. William wist het allemaal zeker en daarom moest men in God geloven. Het hiernamaals der christenen, een eeuwig leven in de hemel was lariekoek. Wij mensen moesten zelf onze godgelijkheid beseffen en zo het Paradijs op aarde laten aanbreken. William vond een schare aanhangers van duizend man. Het was de kleinste sekte ter wereld, maar onder de aanhangers waren verbluffend veel essayisten van naam, beeldhouwers, schilders, goede dichters en schrijvers van het meest uiteenlopende werk. William droomt weleens dat hij de nieuwe Verlosser is, maar zeker weten doet hij het niet. Op een dag bezoekt hij zijn moeder. De president van de Verenigde Staten komt juist uit haar boudoir terwijl hij zijn gulp dichtknoopt. 'Ik weet wel wie jij bent,' zegt hij, 'en ik wil er liever niet over spreken, ik schaam me voor u, moeder, en ik schaam me dat ik uit uw buik te voorschijn ben gekomen. Vandaag hebt u bijvoorbeeld de bouw van vier gevangenissen in Argentinië aangenomen. U met uw glazen bol, u die kunt vliegen zonder op de radar te kijken, zonder naar de radio te luisteren, ik geloof beslist niet dat u een goede vrouw bent. Ik geef mijn geld weg aan de armen, maar u pot alles op. Ik geloof niet dat ik van u houd. 'Ik pot niet op,' zegt Suzy, 'ik beleg.' 'Maar u houdt alles voor uzelf,' zegt William verwijtend, 'daar gaat het nu echter niet om, wat ik zeggen wil... wie is toch eigenlijk mijn vader?' 'Je vader was waarschijnlijk Joeri Toepetskie, want hij was de eerste nadat ik mijn schildje had uitgenomen en was opgehouden met het slikken van de pil, bovendien kwam ik bij hem het aangenaamste klaar, maar je kan ook een zoon zijn van de vierhonderdnegenennegentig die er toen volgden. Er waren er zeker honderdentwintig die ik zelf op heb moeten naaien.' 'Maar wie was Joeri Toepetskie?' vraagt William. 'Hij was een uitgemergelde Russische gevangene, zoals er zoveel zijn,' zegt zijn moeder, 'het zal me niet verbazen als hij onderdehand allang is gekrepeerd. Je bent verwekt in de buurt van het Russische strafkamp Rozdjesvjestnik Toepolost, door een Russische onderdaan. Hij had ooit gepoogd om vanuit zijn land naar Engeland te vliegen in een gekaapt toestel. Maar je kan natuurlijk ook de zoon zijn van Iwan Tarjeskewan, een zigeuner die het paspoortenregiem overtrad, of van Sergej Pavlowietsj, die zijn eigen handel in tomaten dreef, of je kunt de zoon zijn van Lev Taranteltjik, die een spotdicht op Lenin schreef, en zo kan ik nog uren doorgaan.' William zwijgt een tijd en dan vraagt hij of hij eens op vakantie mag. Zolang hij leeft heeft hij boeken bestudeerd en wijsheid opgedaan. 'Ik heb de laatste tijd al tien keer gedroomd en gedacht dat ik de laatste Verlosser was,' zegt hij, 'zou daar nu iets in kunnen zitten? Hoe zou de Verlosser geboren kunnen worden uit een vrouw als u en een uitgemergelde en kapotgemartelde Russische gevangene?' Suzy glimlacht. 'Ik wil eens goed nadenken over wat me te doen staat op aarde,' zegt William, 'daarom vraag ik u of ik een half jaar alleen op vakantie mag.' 'Mij best,' mompelt Suzy, 'als je maar geen onzin uithaalt.' William reserveert vervolgens een suite in Waldorf Astoria, waar men goed kan eten, en bestelt er eten en drinken voor dertien personen. Hij voelt aankomen dat dit het laatste maal met zijn vrienden zal worden. De discipelen komen en van acht tot twaalf uur die avond drinken en eten zij. De volgelingen horen het droeve relaas van William: 'Dit is de laatste keer dat ik met jullie eet. Er zal mij de komende maanden iets overkomen waardoor ik spoorloos verdwijn.' William neemt het brood en breekt het in stukken. 'Neemt, eet hiervan en gedenkt dat het mijn vlees is dat voor uw plezier naar de knoppen gaat.' Dan schenkt hij iedereen wijn in en zegt tegen zijn vrienden: 'Drinkt deze wijn en gedenkt dat het mijn bloed is dat voor u vergoten wordt.' Daarna wast hij iedereen die aanwezig is in de zaal de voeten en verlaat even over twaalven, na nog een toastje met zalm te hebben verorberd – daar was hij altijd zo zot op – het hotel Waldorf Astoria. Hij wandelt binnen een half uur naar de zesenveertigste straat ten oosten van Broadway waar hij zijn vertrekken heeft en leest een nacht lang omdat hij niet slapen kan de lijst der schepen bij Homerus. Tegen de ochtend valt hij nog twee uur in slaap en wenend wordt hij wakker. Hij twijfelt en durft zich niet te wassen of aan te kleden en te scheren, het liefst zou hij nu jarenlang in bed blijven. Maar plotseling klinkt er een stem in zijn kamer die William niet thuis kan brengen. De radio en de televisie zijn uit en er staat niemand achter de deur: 'William, ga!' zegt die stem gebiedend en onze held antwoordt: 'Ja Vader, ik ga al, niet mijn wil, maar de Uwe geschiede!' William vertrekt naar Los Angeles en huurt daar een zeewaardig zeilschip. In drie maanden vaart hij naar Nieuw-Zeeland en ziet daar een Japanse walvisvaarder, een groot schip. De harpoenier staat op de punt en is juist van plan om de laatste twee walvissen te gaan harpoeneren. 'De wereld is gek,' denkt William, 'mijn moeder laat kunstmest maken van duizenden dolfijnen en verkoopt dat aan Japanse boeren. Van walvissen hebben ze honderden jaren kattevoer, traan en margarine gemaakt, zulke lieve beesten, zo groot en verstandig. Het mannetje paart met het vrouwtje. Als de harpoenier nu niet schiet zijn er binnenkort weer kleine walvissen en ook die zullen zich weer voortplanten. Ik wil niet dat de twee laatste walvissen op aarde doodgemaakt worden.' Hij begint met zijn zeilscheepje om de grote vissen te varen zodat de harpoenier niet schieten kan. Door een luidspreker klinkt: 'Hey sailor, fuck off there please,' maar William blijft op zijn plek. Tenslotte vuurt de harpoenier toch en raakt per ongeluk de zeiler. De harpoen ontploft in het lichaam van William en hij is dood. Het zeilschip drijft langzaam weg nadat men de lijn die de walvisvaarder met William verbond heeft doorgesneden. De twee walvissen worden gedood en drie maanden later wordt het zeilscheepje van William gevonden door een Engels koopvaardijschip. Het lijk wordt aan boord gehaald en iedereen roept: 'Maar wat ruikt dat lijk verrukkelijk, dat lijk heeft sappen die heerlijker zijn dan het duurste parfum.' De kapitein ruikt het ook en besluit William geen zeemansgraf te geven. William wordt in de machinekamer helemaal uitgeperst en zijn vloeistoffen die zo heerlijk geuren worden opgeslagen. Als er geen druppel meer uit het lijf komt, gaat het lijk in een loden kist met het schip op weg naar Engeland waar het geïdentificeerd zal worden. Na een maand komt het schip in Liverpool aan. Niemand komt erachter dat het lijk eigenlijk de grote geleerde, goedmoedige en heilige man William Budd is en de kapitein laat de vloeistoffen die uit het lijk zijn gekomen in honderden kleine flesjes gieten. Die flesjes worden voorzien van etiketten met het opschrift 'Odor Dei'. Rijke dames over de hele wereld besprenkelen hun dure en weelderige lijf met de inhoud van die flesjes en staatslieden, bankiers, reders, chirurgen en advocaten zeggen verrukt: 'Maar mevrouw, wat ruikt u heerlijk!...'

Kraaien

De chirurg was vijftig jaar. Hij had nachtdienst. Hij lag lekker naast zijn vrouw in bed, het was halfvier in de nacht en het liep tegen het eind van april. Overdag had hij vrij gehad en gezeild op het IJsselmeer. Hij kon niet goed slapen. Hij lag na te denken over wat hij vandaag had meegemaakt. Hij was met vrienden van zijn vrouw op stap geweest die hem tijdens het zeilen talloze anekdotes hadden verteld. Midden op het meer, er stond weinig wind, begon iemand op de boot te zingen. Hele ballades zong hij en iedereen had dolle pret. Maar op het laatst kreeg hij een schorre stem en kon hij de hoge noten niet meer halen. Hij probeerde tenslotte nog een 'Ora pro nobis', het wilde niet meer lukken. De chirurg wierp de ankers uit. De zon scheen en toen de zeilen geheel gereefd waren gingen ze aan dek kleine glaasjes whisky drinken, waarbij ze veel worst en salade aten. 'Heb jij als kind weleens dropwater gemaakt?' vroeg een van de aanwezigen aan de zanger, 'dat zou jij nu heel goed kunnen gebruiken. Dat schijnt heilzaam voor de stembanden te zijn.' 'Nee,' zei de zanger, die in zijn gewone doen advocaat was en hij keek nadenkend de kring rond. Er waren vier vrouwen, onder wie twee jolige jonge blondines in bikini. Er waren drie mannen. Behalve de chirurg en de advocaat was er nog een bankier. Een van de twee oudere dames was hoogleraar in het sovjet-staatsrecht. Het was aangenaam om even te zwijgen en het gekabbel van de spetterend licht werpende golfjes tegen de romp van de boot te horen slaan. De chirurg voelde zich moe, hij had drie dagen en drie nachten achter elkaar gewerkt omdat twee van zijn collega's op vakantie waren. 'Ik ga even liggen,' zei hij en kroop onder een slaapzak in de roef op de kunstleren kussens van een bedbank. Hij nam een kussen met een satijnen kussensloop onder zijn hoofd en voelde hoe hij gewiegd werd. Hij hield ervan zo te liggen en zijn vrienden op het dek te horen praten.

De advocaat nam het woord en zei: 'Door dat dropwater moet ik ineens ergens aan denken, ik dacht dat ik het allang vergeten was. Toen ik in de eerste klas van het gymnasium zat hoorde ik de grote jongens over wijnfeesten praten. Ik had toen een kwartje zakgeld per week, maar het leek mij prettig om ook eens een wijnfeest te geven. Ik vroeg mijn moeder geld om goede wijn te kunnen kopen, ik wilde er stokbrood met kaas bij serveren. Ik kreeg dat geld van mijn moeder niet. "Wijn," zei ze, "stokbrood, Franse kaas, wat is dat voor malligheid? Dat gaat niet." Ik besloot om zelf wijn te maken. Daartoe vulde ik twee flessen voor de helft met water. Ik stal krenten van mijn moeder, rozijnen ook. Ik had het idee dat de gedroogde vruchten zouden zwellen in het water en dat je dan vanzelf wijn zou krijgen. Krenten zijn immers gedroogde druiven en van druiven wordt wijn geperst. Ik wachtte drie dagen op resultaat. Toen dronk ik wat uit de flessen. Het was water met een heel lichte krentensmaak. Ik besloot suiker toe te voegen en in iedere fles een borrelglaasje jenever, dat had ik uit mijn vaders kastje gehaald, te gieten. Het begon al iets beter te smaken, de wijn was nog steeds kleurloos en ik wilde rode wijn hebben. Ik kreeg een goede ingeving en nam alle kaneel die ik in de keuken kon vinden. Die strooide ik in mijn twee flessen. Ik had nu twee liter halfbruin, troebel drab met krenten en rozijnen. Het leek mij wel een geslaagde wijn. Ik nodigde vier meisjes en drie jongens uit. Wij waren een groepje van gezworenen. Vlak voordat ze door het raam van mijn kamer, die aan de achterkant van het huis aan een openbaar grasveld was gelegen, klommen, plakte ik een etiket op de flessen en daarop zette ik met een zwierig handschrift: "Vin de Paris." Zonder dat mijn ouders het merkten dronken wij de wijn en na een half uur slikken mompelde een vriend: "Ik geloof dat ik het al aardig te pakken ga krijgen." "Wat dan?" vroegen wij. Hij liet een boer en zei dat hij dronken was. Nu begonnen wij allemaal boeren te laten, het was meer een gekunsteld hoesten, maar wij noemden het boeren en wij begonnen met zijn allen te waggelen. De volgende dag zaten we op school en de leraar Latijn wilde met de onregelmatige werkwoorden beginnen. "Peter," vroeg hij mijn vriend, "begin jij maar met colere, verbouwen." "Coleo, colavi, colaraturus sum," antwoordde onze drinkebroer. De klas begon te lachen. "Wat heb jij?" vroeg de leraar, "zo mal heb ik je nog nooit horen praten." "Gisteren te veel wijn gedronken, meneer,' zei mijn vriend en keek in mijn richting, "er zijn hier in de klas wel meer mensen met een kater."' De mensen aan dek grinnikten. De chirurg lachte ook. Toen kwamen er weer moppen en anekdotes uit het zakenleven. De chirurg lag ongeveer een uurtje en toen voeren ze terug naar de haven.

Daar lag hij in bed thuis nu over na te denken, hij glimlachte. Het was kwart voor vier. Er was maar heel weinig licht in de kamer en wazig zag hij de contouren van een schilderij van Marquet aan de muur bij het voeteneind. Op dat ogenblik ging zachtjes de telefoon. Hij nam meteen op. Verkeersongeluk, of de dokter zo snel mogelijk naar het ziekenhuis wilde komen. Hij maakte zijn vrouw wakker en kuste haar. Hij waste snel zijn voeten, handen, borst, nek en hoofd met koud water zonder zeep, kleedde zich aan, liep het huis uit, stapte in zijn auto en reed op topsnelheid naar het ziekenhuis. Twee zusters hielpen hem in zijn werkkledij. Hij haalde het nylonnet met gesteriliseerd operatiegerei uit een klein keurig vertrek waar alles tegel en chroom was. Hij ging de operatiekamer binnen en zag iemand die er behoorlijk slecht aan toe was: hele borst ingedeukt, bloed stroomde uit de oren. Samen met een assistent, een goede anesthesist en drie operatiezusters sneed en hechtte hij acht uur achter elkaar. Lever, longen, nieren, alles kapot behalve het hart. Het bloed uit de oren baarde hem nog de meeste zorgen. Tegen enen die middag werd de patiënt de operatiekamer uitgereden. De jassen van de zusters die geholpen hadden zaten onder de bloedspetters, de grote sterke lamp was ook bespat. Vijf minuten keek de chirurg door het raam naar buiten. In de verte zag hij het verkeer, hij zag een molen draaien, een vliegtuig kwam laag over. Op dat ogenblik viel zijn oog op een kraai die aan kwam vliegen met een prop watten vol bloed en etter. De chirurg lachte. Hij riep zijn assistent en vijf minuten later kwam de kraai weer aanvliegen, dit keer met een sliert groezelig verbandgaas die als een slinger van een vlieger achter zijn staart aanwapperde. 'Omdat wij de containers met rotzooi op het terrein niet goed sluiten, is die kraai in staat om de zotste nesten te bouwen,' zei de chirurg. Op dat moment kwam er een zuster binnen. 'Patiënt overleden,' zei ze. De dokter en zijn assistent zwegen teleurgesteld. Toen begon de assistent te giechelen. 'Een nest van watten, verbandgaas, geronnen bloed, wondvocht en etter,' zei hij, 'en daar wordt nieuw leven geboren. Want vast en zeker zullen de kleine vogels eind mei uitvliegen. Wij houden alles zo steriel mogelijk, werken ons te pletter en de patiënt sterft. Het is eigenlijk prachtig, droevig en waanzinnig tegelijk.' 'Tja,' merkte de chirurg op, 'je hebt gelijk, maar we moeten verder: hoe laat is de vergadering?'

Ziek in bed

Een paar maanden geleden was ik ziek. Ik moest een paar weken het bed houden. Eerst had ik hoge koorts en lag ik voortdurend te ijlen, maar na een maand ging het beter. Ik herinner me nog goed hoe iedere dag mijn lakens en de sloop verschoond werden, ik kreeg telkens een nieuwe pyjama aan want ik lag te baden in mijn zweet. Al die tijd als ik even wakker was zag ik de donkere gordijnen en de silhouetten van de twee schilderijen in de kleine kamer. Oh!, hoeveel vreemde gedachten zijn er in die tijd door me heengegaan. Ik kan me er haast niets meer van herinneren. Maar toen ik een beetje beter was vroeg ik om mijn lievelingsboek. Het boek heet *Russische verhalen* en het is een bloemlezing uit de Russische literatuur. Er staan verhalen in van Afanasjev tot Nekrasov. God!, als het mij maar gegeven was om drie, vier verhalen tijdens mijn leven te schrijven die net zo goed, zo warm, koddig en vriendelijk zijn als de verhalen in dat boek. Eerst wilde ik 'Gambrinus' van Koeprin gaan lezen, ik bladerde het door, maar het was te lang. Zo lang achter elkaar kon ik nog niet lezen en zo kwam ik vanzelf op 'De droom van een belachelijk mens' van Dostojevski. Ik had het verhaal vroeger al een paar maal gelezen, maar nu wist ik me niet meer goed te herinneren hoe het precies in elkaar zat. Dat is ook de reden waarom ik zo graag boeken herlees: het is fijn een boek uit de kast te pakken waaraan je ooit veel plezier hebt beleefd. Nu weet je niet meer precies hoe het gaat, maar je weet dat je gelukkig zult zijn als je het leest en zo was het nu ook. Het verhaal ging over een man die zo zwaar met zichzelf in de knoop zat dat hij zelfmoord wilde plegen. Hij zat op zijn kamertje op zijn stoel. Een armoedig zolderkamertje. Een kaars flakkerde op de tafel. De man wilde zijn revolver pakken om zich door het hoofd te schieten, maar hij stelde de daad nog even uit. Wat anders nooit gebeurde: hij viel op zijn stoel in slaap. En toen droomde hij dat hij zich voor zijn kop schoot. Eerst lag hij in zijn graf, maar zijn bewustzijn was gebleven. Af en toe viel een druppel in het donker van de kist op zijn gezicht. Toen was er een wezen dat hem meenam door het heelal. Met grote snelheid reisden ze en uiteindelijk kwamen ze op een aarde net als de onze, maar alle mensen en dieren waren daar nog blij, goed en gelukkig. De mensen woonden er als in het Paradijs. Ze waren niet bang voor de dood en er was overal liefde en begrip. Liefdevol namen ze de man op en jaren leefde hij zo en leerde wat het betekende om in een paradijs te leven. Maar, o wee!, zijn oude aard deed zich gelden en hij begon al die mensen te verderven. Eerst een paar en toen ging het als een besmettelijke ziekte door die hele wereld. Er kwamen wetten en er kwam een guillotine, er kwam een wet op de dierenbescherming. Onderdehand plaagden de mensen elkaar, ze zaten elkaar dwars en ze sarden de dieren. De man die zelfmoord had gepleegd smeekte de mensen hem te martelen en te kruisigen omdat hij hen allen verdorven had. Toen wilden ze hem in een gekkenhuis opsluiten. Hierop werd de man wakker en zag dat hij zich nog niet van het leven had beroofd. Maar hij was zo blij dat hij het Paradijs had gezien, hoewel hij daar alles had verknold, dat hij gelukkig was nog te leven. Hij besloot op aarde het Paradijs te laten aanbreken en de laatste woorden van het verhaal waren: 'Ik ga op weg, wat ben ik blij, o ja, nu ga ik echt op weg!' Ik huilde om het verhaal, hoe vreemd het ook geschreven was. Een goede vriend van mij beweert dat hij het verhaal nooit begrepen heeft. Welnu, het is heel eenvoudig: Dostojevski wil alleen maar beweren dat een mens pas gelukkig wordt door naastenliefde te betrachten. Ik legde het boek naast me neer en vroeg mijn vrouw de gordijnen weer te sluiten. Het raam stond een beetje open en buiten hoorde ik het verkeer, de spelende en roepende kinderen, ik hoorde de honden blaffen en de vogels zingen. Ik dacht aan mijn leven en hoe het tot nu toe verlopen was. Er waren veel droevige dingen in mijn leven geweest, maar doordat ik het verhaal van Dostojevski gelezen had, dacht ik: 'Laat ik nu eens aan de echt mooie dingen denken die ik heb meegemaakt, of aan grappige dingen.' En in deze volgorde ging me van alles door mijn hoofd.

I

Twintig jaar geleden heb ik mijn vrouw leren kennen. Wij zijn nu getrouwd. Misschien ben ik in mijn leven maar één keer verliefd geweest en dat was op Eva, mijn vrouw. Ik had een jaar in de haven gewerkt en daar sjouwde ik stinkende koeiehuiden met nog veel rottend vlees eraan. Maar 's avonds ging ik naar het gymnasium. Het was vervelend te merken dat ik nergens thuishoorde. In de haven bekeken de arbeiders mij met argwaan. Ze wisten dat ik studeerde en zagen mij misschien als hun toekomstige meester of werkgever. En op de avondschool was ik een viezerik die boerde en stonk. Ik had geen tijd om me te verkleden voor ik naar school ging: zo uit de haven rende ik naar de geschiedenisles en onderweg verorberde ik een gehaktbal en een broodje. Er waren maar twintig leerlingen in de klas. Negentien zaten helemaal vooraan op een kluitje in de linkerhoek en ik moest in mijn eentje rechtsachter zitten omdat ik er niet bij hoorde en stonk. Ik moest naast het open raam zitten en hoorde de leerlingen vaak smoezen met elkaar en heimelijk naar me omkijken. Dat was een eenzame en droevige tijd. Maar mijn vader kreeg medelijden en zei dat ik het laatste jaar op een gewoon gymnasium mocht doorbrengen als ik nu eindelijk mijn best maar eens deed. Ik hoorde dat er een meisje bij me in de buurt woonde die op het stedelijk gymnasium zat. Ze was over naar de laatste klas en daar zou ik ook terechtkomen. Zij kon me vast en zeker alles vertellen! Want ik moest weten welke boeken ik moest hebben en wat de gewoontes waren op de nieuwe school. Het meisje heette Eva Gütlich en meteen dacht ik al: 'Wat een vriendelijke, vrolijke naam.' Ik ging naar het huis toe waar ze woonde en werd door haar moeder in de woonkamer gelaten. Daar zat een prachtig meisje van achttien jaar met haar benen opgetrokken in een luie stoel. Haar schoentjes had ze uitgetrapt. Ze zat met haar hielen op de zitting en haar rok zat zo dat ik een groot gedeelte van haar benen te zien kreeg. Maar mooier dan haar benen waren haar vriendelijke lach en haar stralende ogen. Ze luisterde naar een plaat van Louis Armstrong. Ik wilde haar wat vragen maar ze zei dat ik stil moest zijn en wachten tot de plaat was afgelopen. Ik was meteen verliefd op haar. Meteen ontbrandde in mij al een soort jaloezie. Ik dacht: 'Die Eva had altijd mijn zusje moeten zijn.' Nu had ze een verleden van achttien jaar waar ik niets van wist. Ze had in mijn bewustzijn op moeten duiken toen ik vier werd en naar de kleuterschool ging en niet veertien jaar later. Maar het was nu eenmaal zo en ik dacht: 'Beter laat dan nooit.' Het vreemde was dat ik weleens met meisjes was uitgeweest, maar echt verliefd was ik nooit geweest. Die nacht kon ik niet slapen. Als een ziekte ging de verliefdheid door me heen en steeds fluisterde ik in bed: 'Eva, oh Eva.' Ik wilde haar als het ware al naast me onder de dekens hebben. De volgende dag legde ze me alles uit over de school en samen met haar begon ik alvast stukken Vergilius te vertalen, want daar had zij moeite mee en ik was er juist goed in. Drie dagen later was ik er weer en we vertaalden in de huiskamer de hele middag tot de dampende aardappels werden binnengedragen. Eva bracht me tot aan de deur. Ik keek naar haar bruine haar, naar haar lieve ogen, naar dat komische adamsappeltje, ze had een wulps gezicht. Ik heb nog een fotootje van haar uit die tijd en dat zit voor in mijn kleine bijbel geplakt. Ja, ze was tegelijk intelligent, verleidelijk en zwoel. Maar er was iets dat je een schoonheidsfoutje zou kunnen noemen: haar linkerarm was korter dan de rechter, die arm was ook enigszins vreemd gebouwd en aan de hand zaten maar twee vingers. Ik zag daar in het geheel geen gebrek in. Immers, ze kon praten en fietsen en studeren en lezen en alles met het grootste gemak. Boodschappen deed ze voor haar moeder en ze plakte fotootjes in een album. 'Dat armpje neem ik op de koop toe,' dacht ik. Maar hoe moest ik het nu aanpakken? Mijn hart klopte in mijn keel en ik zweette over mijn hele lichaam. Ik was al buiten en ze had de deur haast dicht. Ze fluisterde: 'Tot morgen.' Toen duwde ik de deur weer open. 'Wat is er toch?' vroeg ze. Haar moeder riep haar om te komen eten. 'Vlug,' zei ze, 'ik heb haast.' Ik begon te stotteren en vroeg toen of ze die avond niet een wandelingetje met me wilde maken. 'Wil je dan mijn vrijer worden?' vroeg ze verbaasd. 'Maar natuurlijk,' lachte ik, 'wat zou ik anders willen?' Tranen welden op in haar ogen. 'Ik dacht dat ik met mijn armpje nooit een vrijer zou krijgen,' zei ze zacht, 'kom me om halfnegen halen.' Ze wilde nog wat zeggen maar haar vader kwam aan de deur en vroeg: 'Wat staan jullie hier toch geheimzinnig te doen? De aardappels worden koud en het vlees is al gesneden.' Eva deed de deur dicht. Ik liep naar huis maar kon daar geen hap door mijn keel krijgen. Ik ging naar mijn kamer en bladerde er allerlei boeken door. Ik zag niet wat er stond. Tenslotte begon ik het Hooglied uit de bijbel te lezen. Dat zijn liefdesliederen van de eerste orde. Ik werd erg opgewonden van de tekst: 'Gij hebt mij het hart genomen met uwe liefelijke ogen, door de golvende beweging van de ketting op uwe boezem. Uw lippen druppen van honing, honing en melk is onder uw tong. Hoeveel beter is uw uitnemende liefde dan wijn, de reuk uwer oliën is heerlijker dan alle specerijen. Uw twee borsten zijn gelijk twee welpen, tweelingen van een ree die onder de leliën wijden. Geheel gij zijt schoon mijn lief en er is geen gebrek aan u.' 'Behalve dat armpje dan,' dacht ik maar onmiddellijk schaamde ik me dat ik zoiets gedacht had. Koortsachtig bleef ik in het Hooglied lezen en alles sloeg precies op Eva. Ik leerde hele stukken uit mijn hoofd en toen ik haar eindelijk om halfnegen af kwam halen thuis, zaten al die teksten goed in mijn hoofd. Eva had zich erg leuk aangekleed. Ze droeg een strak roze truitje en daaroverheen een roze vestje, een zogenaamd twinset. Daaronder had ze een roodgeruite wollen rok. Ze droeg schoentjes met bandjes en een hakje. En haar borsten? Die wezen ons als het ware de weg. Toen we een kilometer door de stad hadden gewandeld greep ik haar rechterhand en kneep erin. Ze hield mijn hand vast. We wandelden langzaam door het grote en donker wordende Sterrenbos naar de rivier. Tussen de bomen legde ik mijn armen om haar middel. Ze keek me vriendelijk aan. Langs de rivier gingen we in het gras liggen en keken naar de lichten van de schepen die er voorbijkwamen. Ik zei zachtjes dat ze melk en honing onder haar tong had en dat haar borsten waren als welpen die onder de leliën grazen. 'Uwe benen zijn als torens waaraan men duizend schilden op kan hangen,' voegde ik eraantoe. Ze vroeg of ik dichter was want ze had nog nooit in de bijbel gelezen en kende daarom de tekst niet. Wat mij bevreemdde was dat ze nog nooit in een kerk was geweest, niet in een katholieke en zelfs niet in de synagoge! Hier en daar in het hoge gras van de oever langs de rivier lagen verliefde paartjes. En er werd flink gekust en gevrijd! Ik probeerde Eva een kus te geven, maar ze weerde me af. 'Nee, niet de eerste avond,' fluisterde ze, 'dat moeten we nog even bewaren.' Mijn handen gleden over haar buik, haar borsten en haar benen maar kussen mocht ik haar niet. Twee uur later bracht ik haar weer thuis. Een week lang dacht ik dat ik gek zou worden: wanneer zou de beloofde kus nu voor het eerst komen? Twee weken later kregen we toestemming om naar de bioscoop te gaan. We woonden in Schiedam, vlak bij de werven en de zeemanskroegen. We liepen naar de tram die midden in de stad op de Koemarkt de eerste halte had. De tram begon naar het centrum van Rotterdam te rijden met Eva en mij op een knus bankje bij het raam. Eerst gleden de havens aan ons voorbij, hier en daar hoorde je getoeter van schepen op de rivier en ook zag je de grote laadkranen zwenken. In Rotterdam was het veel drukker dan in onze kleine stad. Het leek wel of de tram zich in bochten moest wringen om zich door de menigte van vrachtwagens, fietsers, auto's en motorrijders een weg te kunnen banen. De stad was gezellig verlicht en uit de etalages schenen duizenden lichtjes en ik weet niet hoeveel je in het oog sprong, naaimachines, schoenen, jurken, ondergoed, tangen, boren, sigarendozen, bouwpakketten, kettingen, snoepgoed, warme broodjes, augurken, schemerlampen, schilderijen, kantoormeubilair, tafels met bordjes en messen, gemakkelijke stoelen, te veel om op te noemen. Het ging een beetje regenen. Een magere man stapte in en ging op het bankje voor ons zitten. Na een paar minuten draaide hij zich om en zei tegen ons, hij had te veel gedronken en stonk flink: 'Gelukkige jeugd, Jezus Christus.' Hij legde zijn hoofd op zijn knieën, gaf enige tijd later over en viel in slaap. Wij stapten uit en liepen gearmd naar de bioscoop. Eva bleef nog wat piekeren over de dronken man en vroeg zich af of we iets voor hem hadden kunnen doen. Zo is het altijd gebleven: ik kijk naar de mensen en de dingen, méér niet, Eva wil altijd ingrijpen voor het te laat is. Ik weet niet meer welke bioscoop het was, maar er werd, volgens zeggen, een goede film gedraaid. Het waren eigenlijk drie films naar korte verhalen van drie verschillende Amerikaanse schrijvers. We betaalden en betraden het duister van de zaal. De eerste twee films waren al heel mooi, maar die herinnerde ik me, ziek in bed, niet. Het ging om de laatste film. Eva en ik zaten dicht tegen elkaar aan en we hielden elkanders hand vast. Nooit heb ik zo gezellig in het duister van een filmzaal gezeten. Voor het eerst van mijn leven was ik nu echt met Eva uit en ik was me dat erg bewust. Later ben ik nog vaker met haar naar de film gegaan, naar de opera, naar het theater, naar literaire salons, maar nooit was de avond zo boeiend. Al zou je in een heel leven alleen maar de gymnasiumtijd hebben en dan in de zesde klas verliefd worden en met een aardig meisje naar de bioscoop gaan, dan was het hele leven al op een mooie manier gevuld. Maar nu de film waaraan ik met zoveel plezier in mijn bed terugdacht...

Je zag een groot wit landhuis midden in de rimboe. Een vrouw van een jaar of veertig zat in een rieten stoel te haken. Onderdehand vertelde ze twee jongetjes die ongeveer even oud waren – misschien waren het wel tweelingen, het moesten wel haar zoontjes zijn – over hun overleden vader. De kleine jongens lagen op de grond te luisteren. Ik schat dat de jongens ongeveer acht jaar oud waren. Af en toe verschenen er rimpels in hun voorhoofd alsof ze iets niet helemaal begrepen, maar ze bleven zwijgen. De vader was eigenaar van het bos geweest. Hij had gejaagd op vossen, beren, allerlei soorten vogels en 's avonds zat hij altijd te lezen. Hij kon heel goed kaartspelen en hij was een gewiekste zakenman. Tot kilometers in de omtrek was het bos van de familie. Af en toe werden er twintig grote bomen omgehakt, maar dan kwamen er meteen weer kleintjes voor in de plaats. Soms gaf de film je een kijkje in de tuin en daar zag je dan een eekhoorntje of een bontgekleurde vogel. Het was een prachtige tuin. De moeder van de jongens sprak urenlang, maar op een gegeven moment zei ze dat ze een dutje ging doen omdat ze moe was. 'Gaan jullie maar gezellig spelen,' voegde ze eraantoe, 'lief spelen en niet te veel lawaai maken.' Je zag hoe de moeder zich uitkleedde en naakt onder een laken in een groot hemelbed ging liggen. Het was daar blijkbaar nogal warm. De jongens hadden in de hoek van de woonkamer een kooi met een beo erin. Ze hadden dat dier geleerd om het hele gezang 'Abide with me' te fluiten. Ja, hoe het mogelijk is begrijp ik niet, maar vanuit de donkerste verten van mijn herinnering, door het gekrijs op de slagvelden van Korea en Vietnam heen, dwars door het geroep van de gevangenen in Portugal, Chili en Zuid-Afrika, dwars door het kabaal dat auto's en bromfietsen hier buiten maken, klonken echoënd en vibrerend twee namen: Job en David!!!, want zo heetten de twee knapen. Job pakte de kooi met de vogel erin en samen sjouwden ze het bos in, tot ze bij een kreek kwamen waar een roeiboot lag. Ze begonnen te roeien en zodra de vogel voelde hoe heerlijk hij gewiegd werd, begon hij 'Abide with me' te fluiten. Na lang roeien kwamen de jongens op een geweldig brede rivier en ik was ontroerd: deze rivier moest beslist de Mississippi zijn. Ik had nog nooit zulk een brede stroom gezien. De jongens voeren ongeveer honderd meter de rivier op, daar was een eilandje met een hoge boom erop en de jongens maakten hun bootje aan een van de wortels vast. Toen begonnen ze praatjes op te hangen. Ze vertelden elkaar wat ze later zouden worden, ze hadden het over hun overleden vader. Ze gingen het eiland op en legden zich ter ruste in het mos. De kooi met de vogel hingen ze boven hun hoofd aan een tak. Job en David spraken veel en er was veel wijsheid in hun woorden. Hoe moesten die jongens eigenlijk weten dat dit de laatste keer was dat ze zo gezellig samen waren? Ze sliepen in en er kwamen onweerswolken opzetten. Het begon gemeen te bliksemen en te donderen... Plots was er een zucht van wind en toen een grote windvlaag. Er verschenen grote bellen op het water van de rivier, het regende, en niet zo'n klein beetje ook, het begon te waaien, oh, wat rukte die wind aan de takken. De vogel die het benauwd kreeg floot: 'Abide with me.' De golven werden steeds hoger en gevaarlijker. De jongens werden wakker van de regen en het onweer. Ze hadden uren geslapen. Er kwam nu een heel grote roeiboot aan met vier mannen erin. De boot landde bij het eilandje en de jongens werden uitgefoeterd, maar je kon toch merken dat de mannen heel blij waren de jongens te hebben hervonden. De kleine sloep werd achter de grote gekoppeld en nu roeiden ze terug. Toen ze weer in de kreek hadden afgemeerd en Job de kooi optilde, nam een van de mannen de twee kleine jongens terzijde en begon wat met hen te smoezen.

De jongens begonnen te huilen. De stoet trok naar het grote witte huis en de jongens renden de trappen op naar de slaapkamer van hun moeder en wierpen zich in het hemelbed aan haar borst. Die dame lag er zo vriendelijk en rustig bij, maar ze was dood. De jongens bleven wenend een half uur bij hun moeder, daarna werden ze weggetrokken. Het bleef de hele nacht onweren. De volgende dag waren er wel twintig vreemde mensen in huis en drie dagen later was de begrafenis. Er waren een paar toespraken aan het open graf en de kist werd neergelaten. De jongens hadden honderden bloemen geplukt en met betraande gezichten wierpen ze nu die weelde op de kist. De mensen sjokten langzaam terug naar het grote witte huis, het leek wel of ze er een uur over deden. Er was een groot begrafenismaal, maar de kleine jongens konden geen hap door hun keel krijgen. Ze zaten stilletjes in een hoekje en luisterden naar de beo die 'Abide with me' zong. Tegen het eind van de avond gingen er veel mensen weg, maar twee families bleven achter. Job en David konden die nacht niet zo goed slapen. Tegen achten werden ze gedwongen om te ontbijten, even later werden hun koffers gepakt. Nog één keer liepen ze door het grote huis en ze namen afscheid van al hun geliefde plekjes, ook de plekjes in de tuin. Er stonden twee koetsen voor de deur, ieder bespannen met twee paarden. Job en David moesten afscheid van elkaar nemen, de ene familie ging in de eerste koets en nam Job met zijn koffer en de vogel mee – dat hadden de jongens zo afgesproken want de beo was toch altijd meer van Job dan van David geweest. Toen klom de andere familie in de andere koets en daarin verdween ook David met zijn koffer. Op hetzelfde moment begonnen de koetsen in tegengestelde richting te rijden en het leek of Job en David elkaar voor eeuwig uit het oog zouden verliezen. De film volgde nu verder alleen David. Hij kwam bij de familie in een nieuw huis in een rokerige, bedompte stad verweg. Hij ging er lang naar school en tenslotte werd hij uurwerkmaker. Eens in de maand schreef hij een brief aan zijn broer en na lange tijd werd die beantwoord. Juist toen David begon te vrijen brak de burgeroorlog uit en moest hij naar het front. Hij kreeg een geweer en een uniform en overdag moest hij exerceren. Met honderd man sliepen ze in een grote tent en het regende maar. Het was een grote baggerpoel en het mistte. Het slagveld bestond uit licht glooiende heuvels, hier en daar struiken, hier en daar bomen, soms een bosje, veel graan- en maïsvelden, koffieplantages. Je zag David met een andere man een kanonnetje voorttrekken. Het was gewoon een zware ijzeren loop op een as met ijzeren wielen. Ze droegen kruit en kogels. Het was een heidens zwaar werk. Soms zakte dat ellendige kanon tot aan de loop in de bagger weg. Het moeilijkste was het om het kruit droog te houden want het regende maar. David had het onderdehand met de andere man, Peter, over zijn leven. Eindelijk kwam de vijand eraan en ze losten vanaf een hoge heuvel een schot en een tweede schot. Tientallen soldaten van de vijand kwamen daarbij om. Het regende maar. 'Nu snijden ze ons de nek af of villen ons levend,' zei Peter. De twee mannen lieten het kanonnetje staan en renden voor hun leven. Ze renden urenlang, eerst vlogen hun nog de kogels om de oren, later werd het rustiger en een dag later waren ze weer in het kampement. De korporaal vertelde wat er voorgevallen was en Peter en David werden met veel omhaal onderscheiden. Ze kregen allebei het koperen kruis van verdienste en moed. Peter werd sergeant en David werd korporaal. En het regende maar. Op een nacht lag David weer tussen de honderd mannen in de grote tent te slapen. Nu stak er ook nog een storm op. Het was een hels lawaai in de tent, die trouwens aan alle kanten lekte. Miljoenen grote druppels tikten op het zeil en de wind deed het klapperen. Zo kon David niet in slaap komen. Om twee uur stapte hij van zijn brits en kleedde zich aan. Hij pakte zijn geweer en kwam buiten een kapitein tegen die ook niet kon slapen of die juist wacht had. David vroeg de kapitein of deze wat te doen voor hem had. 'Je kunt wachtlopen,' zei de kapitein, 'en dan kun je het beste recht naar het noorden lopen want daar horen wij verdachte geluiden.' David kreeg een kompas en liep twee uur recht naar het noorden. Soms liep hij langzaam, soms snel, soms moest hij door een watertje, soms door het koren, soms door een plantage. Tenslotte kwam hij in een bos. Het was er doodstil en het regende maar. David had geen droge draad meer aan zijn lijf. Hij bleef stilstaan. Licht van de maan was er niet. Het mistte. Zeker een kwartier stond hij zo heel stil.

Toen hoorde hij iemand op ongeveer vijftig passen bij hem vandaan kuchen. David riep: 'Sta stil of ik schiet.' Weer werd er gekucht. David legde aan en schoot op goed geluk in de richting van het geluid. Een uil huilde, maar verder bleef het stil. David wachtte nog een half uur, maar er werd niet meer gekucht. Toen ging hij terug naar het kampement en bracht de kapitein verslag uit van wat hij had meegemaakt. Een uur later werd hem opgedragen een klein kanon uit elkaar te halen en schoon te maken. Hij vroeg verlof om eens bij dag te gaan zien wat er nu eigenlijk gebeurd was die nacht. Het mocht. Het mistte en het regende nu wat minder. Het kompas had hij nog, hij kon de weg makkelijk terugvinden. Op een gegeven moment was hij op een heuvel en zag in de verte een zeer brede rivier. Een uur later stond hij op de plek waar hij die nacht het kuchen had gehoord. De afgelopen nacht had hij niet gemerkt hoe dicht het bos hier was. Maar hij stond juist op een open plek. Er was helemaal niemand. Maar toch had hij hier vannacht iemand horen kuchen. Op dat moment hoorde hij een vogel zingen. Het leek wel een door mensen gemaakt lied. Toen pas begreep David dat hij een vogel 'Abide with me' hoorde zingen. Hij liep naar de plek waar de beo zonder kooi op een tak zat en recht onder die tak lag, met doorboord voorhoofd, zijn broer Job... Het begon te onweren en te regenen en dat was het einde van de film.

Het was een van de eerste en tegelijk een van de mooiste films die ik ooit gezien heb. De lichten gingen aan en de toeschouwers keken naar de grond en sommigen staken een sigaret op. Toen Eva en ik buiten waren zwegen we lange tijd. Na tien minuten kwam het in ons op dat we toch iets moesten doen. We liepen zomaar stilletjes door de stad. Ik stelde voor iets te gaan eten. We stapten een drukke zaak binnen en ik bestelde een pannekoek met gember. Eva nam er één met suiker. We namen er allebei een glas melk bij. Toen pas begonnen we over de film te praten. Een half uur later stapten we op, en hand in hand liepen we door de drukke stad. Het was net of onze voeten vanzelf een stil plekje opzochten. Eindelijk waren we uit het gewoel van de mensen. We stonden in een donker portiek bij een haventje waarin alleen een oude zeilboot lag. Af en toe klapperden er touwtjes tegen de mast. Ik drukte mijn Eva dicht tegen me aan en zei: 'Ik hou zoveel van je.' Toen sloeg zij ook haar armen om me heen en onze lippen zochten elkaar. Het was de eerste kus die we elkaar gaven, maar tegelijk de langste. Het leek of we niet in het duistere Rotterdam bij een stinkhaventje in een donker portiek stonden, maar of we op het mos in het Paradijs lagen en de engelen hoorden zingen. Ik voelde haar warme lijf dat zo soepel was, haar haar geurde zo lekker. Ik streelde haar hier en daar en zij mij. Ja, de eerste kus is altijd de mooiste en tegelijk de langste. Het lijkt of je een eeuwigheid moet inhalen en dat is ook eigenlijk zo... Ik glimlachte, nu lag ik ziek in bed. Was het werkelijk waar dat ik Eva al meer dan twintig jaar kende? Ik hoorde haar rommelen in de keuken. Het raam stond op een kiertje en buiten hoorde ik de kinderen, en de honden en de auto's. Ik was wel ziek, maar was ik toch niet tegelijk erg gelukkig?

II

Zo lag ik dus in bed, maar het ergste was al voorbij, de crisis had ik gehad. De gordijnen waren dicht en ik hoorde de geluiden van buiten en de geluiden die er in de flat werden gemaakt, niet alleen in mijn eigen flat, maar ook links en rechts van mijn huis, onder en boven. Eva kwam vragen hoe het met me ging en ik vroeg of ze de deur even open wilde zetten. Een paar katten kwamen bij me op bed liggen en Mikkie de hond begon me af te likken. Maar binnen een kwartier heerste er een vredige stilte. Ik dacht: 'Nu alleen maar mooie herinneringen ophalen,' en ik begon weer. Er was genoeg moois in mijn leven geweest! Mooie en koddige, absurde en ongeloofwaardige geschiedenissen. Op dat moment ging de bel en Eva deed open. In de verte hoorde ik de stem van Karel van het Reve, dat is wel de belangrijkste man in mijn leven. 'Ik hoor dat Maarten een beetje ziek is?' vroeg hij aan Eva. 'Hij is doodziek geweest, het heeft niet veel gescheeld of hij had onder de grond gelegen, maar nu gaat het wel weer, de dokters zeggen dat hij aan de beterende hand is.' 'Ik mag misschien wel even naar hem toe?' vroeg Karel, 'ik heb toch een uurtje vrij en een goede vriend laat je immers niet wekenlang alleen in bed liggen?' Ik hoorde hoe hij aan kwam stappen en mijn hart sprong op van vreugde! Daar kreeg ik bezoek van mijn beste vriend, die het toch waarachtig druk genoeg heeft. Nu ja, je ziet het maar weer: 'An able man is never busy.' De deur ging flink ver open en ik rook de aftershave van Karel. Hij verscheen aan mijn bed en Eva zette een stoeltje voor hem neer. Een kwartiertje praatten we over koetjes en kalfjes en toen kregen we het, ik weet niet meer wat de aanleiding ertoe was, over de bekende schrijver Jozef Berg. (Ik zeg nu Jozef Berg en u zult vragen: wie is dat nou weer? Dat weet ik ook niet. Het is echter zo dat de komende geschiedenis een beetje belachelijk en beschamend voor iemand is en daarom wil ik de echte naam niet noemen. Mensen zijn tegenwoordig zo snel op hun teentjes getrapt!) 'Jij kent toch Jozef Berg wel?' vroeg Karel, terwijl hij er eens makkelijk voor ging zitten. 'Ja natuurlijk,' zei ik, 'wie zou die mannetjesputter niet kennen? Die man heeft op tamelijk jonge leeftijd al veertig boeken, bundels prachtige gedichten en verhalen geschreven. Hij schijnt schatrijk te zijn.' 'Nou, over die man wil ik het eens hebben,' zei Karel, 'ik heb liever niet dat je met die man omgaat en wel om het volgende...' Ik ging verliggen en luisterde vol aandacht naar wat Karel te zeggen had.

'Die Jozef Berg,' begon hij, 'was allang beroemd voor jij begon te schrijven. Op een gegeven moment was hij miljonair en kon hij zich een groot huis aan een van de Hollandse plassen aanschaffen. Je zult het niet geloven, maar dat huis kostte anderhalf miljoen gulden en dan had hij er ook nog kassen en een grote motorboot bij. Dat schip was eigenlijk weer een tweede huis, zo telde het onder andere drie badkamers. Wat ik je nu ga vertellen is ongeveer tien jaar geleden gebeurd en het had eigenlijk in de krant moeten staan, zo'n smerige en belachelijke geschiedenis is het. Nu hoor ik dat jij met die man in contact wilt treden. Doe dat niet, mijn beste jongen. Nou ja goed, het was dan zo dat hij zijn moeder in huis nam. Hij kon het niet verkroppen dat zij op zo'n klein kamertje in een flatgebouw, een bejaardenhuis, zat terwijl hij zelf zo mooi woonde. Zijn vrouw kon heel goed met het vrouwtje opschieten, maar zelf schaamde hij zich een beetje voor zijn moeder omdat ze zo eenvoudig was en het altijd over heel alledaagse dingen had. Het vrouwtje kreeg een grote kamer apart, ergens boven in het huis en eigenlijk alleen bij het eten wilde de schrijver zijn moeder zien. Op een gegeven ogenblik haalde hij met een boek een record-oplage, ik kan je niet nauwkeurig zeggen hoeveel er wel van verkocht waren, maar het was ongelofelijk. Toen besloot Jozef Berg een feest te geven en dat moest een gigantische orgie worden, een slemp- en vreetpartij van de eerste orde. Een maand lang kon hij niet schrijven omdat hij maar piekerde over het feest. Er zou in ieder geval een zigeunerorkest komen. Hij dacht eraan ongeveer honderd gasten uit te nodigen, allemaal bekende Nederlanders. Vreemd eigenlijk dat die man zoveel mensen kent. Zelf ging hij de wijnen inslaan, er moesten veertig flessen champagne komen, een rund moest aan het spit gebraden worden, er zouden honderd gebakken eenden komen, vijftig gestoofde forellen, veertig kilo zalm en dan salades en twintig verschillende groenten. Het was hem helemaal in de kop geslagen. Ik zal je eens vertellen wie hij zoal uitnodigde voor zijn feest: Jan Arends, Joop Waasdorp, Rudy Kousbroek, Renate Rubinstein, Hamelink, Belcampo, Hofland, Carmiggelt, Willem van Toorn, Jan Donkers, Wim T. Schippers, Kees van Kooten, Freek de Jonge, Wim Kan, Andreas Burnier, die viezerik, hoe heet hij ook weer... Jan Wolkers, dan Jan Cremer, Hermans, Gerard Reve, mijzelf en die vent die zo mal over Cuba heeft geschreven, Harry Mulisch en dan nog allemaal mensen die ik niet zo goed ken, Liesbeth List, Cees Nooteboom, Pater Van Kilsdonk, Van de Wetering, Maarten 't Hart, minister Biesheuvel, Den Uyl de politicus en Bob den Uyl, oh ja Doesjka Meysing en zo kan ik nog wel een kwartier doorgaan. André van Duin de komiek moest komen, een stel bekende wielrenners, een kundige bokser, een paar baronnen en ook nog wat gewone vrienden. Die mensen had hij allemaal persoonlijk brieven geschreven en opgebeld.' 'Maar nu vergeet je de meest interessante mensen nog,' merkte ik op. 'Die had hij ook uitgenodigd,' ging Karel door, 'val me niet steeds in de rede. Maar hij schaamde zich voor zijn moeder. Hoe dichter het feest naderde hoe meer hij op zijn moeder begon te vitten. "Jij moet er beslist niet bij zijn," sprak hij tegen het oudje, "jij praat altijd van die wartaal. Wat zullen mijn vrienden en kennissen wel denken als ze zien dat ik zo'n eenvoudig moedertje heb?" Hij zat er flink over in en toen besloot hij dat zijn moeder tijdens het feest maar het huis uit moest. Het oudje vroeg of ze dan in een café moest gaan zitten of de nacht in een hotel doorbrengen. Ze bedelde en smeekte haar zoon of ze ook op het feest mocht zijn. "Ik zou het zo leuk vinden om voor mijn dood eens allemaal van die belangrijke en interessante mensen te zien en te spreken," zei ze. Jozef Berg rukte vertwijfeld aan zijn haren. Hij kreeg ruzie met zijn vrouw en tenslotte werd er een tussenoplossing gevonden: de moeder zou in een gemakkelijke stoel naast de voordeur van het huis gaan zitten. Op een gegeven moment was al het eten en al de drank in huis. Het feest kon een aanvang nemen. De schrijver zelf ging naar een zolderkamer. Daar zette hij de ramen open en begon te tikken op een schrijfmachine. Hij schreef natuurlijk allemaal onzin omdat hij zo opgewonden was. Als er ongeveer twintig gasten met hun vrouw in huis waren en er iemand zou vragen: "Waar is de schrijver toch?", pas dan zou hij naar beneden komen. Zo gebeurde het ook. Nu was het heerlijk weer en veel mensen waren in de tuin voor en achter het huis. Harry Mulisch loopt naar Jozef Berg toe en vraagt hem: "Wat zit daar toch voor een grappig vrouwtje naast de voordeur? Ze is zo oud en ze heeft mij wel een half uur onderhouden over de kennis van het klaarmaken, snijden en koken van sperziebonen." "Ach, let toch niet op dat vrouwtje, die zit daar maar wat, die keuvelt maar wat," antwoordde Berg. "Ja, maar wie is het? Heb je haar dan niet uitgenodigd?" vroeg Mulisch. "Het is mijn moeder," zei Berg tenslotte, "maar ik wilde haar per se niet op het feest hebben omdat ze zo wauwelt." Een kwartier later schoot Renate Rubinstein Jozef Berg aan. "Zeg, wie is toch dat grappige vrouwtje dat voor de deur zit?" vroeg ze. Het was namelijk heerlijk weer en tamelijk warm, daarom wilden de mensen liever buiten dan binnen zijn. "Dat vrouwtje praat al een half uur met mij over de verderfelijkheid van televisie, ik ben het niet met haar eens, maar ze is toch heel grappig." En weer moest Jozef Berg bekennen dat het zijn moeder was met wie ze gesproken had. Een vrouwtje van tachtig jaar met een gerimpeld gezichtje en een ouderwets knotje. "Wat leuk dat ze haar stoel buiten heeft gezet," zei Renate, "het is een echt buitenvrouwtje zeker?" "Ik wil haar niet bij het feest hebben," zei Berg, "maar echt wegkrijgen kon ik haar niet. Daarom zit ze nu voor de deur. Het is zo'n eigenwijs wijfje." En steeds meer mensen kwamen vragen wie dat grappige vrouwtje toch was dat voor de deur zat. Met Joop den Uyl had ze het erover gehad hoe je het beste een pedicure kon uitzoeken en aan Liesbeth List had ze de voordelen van het regenkapje uitgelegd. (Een regenkapje is een grijze gevarendriehoek van plastic die over het hoofd van dames wordt gesnoerd bij regenweer.) Het werd nog een geanimeerd feest, maar tegen drieën begonnen de meeste gasten toch te verdwijnen. Zeker tien personen kwamen Jozef Berg hun vriendschap en toewijding opzeggen. "Het regent onderdehand en jij laat je moeder maar buiten zitten," zeiden ze, "dat is toch wel gebrek aan karakter. Immers, welke begaafde Nederlander zou zich moeten schamen voor zijn moeder? Hij heeft toch alles aan haar te danken? Ons zie je nooit meer." En dat waren niet zomaar tien personen, het waren juist de mensen die Jozef Berg het hoogst aansloeg, het waren juist de mensen die hij het liefst te vriend had gehouden. Ik heb hem ook de vriendschap opgezegd en mijn broer ook. Maar de klootzakken hebben hem gepaaid en hebben niets laten merken. Dat zijn echte hielenlikkers. Op een gegeven moment waren alle gasten weg behalve Jan Arends. Joop Waasdorp had al een uur aan hem staan trekken en hem beloofd dat, als Jan nu meteen wegging, hij hem zelf achter op de brommer naar huis zou brengen. Maar Jan Arends bleef en dronk de laatste champagne op. Jozef Berg wilde wel dat Arends opdonderde, maar dat deed hij niet. "Haal moeder nu maar binnen," zei de vrouw van Berg. "Nee," zei Berg, "want het feest is nog niet afgelopen, zolang meneer Arends er nog is halen we haar niet binnen." Het begon onderdehand steeds harder te regenen en het begon ook te bliksemen en te donderen. En buiten zat het vrouwtje maar te wachten in een drijfnatte crapaud onder een lekkende paraplu. Jan Arends begon te vertellen over de verschrikkingen van het moeten leven als vrijgezel op kamers. De hele dag lag hij op bed en er was niemand die zich met hem bemoeide. Op kantoor werd hij krankzinnig, een gezin had hij niet, vrouwen zagen niets in hem. Zo zat hij altijd op een huurkamertje. Hij lag maar in bed te stinken. Af en toe kwam de hospita het licht uitdoen als hij lag te lezen. Hij kon de rekeningen niet betalen en werd door iedereen uitgescholden. De hospita zat hem nog het meest dwars. Tenslotte lag hij de hele dag in een bed in een grote werkkast. Hij voelde zich te beroerd om eten te halen en zo ging hij langzaam dood. De hospita wilde geen dokter bellen want die zou ze moeten betalen omdat Arends niet bij een ziekenfonds was aangesloten. Zo wachtte hij langzaam op zijn dood. Dat had hij jaren meegemaakt, toen echter was het iets beter gegaan en was hij huisknecht geworden. Hij kon zo boeiend vertellen over het liggen in dat bed in die werkkast met een kaal peertje van twintig Watt. Uit louter walging ging hij te gronde. "Maar dat moet je opschrijven," zei Jozef Berg, "dat verhaal had waarachtig van Dostojevski zelf kunnen zijn, het is nog verschrikkelijker dan *Aantekeningen uit het ondergrondse*." "Ik ga het ook opschrijven," zei Jan Arends, "en dan zullen de mensen zien wie ik ben. Weten jullie dat ik in twee weken niet gegeten heb? Ik mag nog wel zo'n broodje met zalm is het niet? En een beetje wijn zou me ook wel smaken." Tegen zessen die ochtend verliet de rampzalige schrijver het huis. Jozef Berg gaf hem geld voor een taxi naar Leiden en daar moest Arends dan maar de eerste trein nemen. Arends trok zijn regenjas aan en stapte de voordeur uit. Hij gaf het oude vrouwtje, dat nog steeds naast de deur zat, een hand. "Dat vrouwtje is dood," zei Arends. Jozef Berg schrok zich een hoedje. Zijn moeder was inderdaad van kou omgekomen. Arends zei dat hij er niets mee te maken had, dat hij het zelf al moeilijk genoeg had en verdween in de taxi. Mevrouw Berg legde de moeder van haar man op een divan onder de dekens, maar ze kon het oude vrouwtje niet meer het leven inblazen. En op zijn prachtige bed naast de schrijfkamer lag Jozef Berg te huilen. Op één avond was hij daar tien van zijn beste vrienden en tegelijk zijn moeder kwijtgeraakt...

Wat vind je daar nou van?' zei Karel. 'Het is zielig voor het oude vrouwtje,' zei ik, 'maar voor Jozef Berg is het beslist een goede les geweest. Die man heeft inderdaad geen karakter en ik beloof je dat ik hem niet ga opzoeken. Vreemd dat ik dat verhaal nog nooit eerder heb gehoord.' 'Nou ja, je weet er nu van,' zei Karel. Op dat moment bracht Eva voor mij dampendhete anijsmelk binnen en voor Karel een kopje thee. We babbelden nog een half uur heel gezellig over allerlei kennissen die we gemeenschappelijk hadden en toen stapte Karel weer eens op. Hij schudde me hartelijk de hand en wenste me beterschap. 'Wat een prachtige figuur is die Karel toch,' dacht ik, 'hij heeft zo vaak van die mooie verhalen en je weet bij hem nooit of het nou echt gebeurd is of dat hij maar bij wijze van grapje spreekt. Maar waarom zou hij Jozef Berg ten onrechte belasteren? Nee, dat is toch niets voor Karel.' Nu lag ik weer geheel en al alleen in bed en ik hoorde de geluiden die uit het huis, uit de hele flat en van de straat kwamen. 'Wat ben ik blij dat ik nog leef,' dacht ik, 'veronderstel dat ik toch eens gestorven was veertien dagen geleden, onderdehand waren de mensen me al vergeten. De wonderlijkste eigenschap van een mens is wel zijn misbaarheid, eigenlijk is ieder mens overbodig, ieder kan het werk voor een ander doen en zo is het hele leven zinloos.' Ik lag daar een tijd over na te denken en toen schoot het door me heen: 'Had iemand anders dan de viool- en pianoconcerten voor Mozart kunnen schrijven? Had iemand anders *Anna Karenina* voor Tolstoi kunnen schrijven? Had iemand anders *Witte nachten* voor Dostojevski kunnen schrijven?' Mikkie sprong van bed en liep de kamer uit. Ik begon weer te zweten. Ik had op willen springen en onmiddellijk een verhaal willen schrijven, het mooiste dat ik maar verzinnen kon. Verzinnen hoefde ik het niet eens, ik hoefde het alleen maar uit mijn herinnering op te roepen. Hier volgt die mooie herinnering.

III

Ik heb misschien de gelukkigste knapentijd gehad die een mens zich maar wensen kan. Dat komt omdat mijn ouders me in alles volkomen vrijlieten. Als ik naar school wilde ging ik naar school, wilde ik echter zwerven dan kon dat ook. Het was niet dat ze niet van me hielden, ze dachten waarschijnlijk eenvoudigweg: 'Die Maarten loopt niet in zeven sloten tegelijk.' Zo werkte ik op een gegeven ogenblik op het stoomschip Haulerwijk als ketelbink. Ik geloof dat ik toen zeventien jaar oud was. Ik heb het altijd heerlijk gevonden om op zee te zijn, verre horizonten en vreemde vissen te zien, exotische steden aan te doen. Niets vind ik machtiger dan gewiegd te worden in mijn kooi en het zeewater vlak naast je te horen ruisen en voortglijden. Overdag werd ik nogal eens gejend door de zeelui. Vaak had ik 's middags even vrij en dan ging ik in de grote aardappelbak liggen die op het dekhuis op het achterdek stond. Gewiegd door de golven, met een frisse bries om je heen, de wolken en de zon boven je en links en rechts, heel ver nog andere schepen, dat is toch wel het mooiste. Op een avond zat ik een kabeljauw schoon te maken in het bemanningsverblijf, ik deed dat voor mezelf en drie kameraden. Het was een heldere sterrennacht en we voeren midden op de Arabische Zee. Nu had ik al eens overdag aan het roer gestaan. Ik voelde me dan als een jonge Griekse god die de wereld naar zijn hand kan zetten. Nu was het avond, de sterren pinkelden aan de hoge hemel. De zee was rustig hoewel er een lichte deining stond. Op zeker moment kwam er een zware matroos naar me toe die vroeg: 'Zeg ketel, wil jij niet eens voor twee gulden vijftig mijn wacht aan het roer overnemen? Dan kan ik prettig blijven kaarten.' Voor de vorm dacht ik even na, maar natuurlijk hapte ik toe. Een kwartier later liep ik naar de brug, ik was al eens bij nacht op de brug geweest, maar nooit had ik dan aan het roer gestaan. De derde stuurman was aan het rommelen in de kaartenkamer toen ik de kleine ruimte binnenkwam. Ik meldde me bij de stuurman als vervanger van Kees Ouwens de matroos, omdat hij zich 'een beetje ziek voelde'. 'Ik vind het goed,' zei de stuurman, 'denk je echt dat je het vier uur achter elkaar kan uithouden?' 'Met gemak, stuur,' zei ik en ik ging naar de roerganger toe. Deze draaide met één hand een sjekkie, stak dat op en precies op tijd gaf hij mij het grote stuurrad over. 'Koers tweehonderdachtendertig graden,' zei hij. Meer hoefde hij ook niet te zeggen. Ik ging op het verhoginkje achter het roer staan, greep het spakenrad en begon te sturen. Het schip liep zo glad dat haar voorwaartse beweging ontsnapte aan zintuiglijke waarneming, alsof ze een nagenoeg onbevolkte planeet was op snelle koers door de donkere ruimten van het heelal achter de zwerm der zonnen, in schrikbarende, stille verlatenheid, de adem afwachtend van nog komende scheppingen. Een luchtstroom, in beweging gezet door de vaart van het schip, streek van voor tot achter over de volle duisternis tussen haar boorden en streelde de her en der opgestelde voorwerpen aan dek. Een plechtig zwijgen vulde de wereld, en de sterren, te zamen met de serene rust van hun stralen, leken de gewisheid van eeuwigdurende veiligheid over de aarde uit te spreiden. De sikkel van de jonge maan die laag aan de westelijke hemel hing, leek op een dunne spaan, afgespat van een goudstaaf, en de Arabische Zee, aan het oog glad en koel als een ijsvlakte, strekte haar volmaakte spiegel uit tot de volmaakte ring der donkere einders. De schroef draaide gestadig alsof haar slag deel uitmaakte van het plan van een veilig universum. En aan beide zijden van de Haulerwijk sloten twee diepe watersporen, nooit aflatende en dof te midden van het rimpelloos geschitter, binnen hun rechte, wijkende ruggen slechts wat kolkingen van wit schuim in, die uiteenspatten onder licht gebruis, enkele kabbelingen, enkele rimpelingen, enkele deiningen slechts, die achterblijvend na de doortocht van het schip, het oppervlak der zee een wijle beroerden, om dan lichtspattend onder te gaan, uiteindelijk één wordend met de stille boog van water en lucht, waarbinnen de zwarte vlek van de traagvorderende romp voortdurend gevangen bleef... De tremmers en de stokers waren druk bezig om de ziedende haarden onder de ketels brandende te houden. Oliemannen liepen rond in de machinekamer om alles aan de gang te houden. Daar was de geur van hete olie en koper, van zurig ruikende poetsdoeken. De machine stampte heel rustig, boenke, boenke, boenk, als een menselijk hart. Hebt u weleens een grote stoommachine gezien? Dat is werkelijk prachtig want je hoort niets als hij in werking is. Je hoort alleen het suizen van de drijfstangen, het sissen van de stoom en de praatjes van het machinepersoneel, op hoe zachte toon ook gevoerd. Het schip lag vol met huiden van koeien. Duizenden koeien hadden het leven moeten laten, waren gevild om het schip van lading te voorzien. In verre landen zouden mensen schoenen, banken en stoelen van al dat leer maken, drijfriemen voor dorsmachines. Verder hadden we rijst aan boord en machineonderdelen. Duizenden tangen, bouten, moeren en hamers en een paar kisten met bijbels voor mensen die nog geen opvoeding hadden genoten. Verder hadden we kisten met tijdschriften en met post. Dan hadden we ook nog de hele huisraad van drie families aan boord, mensen die van het ene werelddeel naar het andere trokken. Ik stond in het donker en hield het schip op koers. Af en toe kwam de stuurman op de radar kijken. 'Het is hier rustig, jochie,' zei hij, 'je kunt hier een kanonskogel afschieten en niets raken behalve water.' Er was een behoorlijke stroom van bakboord en ik moest tegenstuur geven. Ik trok dus eigenlijk steeds de rechterspaak van het wiel iets omhoog en zo zag ik dat het roer iets uit zijn gewone stand stond. Was er geen tegenstroom geweest dan zouden we onmiddellijk naar bakboord zijn uitgeweken. De stand van het roer stond in een klein verlicht kastje aangegeven boven het kompas. Eigenlijk stuurde ik dus voortdurend een beetje de verkeerde kant op om een rechte koers te blijven volgen. Het was een machtige gewaarwording. Ik kan u vertellen dat het heel wat mooiers is dan een roeiboot op koers houden. Het is heerlijk om een heel schip in je handen te voelen trillen. Ik voelde me een dwerg die een gevaarlijke reus eronder hield. En paar mijl recht vooruit hingen zware wolkenbanken. De stuurman kwam kijken en zei: 'Het gaat straks een beetje waaien en we krijgen regen.' Twintig minuten kon ik nog rustig doorvaren, maar toen regende het ineens! Stormen deed het niet, maar waaien deed het toch behoorlijk, misschien windkracht zes. Bovendien had ik nu een stroom die mij weer een andere kant op wilde duwen en nu moest ik weer anders tegenstuur geven. Twee uur lang zag ik het schip zijn neus in de golven begraven. Het water stroomde soms tot aan het stuurhuis en dan kwam de neus weer langzaam omhoog. Als je koers goed was kon je bij helder weer rustig een sterretje nemen dat recht naast de voormast stond. Als je dan vijf minuten lang dat sterretje recht naast de mast hield was het schip nog geen halve graad van zijn koers afgeweken, want zo snel draaien sterren niet om de aardbol. Dat ik als kleine jongen richting heb mogen geven aan een roer, aan huisraad van drie families, aan duizenden tangen en spijkers, aan tonnen met rijst en aan die duizenden koeiehuiden, dat de stokers en de tremmers hun best deden voor mij, eigenlijk omdat alleen ik het schip de goede kant op moest sturen, dat ik maar aan de telegraaf hoefde te trekken of het schip zou stil komen te liggen, dat ik als kleine jongen een heel schip mocht sturen terwijl de kapitein er niet eens van wist – de kapitein zat gezellig met zijn vrouw in een ruime hut, de vrouw las een krant en de kapitein een boek dat hij al vijfmaal gelezen had, de kat lag op tafel tussen hen in – dat ik een schip mocht sturen waarin de matrozen beneden kaartten met het mes op tafel, dat is de prachtigste ervaring in mijn leven. Al zou ik nog eens rector magnificus worden, al zou ik nog eens minister worden van het machtige Koninkrijk der Nederlanden, toch zou ik me nooit zo lekker en belangrijk voelen als toen. Ja, ketelbink naast God was ik en ik heb er bij elkaar misschien honderdvijftig gulden mee verdiend. Voor dat geld heb ik boeken gekocht en dat zijn pas mijn echte lievelingsboeken: *Dodenschip* van Ben Traven, *Lord Jim* van Joseph Conrad, *Candide* van Voltaire, *Moby Dick* van Melville, *Walging* van Sartre, *De avonden* van Gerard Reve en nog veel meer boeken, maar het liefst van al die boeken is mij toch *Witte nachten* van Dostojevski...

IV

Zo lag ik dus ziek in mijn bed aan van alles te denken. God, wat was ik blij dat ik leefde en de gedachte aan het boek *Witte nachten* bracht me weer op iets anders. (Eva deed de deur open en Mikkie kwam de slaapkamer weer binnen, eerst likte hij mijn neus en wreef langdurig zijn kop over mijn borst, hij snuffelde onder de dekens aan mijn onderbuik en toen ging hij tevreden piepend en soms een beetje grommend, als hij buiten iets hoorde dat hem niet beviel, aan het voeteneind liggen.) Door het schrijven van verhalen heb ik een Rotterdamse reder leren kennen die ik hier 'Paalvast' zal noemen, immers, ik wil zijn vrouw niet in verlegenheid brengen. Die reder nodigde mij, toen ik mijn tweede bundel had uitgegeven, samen met mijn vrouw uit. We hebben gezellig bij die man en zijn vrouw gegeten en tenslotte heb ik nog een paar verhalen voorgelezen. De familie was roomskatholiek en ik ben lang bevriend geweest met die Paalvast. Hij was zo vriendelijk! Altijd als ik bij hem wegging, vroeg hij: 'Heb je nog geld nodig?' Als ik gezegd had: 'Tja, misschien zou je me aan vijfduizend gulden kunnen helpen,' dan zou hij het meteen gegeven hebben en bovendien, dat weet ik zeker, zou hij gezegd hebben: 'Je krijgt het, ik wil het niet terughebben.' Nu had die man dezelfde karaktertrek als ik, hij was namelijk een beetje zwartgallig en vaak depressief. Op een gegeven moment kreeg zijn vrouw last van een buikziekte en ze konden geen gemeenschap meer met elkaar hebben, ze konden zich niet meer vleselijk verenigen. Paalvast had een groot kantoor en zijn schepen voeren over de hele wereld. Hij kende de rijkste mensen van Nederland, maar hij haalde toch ook armoedzaaiers als ik in huis. Hij ging naar de hoeren. Zijn vrouw kwam erachter en dat werd een geweldige scène. Ruzie en berouw, schuld en boete. Vlak na die ruzie kwam ik hem tegen in Amsterdam. We gingen in een goed restaurant eten en toen vertelde hij mij dat zijn leven hem helemaal niet aanstond: zeker, hij had een groot huis, lieve kinderen, zijn zaken gingen goed, maar er was toch maar één ding wat hij echt wilde en dat was een boek schrijven dat net zo mooi en zo puur, zo ontroerend en zo rein was als *Witte nachten* van Dostojevski. Hij was al vaak begonnen, maar het was hem nooit gelukt. 'Ik ben nu eenmaal geen schrijver,' merkte hij moedeloos op, 'en al zou ik een schrijver zijn... er zijn duizenden schrijvers op de wereld, maar er is maar één Dostojevski en juist zijn leven zou ik geleid willen hebben. Dat gepraat met die stuurse, laag-bij-de-grondse zakenlieden met hun platte grollen zit me tot hier,' hij wees naar zijn keel, 'ik heb werkelijk genoeg van mijn leven, nu heb ik er ook nog die buikziekte van mijn vrouw bij en ik besef dat ik haar niet ontrouw mag zijn of bedriegen. Je weet niet hoe jaloers ik op jou ben, Maarten, want jij bent tenminste een schrijver en jij hebt de kans om ooit nog eens een écht mooi verhaal te schrijven. Je kunt je niet voorstellen hoe verschrikkelijk ongelukkig ik ben.' Zo zat hij wel een half uur over zichzelf te vertellen en steeds weer kwamen die *Witte nachten* terug. 'Dat is het nobelste verhaal dat ooit geschreven is,' zei hij, 'als ik het begin te lezen krijg ik al tranen in mijn ogen.' We namen een lekker puddinkje voor toe, we namen koffie en staken een havannasigaar op. Toen vertelde ik hem welke verhalen ik nog wilde schrijven de komende maanden en hij vond het allemaal best aardig. 'Daar zit wel wat in,' zei hij steeds, 'nee beslist, helemaal krankzinnig ben je niet.' Ik moest in Amsterdam blijven en hij reisde weer terug naar zijn stad en zijn huis. Het was de laatste keer dat ik hem had gezien...

Want wat is er gebeurd? Hij heeft het voor mij verborgen willen houden, maar ik ben er toch achter gekomen. Het leven werd zo ondraaglijk voor hem, en ik begreep wel dat het iets met het verschil tussen de huidige werkelijkheid, onze dagelijkse ervaringen en het moois uit *Witte nachten* te maken had, dat hij besloot zich van het leven te beroven. Nu had hij daar een heel vreemd plan voor uitgedacht. Hij wilde zich namelijk per se een zilveren kogel door het hoofd schieten. Ik denk dat hij een loden kogel te platvloers vond. 'Een heer moet zich met een keurige kogel het leven benemen.' In ieder geval miste zijn vrouw op zeker ogenblik het dopje van de deksel van de geheel zilveren theepot die ze daar thuis hadden. Hij had het losgeschroefd en op zijn kantoor zat hij uren te polijsten en te vijlen op die kogel tot hij precies in de loop van zijn revolver paste. Wat zal die arme Paalvast tijdens dat karwei allemaal door zijn hoofd zijn gegaan aan gedachten? God, wat een miserabel en tegelijk goed mens! Zijn vrouw zocht overal naar de dop van de deksel van de theepot, het hele huis zocht ze af, maar nooit heeft Paalvast gezegd dat hij het ding had weggenomen of losgeschroefd. Op een gegeven moment had hij een kogel die precies de vorm en de afmetingen van een loden revolverkogel had, de loden en de zilveren kogel waren volkomen congruent. Toen heeft hij de kogel in een loden huls geschoven en die in een revolver gezet. Hij schreef een brief aan zijn vrouw: 'Hierbij neem ik afscheid van je. Het leven werd mij te veel. Het spijt me dat ik iets voor je verzwegen heb, ik heb me van het leven beroofd met de dop van de deksel van onze zilveren theepot. Als je na mijn dood mijn hoofd open laat maken zal de dokter zeker de dop die nu een kogel is, terugvinden. Het schroefje waarmee je de dop weer op de deksel kunt zetten ligt onder in mijn tabaksdoos. Ik heb altijd veel van je gehouden en van de kinderen ook, maar nu... helaas, er staat mij geen andere weg open. Vaarwel toegewenst door je lieve Jan.' Hij schoot zich voor zijn kop en het lijk werd naar huis gebracht. Er kwam een arts en die maakte het hoofd open. Hij vond de kogel en gaf die aan de vrouw van Jan. 'Wilt u de hersenen ook hebben?' vroeg hij, 'of zal ik die maar weer terugstoppen in de schedel?' 'Geef mij de hersenen ook maar,' zei de vrouw en met tranen in haar ogen heeft ze uren in de grijze massa fosfor en vet zitten roeren alsof ze alsnog de diepste gedachten van haar man wilde leren kennen. (Ze heeft me jaren later pas uitgelegd hoe het allemaal in zijn werk is gegaan.) Ik hoorde van Jans dood en ik reisde snel naar het huis van de rampspoed. Daar was een bisschop aanwezig die de hand van mevrouw vasthield. Er waren een paar andere vrienden van Paalvast, er waren een paar vrouwen en dan was ik er. De theepot stond midden op tafel en ik zag meteen iets vreemds aan het dopje op de deksel. 'Dat lijkt wel een kogel,' zei ik, 'was dat vroeger niet zo'n gezellig dopje, iets in de vorm van een paddestoel of een eikeltje?' 'Nee hoor,' zei de vrouw, die Nellie heet, 'dat is altijd zo geweest.' Ze had zelf de kogel weer vastgeschroefd, ze had het zilveren schroefje onder in de tabaksdoos van haar man gevonden. Later, veel later heeft ze me dat pas verteld. Er kwamen vreemde mannen het huis binnen en die begonnen Jan Paalvast, die in de slaapkamer op bed lag, af te leggen. Ik zag toevallig hoe mijn goede vriend het huis uit werd gedragen. Hij, of liever zijn lichaam, lag op een baar en was geheel toegedekt met een laken dat wel tot op de grond reikte toen de mannen de baar droegen. Op het moment dat het lichaam het huis verliet hoorde ik Nellie zeggen: 'Oh nee, jij geen suiker.' Vreemd is dat, als je trouwt betreed je allebei bewust het nieuwe huis, de bruid wordt zelfs het huis binnengedragen, alles is heerlijk en mooi en de gelieven slaan voortdurend acht op elkaar, maar als er één dood gaat merkt de ander niet hoe de gestorvene het huis uit wordt gedragen, en zegt: 'Oh nee, jij wilde geen suiker.' De bisschop zat maar naar de kogel te kijken en vroeg aan Nellie hoe dat toch zat met dat vreemde ding. 'Dat lijkt wel een kleine kogel,' zei hij. Maar Nellie bleef bij hoog en bij laag beweren dat de theepot er altijd zo had uitgezien. Ik ging even naar de keuken om iets in de vuilnisbak te werpen en zag een grijze smurrie liggen tussen de eierschalen en een bedorven salade. Pas nu weet ik dat dat Paalvast zijn hersenen moeten zijn geweest!

Het is een droevige geschiedenis en toch zit er weer iets komisch aan vast. Blijkbaar was het de mensen niet gegeven om Paalvast te begraven en te gedenken op een manier die het meest voor hem geschikt was. Misschien ook zou hij er trouwens zelf om gelachen hebben als hij het gehoord had. Een uur lang waren de mensen erg droevig, de bisschop huilde zelfs en de vrouwen huilden ook, de goede eigenschappen van Paalvast werden naar voren gehaald, maar je kunt niet de hele dag droevig blijven. Tijdens het eten begon de bisschop te vertellen over zijn jeugd toen hij nog maar een eenvoudige pater was. Hij ergerde zich in zijn tijd aan allerlei smerigheid. Zo kon hij het niet verdragen dat Indianen werden doodgemaakt door Zuidamerikanen omdat ze land wilden winnen, hij was boos op Hitler en voelde al op zijn klompen aan dat die man een ramp voor de joden zou worden, maar het diepst ergerde hij zich aan de manier van dansen in die tijd. Jonge mannen en vrouwen dansten dicht tegen elkaar aan, 'en op die manier konden ze alles voelen wat ze in bed samen ook kunnen voelen en dat hoort niet want eigenlijk moeten mensen getrouwd zijn voor ze pas zo innig met elkaar mogen omgaan! Ook katholieke ongetrouwde paartjes dansten op de meest vunzige manier met elkaar. Ik heb het zelf in de dansscholen gezien en heb er vaak met de dansmeesters over gesproken. "Er is niets tegen te doen," zeiden de dansmeesters, "de jonge mensen zijn tegenwoordig zo hitsig, wij kunnen hen gewoon niet uit elkaar houden. Als levende sandwiches huppen ze voort!" Toen heb ik een uitvinding gedaan. "Als het niet goedschiks gaat dan maar anders," dacht ik, ofwel "Und bist du nicht willig, so brauch ich Gewalt!" Ik nam twee hoepels die met een scharnier open en dicht konden zodat ze precies om het middel van een jong mens pasten. Met een slot konden die hoepels vergrendeld worden. Nu nam ik twee van die hoepels en laste daar een kuisheidsstang van een meter tussen. Met behulp van dat apparaat zou ik de mensen wel eens willen zien dansen! Het is er helaas nooit van gekomen.' De bisschop tekende ons voor hoe de hoepels eruitzagen, hij deed dat op een schoon servetje. De tekening zag er zo uit:

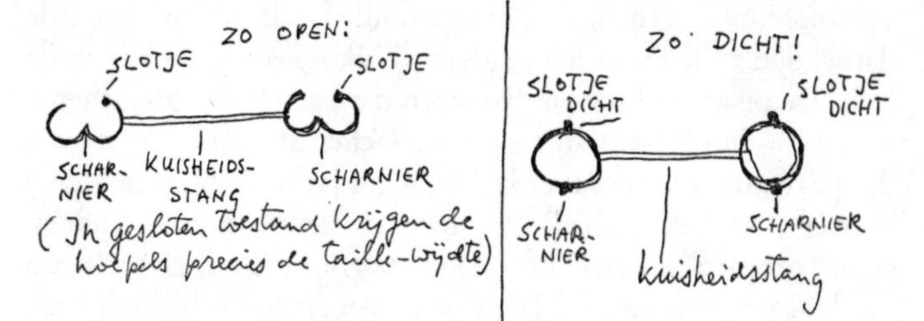

'Met die hoepels,' ging de bisschop door, 'ben ik naar het Vaticaan gereisd en na een week werd ik tot de Paus toegelaten. Hij omhelsde mij en het volgende gesprek ontwikkelde zich, ik kan het me nog woordelijk herinneren: "Infante care mi, audivi te inventionem habere ad maiorem gloriam Dei." (Mijn lief kind, ik heb gehoord dat jij een uitvinding bij je hebt tot meerdere glorie van God.) "Monstrabo vobis inventionem." (Ik zal de uitvinding aan u tonen.) "Miraculum," zei de Paus, "nostri saeculi, quomodo laborat instrumentum obsistendi sordidae saltationi?" (Het grote wonder van onze eeuw, hoe werkt het instrument om het vieze dansen tegen te gaan?) "Hae circula ferri iuncta sunt per baculum pudicum quod separat saltantes sicut perturbatione ejaculatio seminis masculinis non fiat praematuriter frustraque." (Deze ijzeren hoepels zijn met elkaar verbonden door een kuisheidsstang die de dansende paartjes van elkaar gescheiden houdt zodat door de verwarring der zinnen een uitstorting van mannelijk zaad niet voortijdig en tevergeefs kan plaatsvinden.) De Paus begon nu heel vriendelijk te lachen en legde zijn handen op mijn schouders. "Benedico tuo instrumento aqua sancta," zei hij en hij dééd het! (Ik zegen uw instrument met heilig water.) "Permissus sum abire?" vroeg ik, "pocolo pavidus sum in vestra praesentia." (Mag ik nu weggaan? Ik ben een beetje zenuwachtig in uw aanwezigheid.) "Abi, infante care mi," zei hij helemaal niet kwaad geworden, "sed non bibi nimis multum." (Ga maar weg mijn lieve kind, maar drink niet te veel.)' 'Zo, dus u hebt al heel jong de Paus zelf gezien en de hand geschud?' vroeg Nellie. 'Ja, heel jong was ik werkelijk,' zuchtte de bisschop, 'maar niét door die hoepels heb ik het zover geschopt in de kerkelijke hiërarchie. Het idee van de hoepels ligt trouwens nog steeds in het Vaticaan en popelend van ongeduld verbeid ik het ogenblik dat de hoepels voor de dansenden zullen worden ingevoerd.' Ik schoot geweldig in de lach. De bisschop keek mij bevreemd aan: 'Moet u zo lachen?' vroeg hij, 'nu ja, wat zou het ook, lachen staat u vrij, jammer dat Paalvast niet wat vaker lachte, maar ja, we hebben het nu al zolang over hem gehad. We moeten beslist onze gedachten even verzetten. Hoewel het een grote zonde is om zichzelf van het leven te beroven zal Jan vast en zeker in Gods koninkrijk worden opgenomen, want hij heeft werkelijk tonnen weggeschonken aan de armen. Nellie,' zei de bisschop vriendelijk, 'je mist een heel goede man aan die Paalvast, maar het is nu eenmaal gebeurd, zet je er nu even overheen want als je drie dagen achtereen blijft huilen, blijf je je hele leven misschien huilen...'

Een paar dames zaten over hun bloemkool en vlees gebogen en keken Nellie aan. 'Hebt u ook een augurkje voor mij?' vroeg een van de dames aan de bisschop. Toen ze het op had wendde ze zich tot Nellie en zei: 'Nu moet ik je eens iets vreemds vertellen. Wil je wel geloven dat ik altijd heb gedacht dat augurken eigenlijk visjes waren? Ik dacht dat het heel vreemde visjes waren die bij China of in die buurt werden gevangen. Ik verkeerde in de mening dat men de koppen, de vinnen en de staart eraf haalde, dat men vervolgens de buik volpropte met het vlees van een aubergine, ik dacht dat de visjes dan groen werden gekleurd, op sap werden gezet en naar Nederland werden gestuurd. Dat heb ik tot mijn veertigste gedacht. Ja, werkelijk, het is natuurlijk een vorm van bijgeloof, maar tot mijn veertigste heb ik daarin geloofd, totdat mijn ogen op een groentekwekerij opengingen, het bleek mij toen dat augurken gewoon kleine komkommertjes zijn eigenlijk, in ieder geval familie van komkommer en dat ze zo van de plant geplukt op zuur worden gezet. Je kunt je niet voorstellen hoe vreemd ik daarvan stond te kijken!' Iedereen lachte, het was een mallotig verhaal. Toen nam een andere dame het woord, ze tikte even met haar vork tegen haar glas om stilte te krijgen en vertelde toen: 'Ik heb eigenlijk net zoiets meegemaakt. Alleen is het niet mij overkomen maar mijn man. Hoe hij erbij kwam mag God weten, maar hij heeft tot zijn achtendertigste geloofd dat alle vrouwen op de hele wereld op precies dezelfde dag de maand kregen. Hij heeft het daar nooit met mij over gehad, het was nu eenmaal zijn stellige overtuiging. Op een keer lag ik ziek in bed toen ik bovendien nog de maand kreeg. En mijn maandverband was op dus ik moest mijn man wel naar de drogist sturen om het spul te halen. Hij was een kwartier weg en toen hij terugkwam zei hij verbaasd tegen mij: "Wat gek, het was helemaal niet druk bij de drogist." Ik vroeg hem uit en pas toen kon ik hem van zijn waandenkbeeld afhelpen.' De mensen lachten en zelf moest ik eigenlijk ook lachen. Maar ik had nog te veel de droeve geschiedenis die mijn vriend overkomen was in mijn hoofd en daarom verliet ik het huis een kwartier later. Een paar dagen later werd mijn vriend begraven.

V

Het was avond geworden en mijn vrouw kwam het raam en de gordijnen op mijn kamer sluiten. Even later bracht ze mij mijn eten. Ik had een hele tijd slecht gegeten, maar nu kon ik tenminste weer iets in mijn maag houden. Eerst kreeg ik aspergesoep, daarna postelein met gebakken aardappeltjes en een grote, malse biefstuk, flink knapperig vanbuiten en zacht vanbinnen, voor toe kreeg ik kwark met abrikozen en ze kwam erbij zitten toen ik in bed nog mijn kopje koffie dronk. Ik vroeg of ze het goedvond dat ik in bed een klein sigaartje rookte. Dat mocht ik en ik genoot ervan. Mijn vrouw vertelde me dat ze naar een vergadering moest en ze wilde weten wat ik nou ging doen: slapen of nog iets lezen? Ik had al steeds aan *Witte nachten* liggen denken en zei haar: 'Misschien wil je mij mijn lievelingsboekje van Dostojevski even aanreiken?' Ze deed het en vertrok een kwartier later. Ik begon te lezen, het is eigenlijk maar een heel klein verhaal waar je niet meer dan veertig minuten voor nodig hebt, zeker als je het verhaal al zo goed kent als ik. Ja, *Witte nachten*, dat ik hier niet in het kort weergeef omdat u het beslist lezen moet, is beslist het roerendste verhaal dat ik ken. Ik ken geen enkel boek waarin in kort bestek zo goed de begrippen 'opofferingsgezindheid', 'naastenliefde', 'hartstocht' en 'liefde' uit de doeken worden gedaan. Vermoeid liet ik het boek, toen ik het uit had, uit mijn handen glijden, ik deed het licht uit en binnen vijf minuten was ik in slaap. En ik droomde dat God een witte ijsbeer was. God was droevig en ik vroeg Hem waarom Hij droevig was. 'Omdat ik niet lezen kan,' zei Hij. 'Wat wilt u dan lezen?' vroeg ik. 'Slechts één boek,' zei Hij, 'een boek van een mens, maar het schijnt nog mooier te zijn dan de bijbel, het heet *Witte nachten* of zoiets.' En ik pakte het boek en las het Hem voor. Toen ik het verhaal helemaal voorgelezen had begon Hij te huilen. Hij gaf me een bos herfstbloemen en zei: 'Nu kan ik weer regeren.'

Een gelukkige, oude dag

Een paar dagen geleden las ik in de krant bij de overlijdensadvertenties: 'Gisteren overleed mijn lieve man, onze vriendelijke vader, zwager, neef en grootvader, de bibliothecaris Johan Goekoop op de leeftijd van achtennegentig jaar. Zijn leven was werken.' Dat deed me denken aan het volgende verhaal: Meneer Goekoop, meester in de rechten en directeur van een tamelijk grote wetenschappelijke bibliotheek in Delft, was vijfenzestig geworden. Veertig jaar lang was hij tot zijn grootste genoegen bibliothecaris geweest. Jarenlang had hij aan de catalogi zitten sleutelen. Toen hij eenmaal directeur was vond hij een alfabetische en een systematische catalogus niet genoeg. Hij had zitten zwoegen op een trefwoordencatalogus. Langs zoveel mogelijk wegen moest het boekenbezit van de waardevolle bibliotheek volgens hem ontsloten worden. Per jaar kreeg en kocht de bibliotheek ongeveer duizend nieuwe boeken. De laatste tijd liep alles op rolletjes. Meneer Goekoop hielp zelf op de afdeling aanwerving van boeken, soms hielp hij bij het catalogiseren, een andere keer was hij aan het documenteren. Maar zijn grote liefde waren toch de catalogi. Niets was voor Goekoop eigenlijk een mooiere ervaring dan een verlegen Japanner binnen te zien schuifelen die tegen de assistent niets anders wist uit te brengen dan: 'Steamship insurance, nineteenhundred and ten, South Africa... I need all books on that subject,' terwijl de assistent geduldig en met een glimlach zat te luisteren, vervolgens in de catalogus dook en binnen twintig minuten tachtig boeken voor de Japanner uit het magazijn te voorschijn toverde. En dan moest je het gezicht van die Jap zien: alsof hij water zag branden. Over de hele wereld had hij lopen zoeken naar die tachtig boeken, maar meer dan tweeëntwintig had hij er nooit kunnen vinden. 'Catalogues in England, France and America very complex,' zei de Japanner, 'here catalogues are marvellous.' Dat waren triomfen waar het hart van Goekoop van opzwol. Hij had naam gemaakt in binnen- en buitenland. Hij had zelfs een lintje gekregen. Op zijn laatste werkdag was er groot feest op de bibliotheek. 's Morgens kregen ze drie kopjes koffie, meer dan gewoonlijk, er was gebak en er waren broodjes tartaar en broodjes met haring. Maar 's middags werd alles nog maller. Het hele bedrijf werd lamgelegd, de vaste bezoekers die in de zaal zaten werden ook uitgenodigd voor het feest, studenten, curatoren, ambtenaren en ingenieurs, doctoren en professoren. De hele middag knalden de champagneflessen, er werd getoost, er werden toespraken gehouden, op een lange tafel in de hal stonden salades en koude vleeswaren, de burgemeester kwam en hemelde Goekoop op dat het een aard had. 'Een bibliothecaris als u zullen we voor dit instituut wel nooit meer vinden,' zei hij en tenslotte gaf hij hem de erepenning van de stad. Een dame die lid was van het bestuur van de bibliotheek weende zowaar en de voorzitter van het bestuur gaf hem *Candide* in goudleer gebonden. *Candide* was Goekoops lievelingsboek. Professor Dr. Ir. Deudekom, een kleine, dikke man in driedelig kostuum, met een kaal hoofd en rode wangen, met een kunstgebit en piepkleine glanzende schoentjes, hield een grappige toespraak waar iedereen om moest lachen. Mevrouw Goekoop was er ook, ja, zij deelde in de eer van haar echtgenoot. Al vlug was het vijf uur en men schudde de ex-bibliothecaris en zijn vrouw de hand. Toen iedereen weg was namen Goekoop en zijn vrouw nog een haring en voor de laatste maal liet hij zijn echtgenote de catalogi zien. Mevrouw trok verstrooid een laatje open en zag terwijl ze de kaartjes onder haar wijsvinger weg liet tuimelen: 'Pollini, Polonex, Polonti, Polvov, Pzilzudski, Pzilzudskov, Pzkaltmann en meteen daarop Quaanman, Quaatsteniet, Quat, Quelempi, Questzak en Quock de Maurentius.' 'Wat een namen,' zei ze terwijl ze haar hoofd schudde. 'Vreemd dat je in deze bibliotheek nooit namen tegenkomt als Reve, Vestdijk, Morriën, Wolkers, Van Kooten, Roland Holst, Melville, Toergenjef, Habakuk de Balker, Komrij en Krol, namen die je in de *Haagse Post* en *Vrij Nederland* tegenkomt. Wat een namen,' zei ze nog eens, 'je zou haast niet geloven dat het schrijvers zijn.' 'Maar het zijn allemaal geleerden uit Hongarije, Roemenië,

Finland, Turkije, dat zijn altijd vreemde namen,' verduidelijkte Goekoop. 'Leo Tolstoj heeft nu eenmaal niet geschreven over de tuimelkansen van de schuifhefkraan, Couperus niet over stoommachines en daarom heb ik die namen niet in mijn systeem. Maar neem van mij aan dat die Pzkaltmann een man van vlees en bloed is. God!, op welk een prachtige manier heeft hij afgerekend met de evoluerende expansieleer in stoommachineketels bij verhitting tot boven de driehonderd graden, een puik stukje werk. En neem hier bijvoorbeeld Tarant de Beaubourg, Emile, François, Joseph, professeur de l'université de Kadmandu, de uitvinder van de stadsverwarming op huisvuil...' 'We moeten weg,' zei de vrouw. 'Ja,' mompelde Goekoop somber, 'het is tijd om definitief afscheid te nemen.' Ze hadden tassen bij zich en een doos. Daar stopten ze de overgebleven etenswaar in, een fles wijn, een fles cognac en de cadeautjes. Toen ze buitenkwamen regende het. Ze liepen naar het station en reisden met de trein een klein half uur naar Rotterdam, waar ze midden in het centrum een schattig houten huis hadden, geheel vrijstaand, met een tuin van zeshonderd vierkante meter waarin kippen liepen, een geit en tien poezen. De hond scharrelde daar ook altijd. In het huis hadden ze een vleugel, geweldig veel boeken, een kanarie, een beo en een papegaai. In de trein stak Goekoop de ene sigaret na de andere op. 'Rook jij nou eigenlijk niet een beetje te veel?' vroeg zijn vrouw, 'als je zo doorgaat met roken zul je misschien spoedig sterven, vooral omdat je nu minder beweging dan vroeger hebt.' 'Ik rook ongeveer twee pakjes Pall Mall per dag,' zei Goekoop verlegen, 'misschien is het wel een beetje te veel.'

Een half jaar was voorbijgegaan. De eerste maand was Goekoop nog vaak naar de bibliotheek gegaan, maar hij kon de radicaal andere aanpak van de nieuwe directeur, die hij trouwens niet kon uitstaan – de man had een falsetstem en snoof tabak met een buitengewoon bekakt gebaar – niet verdragen. Het was alsof zijn levenswerk werd tenietgedaan. Thuis zat hij veel te lezen, maar hij kon ook uren ijsberen en daarbij rookte hij maar die vervloekte sigaretten. Natuurlijk was het gezellig thuis, maar hij was er de man niet naar om de hele dag in de tuin te werken. Zijn gemiddelde werd op den duur één boek per dag, ja met gemak verslond hij vierhonderd bladzijden in ongeveer tien uur en in de tijd tussen opstaan en naar bed gaan rookte hij nu ongeveer zestig sigaretten. Hij was gewoon een lezende stoommachine in een gemakkelijke stoel geworden. Om de vijf bladzijden stak hij als een automaat een nieuwe sigaret op. 's Zomers rookte hij in de tuin, om zijn stoel lagen er meer sigarettepeuken dan er madelieven en brandnetels groeiden. 's Winters rookte hij in de huiskamer. Op een nacht, ze sliepen in een gezellig tweepersoonsbed vlak onder het dak, als het regende of hagelde tikte het op de pannen zo gezellig, ging zijn vrouw rechtop in bed zitten en porde haar man wakker. 'Het is afgelopen met die sigaretten,' zei ze beslist. Goekoop was nog niet helemaal wakker. Hij droomde net zo aangenaam van een bark die hem over een rimpelloze zee, met een licht briesje in de zeilen, van het ene strand met palmen en een drankje in de schaduw – er zaten vrouwen van grote schoonheid die zijn schoenen poetsten en zijn haren kamden – naar het andere strand voerde. 'Ja schat?' zei hij knorrig, 'waar had je het over?' 'Je gaat naar de zevendedagadventisten,' besliste zijn vrouw, 'morgen vroeg, je doet het meteen, die leren je in drie weken het roken af. Hoe ze het precies doen weet ik niet, maar het is een afdoende methode. Meneer Van Plugge heeft het zo afgeleerd, meneer Boonstra en meneer Hilarius ook.' Hij begreep zijn vrouw goed, ze was geen dwingeland, maar als ze zich eenmaal iets in het hoofd had gezet was ze daar niet meer van af te brengen... En inderdaad, op miraculeuze wijze leerde hij bij de adventisten in drie weken het roken van sigaretten af. Hij las zijn boeken weer en liet zijn hond vijfmaal per dag uit. Maar nu verslond hij per boek tegelijk ongeveer een kilo snoep. Hij gebruikte kauwgom, hij slikte drop, hij vrat pepermunt, hij verslond bonbons, kaakjes, koekjes en gebakjes. En alsof dat allemaal nog niet erg genoeg was, had hij zich ook nog over laten halen om zelf adventist te worden. Op de cursus had hij als wijs advies meegekregen dat hij, als hij het roken echt niet kon laten, een pijp na het avondeten mocht gebruiken. Hij begon pijp te roken, eerst een pijp na het eten, maar na een jaar rookte hij de hele dag pijp, ook vrat hij zijn snoep en 's zaterdags ging hij naar de diensten van de adventisten, terwijl hij zijn hele leven ongelovig was geweest. Kennissen zeiden weleens als hij een pijp opstak: 'Maar jij rookte toch niet meer?' 'Dit is ook geen roken,' verklaarde Goekoop, 'bij een pijp word je niet vergiftigd door sigarettepapier en bovendien inhaleer je de rook niet, nee, dat is beslist geen roken, ik mag niet meer roken en omdat ik niet rook snoep ik.' Hij stak een bonbon in zijn mond en toen hij die had doorgeslikt stak hij een pijp op. Nu wist Goekoop wel wat pijproken was. Hij rookte pijpen met een zo grote kop dat er wel een half ons tabak in kon. Op een nacht maakte zijn vrouw hem weer wakker. 'Johan,' sprak ze, 'Johan, het wordt te gek, je moet het allemaal afleren want je gaat onherroepelijk te vroeg dood.' Goekoop was inderdaad erg dik geworden en als hij een trap had beklommen stond hij een kwartier lang naar adem te happen. 'Wat zou je nu het liefst willen?' vroeg zijn vrouw, die Nellie heette, 'want je bent blijkbaar niet tevreden.' 'Ik zou bibliothecaris willen wezen,' klaagde Goekoop, 'tot aan mijn dood.' 'Hoeveel boeken hebben wij in huis?' vroeg Nellie. 'Ongeveer veertienduizend,' zei Johan. 'Nou, daar kan je toch een uitleenbibliotheek van maken?' opperde Nellie, 'we beginnen morgen meteen.'

Vanaf dat ogenblik waren ze samen de hele dag bezig hun boekenbezit te catalogiseren. Er kwamen drie grote systeemkasten in huis en daarin werden de kaartjes die ze gezamenlijk maakten opgeborgen. En inderdaad kon je bij het trefwoord 'zee' de volgende schrijvers over de zee aantreffen: Heijermans, De Hartog, Joseph Conrad, Joop Waasdorp, Richard Hughes, W. W. Jacobs, Jack London, Captain Marryat, John Masefield, Maarten Biesheuvel, W. Somerset Maugham, Herman Melville, Edgar Allan Poe met zijn krankzinnige zeeverhaal 'De fantastische reis van Arthur Gordon Pym', R. L. Stevenson, Daniel Defoe en Rudyard Kipling. Ze waren er lang aan bezig. En Goekoop begon weer helemaal op te fleuren. Toen de alfabetische catalogus af was snoepte hij werkelijk niets meer. Misschien een koekje op zondag, maar daar bleef het bij. Toen de systematische catalogus af was, wierp hij zijn pijpen in het vuur en begon weer sigaretten te roken. Niet meer zoveel als vroeger, hij rookte nu ongeveer tien sigaretten per dag en toen ook de trefwoordencatalogus af was, riep hij uit: 'En nu ga ik nooit meer naar die stomme adventisten!' Nog een week was hij aan het redderen. Toen zette hij een advertentie in drie grote dagbladen dat voortaan de bibliotheek Goekoop zijn boeken uitleende voor een kwartje per maand. Een dag later kwam de eerste bezoeker al, een jongen van achttien jaar. Hij nam twee Nabokovs mee en drie delen Walser. De jongen had ook veel belangstelling voor het gouden exemplaar van *Candide*, maar dat mocht alleen in de bibliotheekzaal, de huiskamer eigenlijk, gelezen worden. Nellie dribbelde af en aan met de boeken en Johan schreef ze in. Hij rookte niet, hij snoepte niet en zijn gedachten waren geenszins bij zaken van apocalyptische aard. 'Wat een prachtige bibliotheek,' zei de jongen. En Goekoop zat te stralen. Toen de jongen de boeken in zijn tas had gestopt nodigde Nellie hem uit voor een kopje thee in de tuin. 'Omdat u onze eerste lener bent,' zei ze trots. De jongen bekeek de kipjes, de poezen, de hond, de kanarie, de beo, de papegaai en de geit. Al de dieren hadden hun eigen kunstjes. Het was voor de jongen heel grappig om mee te maken en hij nam zich voor hier zijn leven lang boeken te blijven lenen. Na twee uur stapte hij op. Nellie en Johan zaten tevreden naast elkaar in de tuin, ze wachtten tot de voordeurbel weer zou gaan. 'Prachtig, prachtig,' zei Johan tevreden, 'zo beginnen wij een nieuw leven, gek eigenlijk dat jij me altijd aan ideeën moet helpen, Nellie.'

Handwerk

De professor zat op zijn leren bureaustoel in zijn grote kamer. Het was een geweldig vertrek en rondom het bureau stonden ruim tweeduizend boeken in hoge kasten. Hij zat gebogen over een proefschrift waar hij niets van begreep. Hij was een kenner op het gebied van de antropologie, hij had er zelf wel twaalf boeken over geschreven, lijvige delen. Tot nog toe had hij alle proefschriften over het onderwerp waarin hij thuis was gesnapt, hij had er met gemak over mee kunnen praten. Dit keer echter hadden ze hem vanuit Parijs iets opgestuurd. Het was een geweldige eer voor hem: in de lichtstad hadden ze niet goed begrepen waar dit werk over ging en men kon toch moeilijk zeggen tegen de promovendus: 'Nous n'avons rien compris de votre thèse, maintenant nous sommes dûs de vous donner le summa cum laude.' Daarom hadden de heren professoren uit Parijs een exemplaar van het proefschrift naar hem gezonden en ook hij, dr. Peters, kon er geen touw aan vastknopen. Dit was wetenschappelijke wartaal of het was een geniaal werkstuk. Het regende buiten en hij had de ramen openstaan. Hij ging bij het venster staan en hoorde de regen vallen. Hier en daar zong aangenaam een vogel. Er kwam een dame met boodschappen in haar tas voorbij, er passeerde een luxeauto. De zon was niet te zien, vandaag begraven in grijze sluiers. Ongeveer een kwartier bleef de professor zo staan. Hij floot deuntjes uit opera's die hij goed kende. Tenslotte ging hij weer aan zijn bureau zitten en krabbelde zich op zijn haast kale hoofd. Hij zette de radio aan, er kwam heel duidelijk een strijksextet van Brahms door. Vijf minuten zat hij daarnaar te luisteren, maar zo kon hij zich niet concentreren. Hij draaide de knop weer om met het doel zich weer aan het vreemde werkstuk te wijden. Het motto van het proefschrift was: 'Als men maar lang genoeg trommelt, verdwijnt op den duur vanzelf de zonsverduistering.' Het werk ging over begrafenisriten bij de Egyptenaren en over de rol die de zon daarin speelt. Het proefschrift was vierhonderd bladzijden dik en telde maar weinig noten. Het was in een krankzinnig moeilijk Frans geschreven. Dr. Peters zat te zweten en te zwoegen, hij sloeg er andere boeken op na maar kon niets vinden over dit onderwerp. Hij begon door zijn kamer te ijsberen en mopperde: 'Sakkerloot, voor de donder, allemachtig, wat is er nu toch eigenlijk aan de hand? Tot nu toe is een proefschrift altijd een fluitje van een cent voor mij geweest en nu ineens dit, nom de Dieu!' Op dat ogenblik ging de bel. Zijn vrouw en kinderen waren niet thuis, een dienstbode was er ook niet. De professor keek uit het raam en zag een oud kereltje met een mand op zijn rug voor de deur staan. De oude was klaarblijkelijk komen lopen want hij was drijfnat. Onze geleerde, die maar al te graag gestoord wilde worden, riep naar beneden: 'Wat is er van uw dienst, meneer?' 'Ik ben de matter,' riep de oude op straat voor de deur terwijl hij naar boven keek. De professor zag een oud, verweerd, gerimpeld gezicht, flink bruin met flaporen en in dat gezicht glinsterden twee blauwe, slimme oogjes. 'De matter?' riep de geleerde, die er nog niets van begreep. 'Jawel,' zei de oude. 'ik kom immers de stoelen maken.' 'Oh, ik begrijp het al, ik weet het alweer,' riep de geleerde, 'ik kom onmiddellijk naar beneden.' Hij sloot het raam en liep snel de trappen af. Hij opende de deur en de oude met zijn spullen kwam binnen. De geleerde bracht de werkman naar de huiskamer. Daar stonden vier stoelen om de tafel waarvan de bematting geheel stuk was gegaan. De werkman liet er glimlachend zijn blik over glijden. 'Dat zijn nog puike stoeltjes,' zei hij. 'Inderdaad prachtige stoelen,' antwoordde Peters, 'ze zijn al meer dan honderd jaar in de familie, het houtwerk is nog helemaal goed, maar de zittingen zijn door en door versleten.' De werkman zette zijn mand neer en haalde zijn spullen eruit. Hij pakte een van de stoelen en ging op de grond zitten. Hij legde de stoel op zijn knieën. Hij keek om zich heen. 'Prachtig huis hebt u anders, meneer,' zei hij, 'het ligt hier zo rustig. Wat hebt u een fraaie schilderijen aan de wand en wat een boeken in de kasten hier, en dan tel ik wel vier katten. Zijn die allemaal van u?' 'We hebben zes katten, maar twee katers zijn op het ogenblik al een paar dagen weg. Die zijn op de vrouwtjesjacht,' zei Peters. Hij nam een fauteuil en ging voor de afleiding en de gezelligheid zo zitten dat hij precies kon zien wat de werkman deed. Behendig rukte die met behulp van een scherp mes en een tang de oude biezen van de stoelen. 'Spaanse biezen,' mompelde hij, 'dat is altijd rotzooi, je moet biezen uit de Biesbos hebben meneer, die gaan gegarandeerd eeuwen mee.' 'Hoe komt u eigenlijk aan die biezen?' vroeg Peters. 'Die snij ik zelf,' zei de oude, 'ik ga met mijn bootje de plas op en zoek de beste biezen uit. Biezen zijn alleen geschikt als ze in brak water groeien. Thuis leg ik ze te drogen in de zon en als ze eenmaal een grijs-groene kleur hebben zijn ze klaar voor verwerking. Ik heb dit werk mijn hele leven gedaan.' De professor ging er eens voor zitten en vroeg, nu niet meer denkend aan het vreemde en moeilijke proefschrift: 'Vertelt u me eens wat meer van de snijden. U hebt wel een heel romantisch beroep, geloof ik, in onze geheel vertechnologiseerde en gecomputeriseerde wereld. We leven in de tijd van de snelle communicatie, bent u weleens in het buitenland geweest?' De matter begon te lachen. 'Wat zou ik daar moeten zoeken meneer?' vroeg hij, 'ik ben geheel tevreden met Nederland, ik ben nog nooit over de grens geweest.' 'Vertelt u me alstublieft eens wat meer over de Biesbos, in welke tijd van het jaar gaat u nu biezen snijden en verzamelen?' vroeg de professor. En de matter begon, terwijl hij vlocht, niet opkijkend van zijn werk dat hij heel secuur deed, een heel verhaal te vertellen van roeiboten, eb en vloed, eenden die hij ving, vreemde vissen die hij was tegengekomen, mooie zonsopgangen, hij vertelde ook dat hij een keer een uurtje in het gras had liggen slapen en dat een dief toen al zijn spullen had gepakt, de roeiboot ook. Een paar dagen later had hij de dief gevonden en hem een blauw oog geslagen. Al zijn spullen had de matter teruggevonden. Hij vertelde hoe heerlijk het was om 's morgens vroeg op het water te zijn, hoe stil het kon zijn in de kreken, hoe aardig het was om er de nachtegaal te horen, soms overstemd door het gekrijs van de meeuwen. 'Alles is er groen en stil, meneer,' zei hij, 'het enige dat je hoort is het gekabbel van de golfjes tegen de boot.' Toen begon hij verhalen te vertellen die hij nog van vroeger kende en die hij van reeds gestorven matters had gehoord. Twee uur lang was hij bezig en zijn werk vlotte aardig. De professor moest even naar het toilet en bleef vijf minuten weg. Toen hij weer in de kamer kwam zat de matter daar met een rood hoofd. 'Wat is uw hoofd plotseling rood,' zei Peters. 'Dat komt van de inspanning,' antwoordde de matter, maar Peters meende dat hij er iets anders achter moest zoeken. 'Het werk is klaar,' zei de oude, 'wilt u misschien meteen betalen, dat is dan honderdentwintig gulden.' Peters haalde zijn portefeuille en betaalde de man, die vriendelijk groetend vertrok. 'Mocht u me ooit nog eens nodig hebben,' zei hij, 'hier is mijn adres, ik heb zelfs telefoon.' Hij zwaaide gedag en verdween om de hoek van de straat. Een week later begonnen de poezen vaak aan één stoel te ruiken en vervolgens rukten ze die helemaal open. Peters en zijn vrouw begrepen er niets van. 'Wat doen die vermaledijde katten toch met die stoel?' vroeg de geleerde, 'je kunt die beesten eenvoudig niet op een afstand houden.' Op dat ogenblik was de stoel geheel door en kwam er een half verrotte haringkop uit de biezen vallen die de katten snel oppeuzelden. Het was waarschijnlijk de bedoeling van de matter geweest dat die kop ongezien uit de stoel was gekomen! Mevrouw Peters begon te lachen. 'Dat is mijn grootmoeder ook een keer overkomen,' giechelde ze, 'dat doen de matters expres, ze verstoppen in een huis waar katten zijn een stuk vis in de zitting van een stoel opdat ze nog een keer terug kunnen komen.' Peters begreep nu waarom de oude met zo'n blozend, rood gezicht de laatste stoel had afgemaakt toen hij van het toilet de kamer weer binnenkwam. 'Doen ze dat maar één keer, die truc?' vroeg Peters zijn vrouw. 'Ja,' zei ze, 'beslist, en je moet clementie met die matters hebben, ze verdienen toch al zo weinig en veel werk hebben ze niet meer te doen nu het de gewoonte van de mensen in hun welvaart is geworden om oude stoelen maar meteen weg te gooien.' Peters haalde zijn schouders op en begon in zijn studeerkamer te zoeken naar het adres dat de oude had achtergelaten. Daarbij viel zijn blik op het proefschrift waarin hij nog steeds niet verder was gekomen. Tenslotte vond hij het vergeelde papiertje. Hij belde op en kreeg een oude mannenstem aan de lijn. 'Met Van Waning,' zei deze. De professor legde uit dat om onverklaarbare redenen de poezen een van de stoelen hadden kapotgemaakt. 'Dan hebben de wortels van die biezen bij een vissenest gestaan,' zei Van Waning, 'dat komt wel meer voor, de poezen ruiken dat en maken de boel kapot, dekselse beesten zijn het, maar over een week kan ik bij u zijn om de zaak te repareren. Het adres weet ik nog precies, goedenavond meneer.'

Rex mundi

Dit gaat over Joop Mellema en een sigaar. Joop was een schilder die prachtige werken maakte. Het was niet zijn gewoonte om rommel af te leveren. Hij was sterk en gezond en had een vriendelijke vrouw met een goede en aardige inborst. Ja, die Joop was een prachtkerel. Maar voor een kunstenaar had hij toch iets vreemds, hij wist namelijk niet hoe hij zijn vrije tijd moest indelen. Hij maakte per jaar precies één schilderij en zo'n schilderij leverde hem steevast een ton of meer op. Hij had daar een heel behoorlijk jaarinkomen mee. Hij was best tevreden, alleen had hij gaarne een beetje anders willen zijn. In de tijd dat hij niet schilderde kon hij namelijk niet lezen of naar muziek luisteren omdat hij altijd maar aan zijn schilderij dacht. Hij liep tegen de veertig en maakte 's morgens grote wandelingen over het strand. 's Middags schilderde hij. 's Avonds ijsbeerde hij door de huiskamer. De waanzin die iedere echte kunstenaar in zijn ban heeft had ook hem te pakken. Joop leed aan walging, zwartgalligheid en verveling als hij niet schilderde. Hij woonde in een prachtig huis aan een park in de stad L. gelegen, niet ver van de zee. Jannie, zijn vrouw, beviel het helemaal niet dat hij urenlang mokkend in zijn gemakkelijke stoel kon zitten. Ze zon op een oplossing, maar wist er niet zo snel iets op te vinden. Op een kwade dag werd Joop gek en moest daarna een paar maanden in een gekkenhuis verzorgd worden. Woeste demonen hielden huis in zijn ziel, het schuim stond hem op de lippen: hij wilde de zon schilderen en werd bijkans blind. De dokter gaf hem pillen, maar die hielpen niet. Joop wist niet hoe hij moest leven, hij wist niet wat hij moest doen. Hij besefte dat hij, hoeveel hij ook verdiende, nooit een Rembrandt, een Monet of een Van Gogh zou worden. Toch maakte hij in het gekkenhuis een heel aardig schilderij af: vier naakte meisjes badende in een vijver vol bloemen en vissen. Het water in de vijver was helder en op de bodem kon je de bladeren van de vorige herfst zien liggen. Langs de lichamen van de meisjes zwommen kleine visjes en in een boom langs de kant zat op een tak een aapje toe te kijken. Naast een rododendronstruik zat een papegaai. Op de kant lag een groot tafellaken, prachtig wit, haast zonder plooien of kreukels en daarop stonden flessen wijn, glazen en zoete broodjes uitgestald, ja, er lag zelfs een heel uienbrood, zo precies geschilderd dat je de uien haast ruiken kon. God!, wat is de lucht van gebakken uien toch lekker. Van heinde en ver kwamen er kopers voor het schilderij en ditmaal werd door een kunstkenner uit Londen drie ton voor het werk geboden. De dokter was er bovenmate van onder de indruk dat er zoveel mensen kwamen kijken naar het schilderij. Joop maakte nu ook een heel gewone indruk. Hij was van plan om over een paar weken weer aan iets anders te beginnen. De dokter die niet precies wist wat hij met het geval aan moest – Joop had steeds beweerd dat hij walgde en zich verveelde en toch had hij het schilderij afgemaakt – besloot Joop weer naar huis te sturen. En daar begon het oude leven opnieuw. Joop wandelde langs het strand, hij schilderde en voor het overige zat hij nukkig in zijn stoel. De algemene toestand in huis was er voor Jannie niet beter op geworden. 'Hij weet geen weg met zijn vrijheid,' dacht ze. Op een dag vroeg ze haar man of hij er niet voor voelde op kantoor te gaan werken. 'Je kan 's avonds toch ook schilderen,' voegde ze eraantoe, 'dan verveel je je overdag niet meer en heb je ook 's avonds wat te doen. Dat is een heel wat betere dagindeling en ik hoef niet de hele dag jouw sombere hoofd te zien.' Aanvankelijk sputterde Joop tegen. Hij beweerde dat hij al genoeg verdiende, hij zei dat het belachelijk en een schande was om een kunstenaar op kantoor te laten werken. Maar na twee weken had hij door wat de bedoelingen van Jannie waren. 'Je moet overdag met gewone mensen omgaan,' zei ze, 'niet altijd wachten tot er eens een schilder of een schrijver langskomt, en als je overdag op kantoor werkt en 's avonds schildert, zul je nooit meer walgen en je nooit meer vervelen.' Joop begon te solliciteren en een week later was hij aangenomen als administratieve werkkracht bij een sigarenfabriek. Hij kon daar zo makkelijk een baan krijgen – al heerste er grote werkeloosheid –

omdat je met dat werk haast niets verdiende. Het jaarsalaris dat Joop op die fabriek had was maar een schijntje van wat hij met schilderen kreeg.

Een jaar ging voorbij en Joop begon zich steeds beter te voelen. Weliswaar walgde hij van het werk op kantoor – hij zat daar de hele dag rekensommen te maken en was geen veelbelovende boekhouder – maar 's avonds schilderde hij des te mooier. Hij werkte op dat kantoor tot ieders tevredenheid en Joop zelf vond het helemaal niet erg dat hij maar drie weken vakantie had per jaar. Zijn hele leven was veranderd. Op kantoor stelde hij zich niet aan, hoewel iedereen wist dat hij een bekende en veel geld verdienende schilder was. Hij deed plichtsgetrouw zijn werk en was trotser op het geld dat hij als boekhouder verdiende dan op het geld dat hem via zijn doeken als het ware in de schoot werd geworpen. Vrolijk babbelend kon je hem in de lunchpauze met de jongste bediende door het stadspark zien wandelen. De directeur van de sigarenfabriek was een vreemde man: die wist helemaal niet wat voor beroemdheid hij in huis had gehaald. Juist met die directeur kon Joop het heel goed vinden. Maar de directiesecretaris was een afschuwelijke snob die bovendien de secretaresse in het geniep in de billen kneep. Die man heette Jeroen en probeerde het op alle manieren met Joop aan te leggen. Hij wilde bevriend raken met de schilder. Nu had Jeroen een prachtige kamer midden in het kantoor. Alles was daar van glanzend mahoniehout, van chroom en van glas. Hij sprak achter een heel groot bureau bandjes in die door typisten moesten worden uitgetikt. Soms moest Joop ook een brief van de secretaris netjes uitschrijven. De sigarenfabriek was werkelijk de grootste in het land. Ze maakten daar heel goedkope sigaren, die waren niet zo goed van kwaliteit, maar er werd zoveel van verkocht dat ze er miljoenen aan verdienden. Er waren veel middenklassesigaren; die liepen ook erg goed. Om het prestige op te houden maakte de fabriek ook sigaren van veertig gulden per stuk. Deze sigaren heetten Rex mundi en alleen de burgemeester en de directeur van de fabriek zelf, de notaris en de graaf konden het zich veroorloven om met oudejaar een dergelijke sigaar op te steken. Een bekend gezegde in die stad was dan ook: 'Die jongen is misschien wel voor een

Rex mundi in de wieg gelegd.' Maar goed, die directiesecretaris, die Jeroen nodigde Joop weleens uit op zijn kamer om een babbeltje te maken. 'Zou je nou niet liever op mijn kamer werken?' vroeg de secretaris aan de schilder, 'in plaats van op dat armoedige hok van jou? Ik kan het misschien wel in orde maken dat jij een betere kamer krijgt, ik kan ook voor opslag voor je zorgen, maar dan moet jij ook wat doen. Je hoeft natuurlijk niet een schilderij voor me te maken, maar een tekening kan er misschien wel van af. Het hoeft maar een heel eenvoudige tekening te zijn als je handtekening er maar onder staat.' Op dat ogenblik kwam de secretaresse van de secretaris, een mooi en lief meisje, de kamer op. Jeroen, de dikdoener, zei tegen het meisje: 'Wij hebben op het ogenblik geen tijd, we zijn in bespreking.' Joop werd altijd erg kribbig van die gesprekken. Hij hield niet van de secretaris. Joop was wars van luxe en vond het niet leuk dat Jeroen de katjes in het donker kneep. Er was eens een meisje dat zich niet door de secretaris wilde laten knijpen en betasten en een maand later was ze ontslagen. De secretaris placht te snoeven over zijn hoge salaris waar hij maar weinig voor hoefde te doen. 'Als je zoveel verdient, waarom koop je dan geen schilderij van me?' vroeg Joop. 'Die dingen van jou zijn nu eenmaal onbetaalbaar,' antwoordde Jeroen, 'maar je wilt voor een vriend toch wel een kleine tekening maken?' Joop ergerde zich aan de pafferige man achter zijn grote bureau, die arbeiders, boekhouders en meisjes voor zich liet rennen en zelf maar weinig uitvoerde. 'Wij moeten beslist vrienden worden,' zei Jeroen, 'je moet eens een keer bij me thuiskomen, dan kun je mijn vrouw zien en de kinderen. De buren zullen het prachtig vinden dat ik de bekende schilder op bezoek heb.' 'Ik wil beslist jouw vriend niet zijn,' zei Joop, 'een betere kamer op kantoor wil ik niet hebben en bij jou op bezoek komen, daar heb ik helemaal geen zin in. In mijn vrije tijd en in het weekend schilder ik. Dan kan ik mijn tijd niet met kletspraatjes verdoen. Bovendien vind ik jou helemaal niet aardig. En dankjewel tegen je te moeten zeggen omdat je opslag voor me hebt versierd, dat ligt me ook niet. Het is maar beter dat wij elkaar een beetje uit de weg gaan.' 'Ik hoop toch dat wij nog vrienden worden,' zei de secretaris, 'niets staat ons immers in de weg?' 'Uw smaak bevalt mij niet,' zei Joop, die meende genoeg afstand te kunnen scheppen door Jeroen met u aan te spreken, 'bovendien vind ik u een laffe smeerlap en nu stap ik op want ik heb maling aan u.' 'Maar steek dan een sigaartje van me op,' zei Jeroen en bood Joop meteen een tamelijk dure sigaar aan. Het was er een van twee gulden vijftig. Nu was Joop dol op sigaren maar hier hield hij voet bij stuk. 'Ik wil geen sigaar van u,' zei hij, 'zelfs al bood u mij een Rex mundi aan, dan nog zou ik hem weigeren.' Zo ongeveer verliepen de gesprekken tussen Joop en Jeroen, het waren nu eenmaal geen leuke gesprekken. Voor het overige beviel het Joop uitstekend op het werk. In of bij de fabriek zelf werden geen sigaren verkocht, maar er was een winkel van de fabriek in de stad waar alles verkocht werd, ook de Rex mundi-sigaar.

Op een stralende ochtend, hij had de dag tevoren juist weer een schilderij afgekregen, liep Joop goedgemutst langs de sigarenwinkel. Het was een prachtige oude zaak en er werden alleen sigaren uit de fabriek verkocht. De winkel was eigendom van de aandeelhouders van de sigarenfabriek. Er hing een oude Engelse klok boven de toonbank en ook een bordje dat vermeldde: 'Voor klachten moet u bij de directie wezen.' Joop kocht hier een Rex mundi-sigaar. Hij was van plan om die op het werk op te roken. De sigaar was uitsluitend van Java- en Sumatra-tabak gemaakt. Hij was verpakt in een goudkleurig papiertje en vervolgens zat de hele sigaar weer in een zilverkleurige tube. En er zat een bandje omheen, zo mooi dat je verzameling sigarebandjes niet volledig was als je geen Rex mundi-bandje in je schrift had. De verkoper nam Joop van top tot teen op. Behalve de burgemeester, de notaris en de graaf zou nu voortaan ook de bekende schilder dure sigaren roken. Het gerucht ging immers dat er niets boven het roken van zo'n sigaar ging. Alleen de allerrijksten ter wereld konden het zich veroorloven om er iedere dag een te roken. Dat waren koningen, oliesjeiks en Jacob Gneist, de dichter. Joop bekeek neuriënd zijn sigaar, betaalde en ging naar zijn werk. 's Middags om drie uur, bij de thee – Joop had het uitgerekend niet erg druk – stak hij de sigaar op. Het gerucht ging als een lopend vuurtje door het bedrijf: 'Joop Mellema rookt een Rex mundi!' Arbeiders, meisjes, kantoorbedienden, de secretaris kwamen om Joop heen staan om te zien hoe hij zijn sigaar rookte. De thee was allang afgelopen toen de sigaar pas voor eenderde op was. Al rokend begaf Joop zich aan het werk. Hij verspreidde een heerlijke damp in het bedrijf en de werkman die de sigaar gemaakt had kwam even op Joop zijn kamer zitten want hij wilde weleens zien 'hoe men een dergelijke sigaar nu toch eigenlijk rookte'. Een week ging voorbij en toen kwam Jeroen de secretaris bij Joop op bezoek om hem te vertellen dat het eigenlijk niet de bedoeling van de directie was dat gewone werknemers van het bedrijf een Rex mundi tijdens hun werkzaamheden rookten. 'Maar ben ik dan een gewone werknemer?' vroeg Joop. 'In principe sta je boven en onder de wet, je bent tegelijk een begenadigd schilder en een lamme loonslaaf,' zei Jeroen, 'maar de aandeelhouders vragen je of je hier niet meer dergelijke sigaren wilt roken.' 'Goed,' zei Joop, die helemaal weg was van de geur en smaak van de sigaar, 'hier op het werk zal ik de Rex mundi niet meer roken, maar thuis toch wel. Dat kan niemand mij verbieden.' Een week later zou Joop op vakantie gaan naar Biarritz en hij kocht voor onderweg vijf Rex mundi-sigaren. Hij kwam er tevreden mee op kantoor en daar inspecteerde hij even de inhoud van de zilverkleurige tubes. Vier sigaren waren prima, maar met de vijfde was iets vreemds aan de hand: er zaten allerhande gaten in het dekblad en daardoorheen staken smerige, gore, wanstaltig uitziende, melkwitte insekten hun gevorkte achtereind. Joop schrok en duwde vol afgrijzen de sigaar meteen terug in de tube. Hij merkte de tube zodat deze goed te onderscheiden was van de andere en in zijn vrije tijd rende hij naar de winkel waar de sigaren verkocht werden. Niet dat hij iemand was die op veertig gulden keek, maar hij was een man van principes. Hij stormde de winkel binnen en zei briesend tegen de verkoper: 'Wat heb je me daar voor rommel verkocht? Daar geef ik geen veertig gulden aan uit! De vijfde sigaar die ik ontblootte zat geheel vol met gaten en smerige insekten of vliegen zaten erin te wroeten!' Hij smeet de sigaar op de toonbank en de bediende bekeek de inhoud van de tube. De verkoper begon te stralen en toen hij wat wilde zeggen, hakkelde hij: 'Ma... mag ik u fe... feliciteren? Daar hebt u een topsigaar, zo'n sigaar wordt maar eens in de twee maanden verkocht, hoewel ik gaarne toegeef dat hij zo niet te roken is.' 'Maar daar begrijp ik niets van,' zei Joop verbouwereerd. De verkoper wees naar het bordje 'Voor klachten moet u bij de directie wezen'. En Joop besloot zijn gram te gaan halen. 'Gefeliciteerd met een rotsigaar,' wat was dat voor malligheid. In snelle pas liep hij terug naar de fabriek en vroeg de directeur te spreken. Hij liet hem de gammele sigaar zien en ook de directeur feliciteerde hem. 'Zo'n sigaar had twee maanden geleden de president van Frankrijk,' zei de man. 'We hebben de sigaar voor hem rookklaar gemaakt en reken maar dat hij tevreden was. Doe de sigaar maar weer vlug in het tubetje. Ik zal u de gang van zaken even uitleggen: in de binnenlanden van Sumatra komt de gevaarlijke kobe-kobe-vlieg voor. De steek die hij je kan verkopen is dodelijk. Soms legt de vlieg zijn eitjes in een tabaksplant. De bladeren van de plant komen hier aan en de sigarenmaker heeft niets in de gaten. Voor de Rex mundi-sigaar wordt uitsluitend dekblad gebruikt afkomstig van planten uit een plantage bij Soezoelaki en juist daar komen de vliegen nogal voor. Die vliegen maken de sigaar tot een kapitaal bezit. Kijk, als een sigaar klaar is kan hij maanden in het magazijn van een winkel blijven liggen voor hij eindelijk verkocht wordt. In de hitte van de tube, in die droge atmosfeer komen de eitjes uit, juist in het donker gedijen ze het beste. Er komen vrouwtjes- en mannetjesvliegen uit gekropen, die voeden zich met de tabak, die beginnen in het donker in de buis met elkaar te paren en leggen weer honderden nieuwe eitjes. Ze graven de hele sigaar kapot op zoek naar plek voor de eitjes want zodra die dingen uitkomen moeten de larven sigaar kunnen eten. Nu geven die eitjes iets heel bijzonders aan de sigaar. U hebt natuurlijk weleens van opium gehoord? Die eitjes geven dezelfde verrukkingen als je ze met de tabak meerookt, alleen werken ze niet verslavend. Maar de vlieg is afschuwelijk gevaarlijk. Als die hier rond gaat vliegen kan hij dodelijke steken verkopen aan iedereen die hij tegenkomt, bijvoorbeeld omdat het in ons land zo koud is. In Sumatra vallen er per jaar wel vier of vijf doden alleen door een steek van een dergelijke vlieg. Het gaat er nu dus om de vliegen uit uw sigaar te verwijderen en de eitjes erin te laten. Dan moet de sigaar weer worden opgeknapt, maar hebt u ook iets waar sjeiks en koningen naar verlangen. Er is maar één man in het bedrijf die de klus kan klaren en dat is onze secretaris.' 'Jeroen?' vroeg Joop verbaasd. 'Dezelfde,' zei de directeur, 'wacht ik zal hem even bellen.' Jeroen kwam er binnen een paar minuten aangesneld. Hij droeg nu niet zijn visgraatkostuum zoals gewoonlijk maar een overall. 'Het is werkelijk de eerste keer,' zei de directeur, 'dat we de eigenaar van een topsigaar bij de verwijdering der vliegen aanwezig kunnen hebben. Wilt u mij maar volgen?' Joop, de directeur en de secretaris dwaalden een kwartier door het gebouw en toen kwamen ze in de werkruimte. Jeroen wreef zich in de handen. 'Het werd echt weer tijd voor een smerig karweitje, vindt u niet, meneer?' vroeg hij aan de directeur. 'Ja,' zei de man in zijn grijze pak met vest, zwart met witte nopjesdas en pochet, 'zo is het maar net.' Joop schroefde de tube open om de inhoud aan Jeroen te geven. 'Niet doen!' riep de secretaris, 'daar kunnen alleen maar ongelukken van komen, de tube kan pas open als ik met mijn voorbereidende werkzaamheden klaar ben.' De overall van de secretaris was stralend wit, als een echte chirurg begon hij nu met zijn werk. Op een grote tafel stond een bunsenbrander en daarop plaatste de secretaris een glazen bak, niet dan nadat hij de gehele binnenkant van de bak met Ierse whisky had bestreken. 'Waarom doe je dat?' vroeg Joop. 'Van de dampen van deze whisky valt de vlieg in slaap,' zei Jeroen, 'dan kan ik gemakkelijker mijn werk doen. Kijk, je kan de vlieg niet in de kapotte sigaar dooddrukken want dan maak je de sigaar alleen nog maar verder kapot, bovendien beschadig je de eitjes en het gaat er juist om die te bewaren in ongeschonden staat. De kobe-kobe-vlieg mag ook niet kwaad gemaakt worden want dan begint hij zijn dodelijk vergif te spuiten en bovendien vreet hij dan razendsnel alle eitjes op. We moeten het genot dat deze sigaar kan geven als het ware aan de goden zelf ontrukken. En de vlieg gewoon laten vliegen, dat zou pas een ramp zijn,' zei de secretaris. 'Je moet ook niet vergeten dat hij zijn eitjes in brandnetels kan gaan leggen. Gewone mensen die geen geld hebben gaan dan sigaren van die brandnetels maken, roken de eitjes en zijn volmaakt gelukkig, en dat helemaal voor niets. Dat is natuurlijk ook de bedoeling weer niet. De methode die wij volgen is geheel uitgedokterd door een wetenschappelijk instituut in Amsterdam. Het is werkelijk de enige manier om je van de vlieg te ontdoen en de eitjes in de sigaar te laten.' De secretaris zette een glazen bak met een liter melk naast de bak, die vanbinnen met whisky was bestreken en op de bunsenbrander stond. 'Mag ik een ampul nemen, meneer?' vroeg hij aan de directeur. 'Ze zijn ervoor,' zei deze, 'ik heb liever niet dat jij het loodje legt.' 'Dit is Zuidamerikaans addergif waar bepaalde chemicaliën aan toegevoegd zijn zodat ik er niet dood van ga, maar de vliegen wel,' zei de secretaris. Hij opende de ampul en goot de inhoud in de bak met melk. Met een glazen spatel roerde hij het gif door de melk. Een lang riet werd in de melk met gif gezet. Eveneens kwam er een lang riet in de whiskybak zoals ik hem nu maar noemen zal. Het begon in de kamer heerlijk naar Ierse whisky te ruiken en de secretaris zette de brander op een iets lager pitje. 'We kunnen nu wel beginnen, vindt u ook niet, meneer?' vroeg hij aan de directeur. Joop stond alles met een zeer verbaasde blik te bekijken. 'Wie is hier nou gek?' bepeinsde hij. Jeroen vroeg om de tube met de sigaar en legde die in de lege bak. Daar haalde hij de restanten van de sigaar uit de tube. Een van de vliegen kwam voorzichtig naar buiten gekropen. Het was het meest afzichtelijke insekt dat Joop ooit had gezien. Het was een melkwitachtige oorwurm met vleugels en kleine stekels op het achterlijf. Toen de vlieg door de dampen bevangen uit de sigaar was gekropen en in de bak lag, nam de secretaris een slok melkgif in zijn mond via het holle riet uit de ene bak en met het andere riet zoog hij de vlieg uit de andere bak op. Hij slikte alles door met een beetje angstig gezicht. De directeur zei: 'Prachtig.' Hierna kwamen er nog elf vliegen naar buiten gekropen en alle verdwenen zij door de slokdarm van de secretaris in zijn maag. 'Mooi werk,' zei de directeur bemoedigend. Het was krankzinnig om te zien hoe de secretaris de wanstaltige, smerige vliegen samen met het melkgif tot zich nam. Volleerd zat hij met de twee rietjes te manipuleren en almaar slikte hij. God, wat slikte hij en wat ging zijn adamsappel op en neer. Tenslotte had de secretaris alle vliegen binnen en hij viel niet dood neer. 'In mijn maag sterven ze een rustige dood,' zei Jeroen, 'en dan poep ik ze uit. Het mooiste zou zijn om de vliegen voor het bedrijf aan het werk te zetten ,maar dat is nu eenmaal onmogelijk. Een eitje is wel tweeduizend gulden per stuk waard en in jouw sigaar zitten wel driehonderd van die eitjes. Het gaat erom dat de eitjes exclusief blijven en dat de vlieg geen kwaad kan aanrichten in Holland. Dit alles is het wat de Rex mundi-sigaar tot de meest exquise sigaar ter wereld maakt. Ik heb dit werk nu al veertig keer gedaan en nooit ben ik er ziek van geworden. Soms krijg ik diarree of moet ik braken, maar ik ben er toch nooit aan doodgegaan.' Nu haalde de secretaris een nieuwe dekmantel uit een doosje, echt Sumatra-middenblad, en daar rolde hij de sigaar weer in. Onder zijn vakkundige handen werd het een prachtige tuitknak. 'U hebt nu een tuitknak die duizenden waard is,' zei de directeur, 'de graaf zou er heel wat voor geven om zoiets te kunnen roken. Ik raad u aan hem beslist niet op het werk te roken. U moet een heel geschikt ogenblik uitzoeken!' 'Ik rook hem tijdens mijn vakantie op,' antwoordde Joop, 'ik ga naar Biarritz en daar zal ik hem op een mooie avond roken.' Het karwei was afgelopen en Joop begon op zijn kleine kamer weer aan zijn boekhoudkundige berekeningen. Hij was nog geen half uur bezig of de telefoon ging. Het was de secretaris aan de lijn. Hij vroeg of hij even langs kon komen. 'Met alle genoegen,' zei Joop en een kwartier later kwam Jeroen de kamer binnenstappen. Joop keek hem glunderend aan. Langzaam gleed zijn blik naar de buikstreek van de secretaris en Joop huiverde. 'In jouw maag heb je nu twaalf van die wanstaltige, griezelige, smerige en gevaarlijke insekten,' zei Joop, 'ik vind het heel mooi dat jij dat soort werk wilt doen. Dat had ik toch nooit van je gedacht. Je bent werkelijk een heel bijzondere figuur. Ik zou me nooit voor hebben kunnen stellen dat jij naast je gewone werk zulke smerige karweitjes deed. Je bent een heel eind in mijn achting gestegen.' 'Zullen wij dan eindelijk vrienden worden?' vroeg de secretaris. 'Dat zou nu weleens kunnen,' zei Joop, terwijl hij vergenoegd zijn bijzondere sigaar bekeek. Er lagen meer Rex mundi-sigaren op zijn bureau. 'Weet je nu wat de echte, de prima, de heerlijke sigaar is?' vroeg Jeroen. 'Ik heb hem gemerkt,' zei Joop. 'Dus nu wil je wel een kleine tekening voor me maken?' teemde de secretaris. 'Met alle genoegen,' zei Joop, 'als ik terug ben van vakantie kom ik je hem weleens aanreiken.' 'En bij mij op bezoek wil je nu ook eens komen?' vroeg de secretaris. 'Met alle genoegen,' antwoordde Joop, 'maar voor een salarisverhoging hoef je echt niet te zorgen, ik heb immers geld genoeg.' Ze begonnen een tijdje over koetjes en kalfjes te praten en tenslotte vroeg Joop, want hij wilde per se weten hoe het zat: 'Hoe komt het toch dat jij dat vieze werk doet? Man, ik word gek van de gedachte aan jouw maag met twaalf van die wanstaltige en gevaarlijke melkwitte oorwurmen erin.' 'Ik ben eigenlijk aangenomen om dit werk te doen,' antwoordde Jeroen. 'Ik ben eigenlijk nauwelijks secretaris, maar in de eerste plaats insektenverwijderaar. Toen ik kwam zei de directeur tegen mij: "Je mag dan meester in de rechten zijn, maar juridisch werk heb ik weinig voor je te doen." En toen legde hij me alles uit. Hij vertelde mij dat er niemand voor het vieze werk te krijgen was. Ik zou een prachtige kamer krijgen en heerlijke meisjes die volledig zinloos typewerk voor me konden verrichten. Maar die meisjes waren er alleen om mij te behagen en mij aan het bedrijf te binden. Ik doe maar net of ik secretaris ben maar dat heeft allemaal niets om het lijf. Kijk, er is geen arbeider voor het werk te krijgen, de inspectie zou ertegen zijn, de vakbond is ertegen. Nu doe ik het in het geheim. Ik ben dus eigenlijk een veredelde arbeider. Koningen, sjeiks, graven en notarissen weten dat ze op mij kunnen rekenen. Ze hopen allemaal eens een door vliegen gehavende Rex mundi te kopen en weten dat de moeilijkheid dan door mij wordt opgeknapt. Zo zit het ongeveer.' 'Dus jij leidt een schijnbestaan?' vroeg Joop, 'die kamer en die meisjes, die weelde en pracht zijn er alleen maar om jou zoet te houden? Maar dan ben jij een verrader van de arbeidersklasse, je bent gewoon een hoer. U bent een halfzachte sukkel waar ik geen achting voor kan hebben. Omdat arbeiders het werk niet mogen doen, doet u het wel en laat u daar dik voor betalen, u mag ook de meisjes in de billen knijpen. Wat zou een arbeider nou verdienen met dat werk?' 'Vierhonderd gulden per karwei,' zei de secretaris. 'Dus eigenlijk vierhonderd gulden in ongeveer twee maanden?' vroeg Joop, 'maar dat is toch een schande! En wat verdient u?' 'Ik krijg zesduizend gulden per maand schoon,' zei de secretaris. 'Ik geloof dat ik niet bevriend wil zijn met zo'n zwak, zo'n slap sujet,' zei Joop, 'u hebt gebrek aan karakter. U zou tegen de directeur moeten zeggen dat het u geen moer interesseert wat er met die sigaren gebeurt. Maar u slikt de vliegen met de melk door en leidt een herenbestaan. Het is van tweeën één: of je bent putjesschepper, verdient een mager loon en loopt er armoedig bij of je bent jurist, doet uitsluitend juridische karweitjes en loopt in een keurig pak rond. U echter bent een echte Januskop, meneer. U bent een mannelijke hoer. Ik heb daarnet gezegd dat ik wel bevriend met u wilde zijn, maar dat trek ik nu weer in. Als u het werk nou voor de grap erbij deed, dan was het nog tot daaraantoe, maar nu het ernst is, nu u uw hele glitterbestaan daarop hebt gebouwd, nu veracht ik u. U laat zich gebruiken. U hebt eenvoudigweg gebrek aan karakter. Ik begrijp zoiets niet en zou u willen verzoeken om zo snel mogelijk mijn kamer te verlaten.' 'Maar...' zo sputterde de secretaris tegen, 'maar...' 'Niets geen gemaar!' riep Joop, 'eruit of ik trap u eruit. U bent een smerig stuk onderkruipsel!'

Een week later was Joop op vakantie in Biarritz. Hij had al twee van de sigaren gerookt. Het waren gewone Rex mundi's geweest. Op een avond had hij heel bijzonder gegeten met zijn vrouw. Een zigeuner had tijdens het eten prachtig viool gespeeld. Na het eten hadden ze een fijne wandeling over de boulevard gemaakt en tegen halfelf ging Joop in een luie stoel onder een palmboom in de tuin van het herenhuis dat hij gehuurd had zitten. Zijn vrouw was een beetje moe en ging alvast naar bed. Ze liet de deuren naar de tuin openstaan en omdat het volle maan was en het een heldere hemel was kon Joop zijn vrouw in bed zien liggen. Hij schonk zichzelf een glas wijn in en meende dat het nu tijd was voor de bijzondere sigaar. De onvergelijkelijke sigaar. Aanvankelijk, toen hij hem opstak, merkte Joop nog niet veel, maar na vier trekken was hij al in de zevende hemel. Het wereldraadsel werd hem geopenbaard en hij begreep dat Rembrandt, Van Gogh noch Paul Klee ooit een dergelijke sigaar gerookt hadden. De goddelijkste verrukkingen gingen door zijn ziel. Het was tienmaal mooier dan aanliggen bij een verleidelijke, wellustige vrouw. Hij voelde zich zweven en begreep alles. De vormen van de bomen, de palmen, het huis en het bed van zijn vrouw begreep hij niet meer. Zulke dingen waren te alledaags. Hij had goddelijke visioenen, zag kamelen in de woestijn, barken op zee, studenten in de bibliotheek; hij kroop door een tunnel en kwam op een veld vol mos waar het rook naar parfum en muskus en waar de heerlijkste bloemen groeiden. Hij las een gouden boek vol wijsheden en nog steeds was de sigaar niet op. In korte tijd werd hem de betekenis van de kabbala duidelijk en de muziek der sferen hoorde hij. Nog steeds was de sigaar niet op... Joop was pas op de helft. Nu kwam een postbode de avondlijke tuin binnenrennen met een telegram. Joop was teleurgesteld. Toch las hij: 'Wil je niet alsnog mijn vriend worden? De secretaris.' Joop sprak tegen de telegrambesteller: 'Sein terug dat het antwoord nee is, het is nee en het blijft nee en wel omdat de secretaris gebrek aan karakter heeft en een onderkruiper is.' De besteller knikte en liep weg. Toen keek Joop naar zijn vrouw in bed en hij nam nog een trek van de sigaar waarin de eitjes van de kobe-kobe-vlieg zich in roesverwekkende dampen omzetten. Joop droomde dat hij God was. En hij maakte zich een heelal dat onwaarschijnlijk mooi was. En hij maakte een wereld, veel rechtvaardiger en beter dan de onze. Hij maakte zich een wereld waar maar veertig mensen op woonden en die mensen waren zijn beste kennissen en vrienden. Het was een prachtwereld, je reinste utopia. 'Die secretaris laat ik maar weg,' lachte Joop en hij nam nog een trek. Nooit was hij zó gelukkig geweest...

Opstootjes

Ik heb een goede vriend, Cees Waal is zijn naam. Hij is een man die van wanten weet. Ik heb grote reizen met hem gemaakt en altijd als ik aarzelde, als ik niet meer wist waar we naartoe moesten, als ik zenuwachtig werd of liever in bed wilde blijven, nam hij de touwtjes in handen en bracht mij naar een feest op een daktuin, of naar een antiquair waar ik me thuisvoelde. Ja, hij is niet gauw uit het veld te slaan, een slimmere, een meer doortastende figuur dan hij moet ik nog tegenkomen. Hij is niet voor niets wethouder van openbare werken van de stad Leiden. Hij durft heel Leiden op te breken, voor een automobilist is er geen lol meer aan, ze rijden nu maar om de stad heen en Cees zit 's avonds rustig zijn krant te lezen. Ik tennis vaak met hem en ook met tennissen slaat hij geen gek figuur. Hij is een kerel uit één stuk. Ik ken hem al vanuit mijn studententijd, ook toen al nam hij een leidinggevende positie in. En hij kent iedereen. Zit ik bijvoorbeeld op een terras in Den Haag en zie ik drie personen om een tafeltje. Ik zeg tegen Cees: 'Ik ken die mannen, maar ik kan niet op hun namen komen.' Hij werpt dan een tersluikse blik op het groepje en zegt: 'Dat zijn Prins Bernhard, Hans Wiegel en Seth Gaaikema.' De mannen zien Cees en ze zwaaien naar hem: 'Ha die Cees.' Mij kennen ze niet. Kunt u zich voorstellen dat ik tevreden ben met mijn vriend, dat ik trots op hem ben? Laatst was ik met hem aan het tennissen. Nu ben ik misschien een beetje een wereldvreemde figuur, want ik begrijp nog steeds de spelregels van tennis niet. Ik ben in een druk duel gewikkeld met mijn partner en sla de ballen over de hekken heen de bomen, de struiken, de sloot in en de straatweg op, soms rollen de ballen helemaal in het kanaal. We zijn de helft van de tijd bezig met ballen zoeken. Op een gegeven moment roept Cees: 'Ballen op veld zeven en drie!' En terwijl ik een bal naar hem toesla, over het net, krijg ik twee ballen toegespeeld van kanten waar ik ze helemaal niet van verwacht. 'Allemachtig,' denk ik, 'dat is totaaltennis,' en ik begin met mensen op alle velden te spelen. De anderen rennen om mij de ballen terug te slaan en ik doe nog grotere moeite om de ballen helemaal op veld twaalf te laten belanden, terwijl ik op veld vier speel. Prachtig, een heerlijke ervaring! 'Wat doe jij toch?' vraagt Cees mij en nog eens legt hij mij de spelregels uit. Hij blijft altijd de rust zelve en het is voor mij een raadsel waarom hij toch met mij wil blijven spelen. We gingen door en het viel mij op dat hij dit keer niet helemaal zeker was van zichzelf. In de pauze dronken we Spawater en hij zat te knipperen met zijn ogen, hij knipte met zijn vingers, hij was onrustig en zweette als een os. Ik vroeg hem wat er aan de hand was, want anders is hij nooit zo onrustig. 'Zoals je weet heb ik openbare werken,' zei mijn vriend, 'en mijn collega, Polman, heeft volkshuisvesting en sociale zaken. Nu is Polman op het ogenblik overwerkt en ziek en ik heb hem beloofd de moeilijke karweitjes voor hem op te knappen, de hete kolen zolang voor hem uit het vuur te halen. Nu is er met volkshuisvesting en sociale zaken altijd gedonder in Leiden. Wij hadden een hele groep Turken en Marokkanen die allerbelabberdst woonden in de binnenstad, allemaal in kraakpandjes en in onbewoonbaar verklaarde woningen.' 'Onverklaarbaar bewoond,' lispelde ik. 'Luister nu,' zo zei hij, 'wij hebben voor die mensen een grote luxueuze flat laten bouwen in Leiderdorp. Die mensen kunnen nu huizen krijgen met licht, gas, water en centrale verwarming. Ze zitten tien minuten verder van het centrum en nu klagen die buitenlanders over deportatie en gettovorming. Dat hebben vooruitstrevende studenten hun bijgebracht. Vanmorgen zijn de buitenlanders verhuisd en nu schijnen er relletjes te zijn, vanavond komt zelfs de televisie en dan moet ik alles weer rechtzetten. Ondank is nu eenmaal altijd 's werelds loon.' 'Hoe weet je dat van die opstootjes?' vroeg ik mijn vriend. 'Een ambtenaar van mijn afdeling is vanmorgen in zijn auto gaan kijken. Hij is bang geworden en kwam naar mij toe. "Dat wordt een hele rel, meneer Waal," zei hij, "er zijn duizenden mensen op straat, wat ze scanderen begrijp ik niet helemaal, maar het schijnt nu eenmaal niet best te zijn." Dat zei hij, het was vlak voor we gingen tennissen, en nu ben ik bang. Te veel slechte publiciteit kan me mijn ambt kosten.' 'Weet je wat,' zei ik opmonterend, 'na het tennissen verkleden wij ons als vrouwen zodat jij niet herkend wordt en dan rijden we er rustig op de fiets eens naartoe. We gaan zelf poolshoogte nemen.' 'Verdomd!' riep Cees uit, 'dat moeten we doen, dan weet ik meteen waar ik aan toe ben.' We speelden nog twee partijtjes en hij maakte al een iets meer ontspannen indruk.

Toen we uitgespeeld waren gingen we naar zijn huis en daar besloot zijn vrouw dat het voldoende was als alleen Cees zich als vrouw vermomde. Ik had immers helemaal geen gevaar te duchten? Cees trok een schort aan en laarzen, hij zette een pruik op en maakte zijn lippen rood. Zijn bril zette hij af. Dat deed ik ook. Onze brillen zouden geraakt kunnen worden als we toch ontdekt werden, en bovendien was dit een nog betere vermomming. Cees wilde per se een vergiet bij wijze van hoedje annex helm op zijn hoofd. Zijn vrouw was een kwartier bezig hem het ding met groene linten op het hoofd te binden. Zo stapte hij als vrouw op een damesfiets, na eerst de banden te hebben opgepompt, en ik ging in mijn vrijetijdskleding ook op mijn edel ijzeren ros zitten. Wij togen naar Leiderdorp. Op grote afstand van het centrum van het dorp bereikte een groot gedruis al onze oren. Omdat wij onze bril niet op hadden konden wij niet uitmaken wat er aan de hand was. Een beetje angstig waren we toch wel, vooral toen we ook het geluid van sirenes, trompetten en bazuinen hoorden. We kwamen langzaam naderbij en zagen hordes mannen en vrouwen over straat trekken. 'Hiep hoi,' schreeuwden ze, 'komt er nog wat van!?' Hier en daar liep ook een enkele Turk of Marokkaan. Op een gegeven moment zagen we een heel groot wiel draaien, werkelijk huizehoog. 'Gevaarlijke barricades,' mompelde Cees, 'iedereen schijnt zich er hier mee te bemoeien.' Wat een mensen op de been, wat een lawaai. We raakten in het centrum van het strijdgewoel. Cees zette zijn vergiet recht op zijn hoofd. 'En hier kunt u de dikste vrouw van Europa bekijken,' hoorden wij een man roepen. Wij zetten voorzichtig onze fietsen neer en vroegen aan een voorbijganger wat hier toch aan de hand was. 'Het is kermis in Leiderdorp ter gelegenheid van het twaalfhonderdjarig bestaan van het dorp,' zei de man. Nu pas hadden ook wij het in de gaten. 's Avonds kwam er inderdaad televisie om met Cees ter plekke te spreken over het onrecht, begaan aan de Turken en Marokkanen. Het bleek dat de gastarbeiders zeer in hun sas waren. Zij op hun beurt dachten weer dat de feestelijkheden er louter en alleen waren omdat zij in het dorp waren komen wonen. Allemachtig!, wat had die ambtenaar van Cees zich deerlijk vergist, het was niet eens een storm in een glas water. Wij doken in de botsautootjes en toen een Marokkaan ons met grote snelheid met zijn karretje ramde kwam Cees' vergiet, die eigenlijk een helm was, hem nog goed van pas.

Wilde zwanen

Wie door de Hollandse polders fietst, over kleine weggetjes, ziet overal in de sloten en vaarten wilde zwanen, als je over de Afsluitdijk rijdt zie je in het water van het IJsselmeer duizenden wilde zwanen, maar ook in de stad kom je ze tegen. Het verhaal wil dat als een mannetjes- en een vrouwtjeszwaan elkaar gevonden hebben, ze voor het leven bij elkaar blijven. Dit jaar zag ik tijdens het begin van de lente vlak bij mij in de buurt, in de buitenwijk, naast een sluisje, onder hoge bomen een groot nest, gebouwd van takken, en daarop zat eenzaam en gemoedelijk een moederzwaan op haar eieren. Iedere dag fietste ik erlangs en soms zag ik de vaderzwaan die eten kwam brengen want de moeder mag tijdens de broedtijd niet van het nest. Ik vond dat een ontroerend schouwspel. Vaak dacht ik op kantoor aan dat zwaantje dat op haar eieren zat. Ze zat daar zo eenzaam en het wachten moest voor haar volgens mij lang duren. Ik geloof dat ze ongeveer twee maanden op haar eieren heeft gezeten. Toen ik op een keer uit mn werk kwam zag ik vader en moeder trots in de singel rondzwemmen en in hun kielzog hadden ze zeven kleine zwaantjes. Ik hou van zwanen en de mooiste sprookjes van Andersen vind ik wel degene waar zwanen in voorkomen. Ik hou ervan om in mijn vrije tijd in het gras in de polder te liggen en de wolken te zien overdrijven. Hoog aan de hemel staat een leeuwerik en die zingt geheel gratis de prachtigste liederen. In de verte blaten schapen en als je heel goed luistert hoor je het verkeer op de snelweg. Ja, ik mag graag in het gras, in alle rust, over mijn leven nadenken. En dan ineens hoor ik iets dat klinkt als 'wiek wak wiek wak'. Ik schiet overeind en kijk om me heen. Dan zie ik de zwanen overvliegen. Als ze kleine afstanden vliegen gaan ze maar op tien meter hoogte en kun je precies zien hoe ze vliegen, hoe ze hun hals rekken, hoe ze hun poten tegen het achterlijf houden. Op Mozart na ken ik geen mooiere muziek dan die van vliegende zwanen. En nu had ik zwanen vlak bij mijn huis. Vaak, als ik de hond ging uitlaten, nam ik oud brood mee en voederde de kleintjes en de groten. Misschien hebben zwanen helemaal geen brood nodig. In onze singels is genoeg kroos en dat schijnen ze lekker te vinden, ze schijnen er goed op te gedijen. Soms stond ik wel een kwartier naar die zwanen te kijken en mijn hond leek dan te vragen, met een scheefgehouden kop, wanneer ik toch eindelijk verder ging. Nu gebeurde het een keer dat de vader- en moederzwaan samen met hun kleintjes langs mij heen waggelden en de weg op gingen. Ze wilden klaarblijkelijk eens een ommetje maken of zien of er in de buurt nog een singel was. Het was rustig op straat. Maar ineens hoorde ik een brullende motor, een jankende motor, en ik moest mijn oren dichthouden om niet om te vallen van het lawaai. Uit een kleine straat kwam een jonge motorrijder en toen hij om de bocht kwam raakten zijn schouders bijna de straat, zo scheef lag hij. Het was werkelijk godgeklaagd, zulk een lawaai als die jongen maakte. Hij reed langs de singel recht op de zwanen af. Ik riep: 'Stop idioot!', maar de jongen op de motorfiets kon mij door het lawaai niet horen of hij wilde me niet horen. In ieder geval koerste hij met een steeds hogere snelheid recht op de zwanen af. De vaderzwaan schrok (het moest de vader wel zijn omdat hij het grootste dier in het rijtje was), hij maakte angstige geluidjes tegen zijn vrouw en de kleintjes. Hij bleef stokstijf op straat staan, maakte zich met zijn vleugels groot, nam een dreigende houding aan en ik zag dat hij begon te sissen. Onderdehand bereikten de moeder en de kleintjes, alle fladderend, het trottoir. De motor week niet uit voor de zwaan maar reed er recht overheen. Het dier was meteen dood. De motorrijder dreigde te vallen maar hield zich stevig vast aan zijn slingerende motor en voort ging het weer. Toen hij al meer dan een kilometer uit zicht was kon ik nog het gebrul van de motor horen. Ik begrijp niet wat wij voor een volk zijn dat we zulke rijders dulden. Mensen die zo'n lawaai maken! Je zou die jongen van zijn motor moeten sleuren en zijn vehikel met moker- of bijlslagen in elkaar hakken. Ik snelde op de zwaan af maar kon niets meer uitrichten. Een kwartier bleef ik en onderdehand stonden de moeder en de kleintjes om het lijk heen. De moederzwaan begreep er niets van. Misschien ging ze al tien jaar met haar man om en het leek of haar ogen wilden zeggen: 'Sta je nog eens op? Je hebt immers voor heter vuren gestaan?' Maar de vader lag in een grote plas bloed, zijn vleugels en zijn nek waren gebroken, hij had zijn ogen nog open. Een uur later kwam er een autootje van de reiniging. Een man in overall smeet de smetteloos witte zwaan als een vuilniszak in zijn wagentje en reed ermee weg. De moeder had niet veel tijd gehad om afscheid te nemen van haar man. Het gezin ging nu zonder de vader weer naar het water. Er was daar veel kroos en maandenlang hebben de moeder en de kleintjes er op hun vader gewacht. Iedere dag kwam ik er een paar keer langs en het was of de zwaan me verwijtend aankeek. De moeder tuurde de hele dag naar de plek waar haar man het leven had gelaten. Ik schaamde me voor de motorrijder. De zwanen bleven zo lang wachten op hun man en vader tot de kleintjes al helemaal groot waren. Dat was ontroerend om te zien. Het vertoon van de moederzwaan was ook een soort van beschuldiging. Vanmiddag ben ik weer naar de plek gegaan en ik heb brood meegenomen om dat aan de vogels te voeren. Ik had mijn hondje bij me. Toen ben ik in het gras gaan zitten en heb een hele tijd naar die zwanen gekeken. Wat kunnen dieren toch vriendelijk en goed zijn. Ik dacht aan al onze ellende in de wereld, aan alle onrechtvaardigheid, aan alle onmenselijkheid. Mijn gedachte was als volgt: de mensen moeten niet in een hiernamaals geloven. Dat God echter alles gemaakt heeft, de sterren en de zon, de meeuwen en de gifslang, de mens en de hond, dat staat als een paal boven water. Maar het Paradijs moeten we zelf maken. De mensen zijn slecht en egoïstisch en ik dacht even aan wat een rijke man me had verteld:

'Daar moet je even naar een vreemd verhaal luisteren man! Je weet dat ik veel van reizen hou. Helaas komt het daar niet zoveel van omdat ik het zo druk heb. Met die auto's ben je altijd maar in de weer. Het is leuk om zo'n groot bedrijf te hebben en drie ton per jaar te verdienen, maar je wilt toch weleens wat anders? Altijd maar dat personeel dat niets lijkt te begrijpen en vaak ziek is. En dan de zorgen hè, de zorgen over een mogelijk kelderende economie. Nu ja, laat ik je van mijn vakantie vertellen. Het was voor het eerst dat ik zonder de kinderen ging. Mijn vrouw had iets heel prettigs uitgezocht. Een nieuw hotel op Rhodos. De reis erheen was leuk. Je moet nog een heel eind met de boot van Athene voor je er bent. Goed, we gaan in een huurwagentje het hele eiland over en bekijken mooie plekjes. De koffers hadden we afgegeven bij de balie van het hotel. Zo te zien was het echt een prachtig hotel. Tegen het eind van de middag heb ik een zeilboot gehuurd en urenlang hebben we op zee gezeild. Toen zijn we gaan eten. Gewoon op de kade, veel vis, veel wijn. Er kwamen mensen bij ons zitten. Die kwamen helemaal uit Texas en vonden het prachtig op het eiland. Goed, tegen enen gingen we die eerste nacht naar bed. Ik was behoorlijk aangeschoten. Ik neem een bad, mijn vrouw neemt een bad... We gaan allebei naar het toilet en duiken de koffer in. Mijn vrouw zegt na een half uur: "Wat leuk al die kleine lichtjes aan het plafond." Ik kijk ook naar boven en daar blijkt dat we helemaal geen dak boven ons hoofd hebben. Bed prima, leeslampjes goed, televisie goed, koud en warm stromend water, een weegschaal, maar geen dak boven ons hoofd! Ik heb liggen gieren van de lach. Er kwam een vliegtuig over. Dat was een heel leuk gezicht. Op een gegeven moment konden we zomaar de maan zien staan. En ik wijs mijn vrouw de mij bekende sterren aan. Buiten hoorde je de geiten mekkeren en de schapen blaten. Het was echt erg leuk. Soms hoorde je beneden dronken mensen voorbijkomen. In de verte hoorde je de schepen op zee. Dat is leuk als je de toeters van de schepen gewoon in je bed hoort! Toen zagen we een vallende ster. Ik zeg tegen mijn vrouw: "Zolang het niet gaat regenen kunnen we hier best blijven." Nou, we zijn er drie weken gebleven en alles ging goed, we hebben geen drup regen gehad! Mijn vrouw vond het de meest romantische vakantie die we ooit hadden gehad. Het was of ons leven veranderde, daar in de open lucht. Het was weer net of we allebei achttien waren. Ja man, gewoon te dwaas om voor te stellen. Mijn vrouw heeft het er nog steeds over. Overdag zeilden we en lagen we in de zon. We hebben goed gegeten en veel met eilandbewoners gesproken. Maar de hele dag keken we uit naar de nacht. Ja, nergens hadden we zo'n plezier in als om daar in de open lucht op de bovenste verdieping te slapen. Je kon in je bed de golven tegen de rotsen horen slaan en het gebabbel van de vissers horen als ze afmeerden. Wat zeg je? Ja, verdomd romantisch, daar zullen we nog ons leven lang over praten. Nee, prima jongen, de bediening was ook goed en de eigenaar deed net of hij gek was. Maar ja, al het moois gaat voorbij... Wat zeg je? Nee, ook niet, haast geen wind, een klein zuchtje af en toe. Op Rhodos kan het overdag weleens waaien maar 's nachts is het lekker hoor. Nee gewoon hoor, onder één laken en één dekentje. Ik kwam er weer achter dat mijn vrouw nog echt een lekker pittig wijfje was. Maar goed, de vakantie was over en mijn vrouw en ik zitten weer in het vliegtuig. Bij de champagne keken we elkaar aan en we proestten het uit van de lach. We hoefden elkaar niets te vertellen! Ach nee man, ik ken mijn vrouw toch al twintig jaar. Op Schiphol stapten we in onze auto en ik ben meteen naar de consumentenbond gereden. En daar heb ik toch een grote waffel opgezet. Mijn vrouw deed ook nog een duit in het zakje... Of ze belazerd waren bij die reisorganisatie. Een kamer zonder dak! Wie weet wat er had kunnen gebeuren? Nee, zoiets doe je niet, dat vond de advocaat ook. De advocaat is ter plekke gaan kijken en kreeg van de eigenaar van het hotel bevestigd dat we daar drie weken in de open lucht hadden geslapen. We hebben al onze poen teruggekregen, de vliegreis, de kip en de champagne ook! Je zou het niet geloven! Goed hè?'

Ik glimlachte droevig: zo waren de mensen nou! En die jongen die de mannetjeszwaan had doodgereden, wat was dat voor een type? Lang bleef ik naar de zwanen zitten kijken, op vijf minuten gaans van mijn huis. Mikkie scharrelde in de buurt. Zonder dat ik het besefte begon ik te bidden. 'God, geef dat de vader van de kleine zwaantjes als de vogel Phoenix opstaat uit zijn as en hiernaartoe vliegt.' Oh, wat zou hij met statige wiekslag aan komen vliegen, wat zou hij een water doen opspatten als hij landde in de singel. Ja, en als hij terugkwam was meteen het Paradijs aangebroken, geen Treblinka meer, geen gekerm in Korea, geen bootvluchtelingen uit Vietnam, geen gemartel in Chili of Portugal, geen oorlog in het Midden-Oosten, geen vervolging van dissidenten in Rusland, geen zelfmoord in Nederland en Zweden, geen gekkenhuizen, geen gevangenissen, geen idioten die op een brullende motor de liefste vogels doodrijden. Ik glimlachte weer, het was een mooie gedachte, maar er kon niets van komen. 'Ach!' dacht ik, 'als de mensen toch maar eens God in zichzelf ontdekten, als ze de naastenliefde maar ontdekten, als ze maar beseften dat we allemaal godgelijk zijn, honden, zwanen en mensen; de dieren schijnen het wel te begrijpen, maar de mensen niet. Oh oh, wat zou het mooi zijn allemaal. Dan zouden we geen wetten meer hebben, geen strafrecht, geen guillotine, geen dierenkwelling, geen jaloezie, geen overspel en wij allen zouden elkaar vriendelijk in de ogen kijken en af en toe tijd voor een praatje hebben. Allah, Boeddha of God, dat maakt allemaal niets uit. Wij zouden ons niet meer voor elkaar schamen, we zouden niet meer in kranten schelden op volken en privé-personen. Ja!, als de mannetjeszwaan eenmaal hier in de singel was geland zou het net zijn of er nooit kwaad was geweest en het zou er ook nooit meer zijn...' Aan zulke bespiegelingen gaf ik me over en na een uur zat ik er nog. Toen ben ik opgestaan en naar huis gelopen. Thuis ben ik in bed gekropen en daar dacht ik: 'De hele mensheid moet zijn eigen verlosser zijn. Bij miljoenen zullen we ons aan onze eigen haren uit de poel van ellende en wreedheid moeten trekken.' Ik besefte dat het nooit zou gebeuren. 'De jonge rabbi, zoon van een timmerman en een kantkloster, tegen een Romeinse crux gespijkerd, heeft ons niet verlost en er zal nooit een verlosser zijn. Nee, ieder mens, Chinees, neger, jood, Amerikaan, Arabier (wat een waanzin is het trouwens al dat je "Chinees" met een hoofdletter en "neger" met een kleine letter moet schrijven!), zal zichzelf moeten verlossen. Door te beseffen dat hij zijn vader en moeder moet eren, dat hij niet andermans vrouw moet begeren, dat hij niet moet stelen en geen valse getuigenis moet afleggen, door te beseffen dat hij zijn naaste moet liefhebben.' Ik begreep dat het nooit zou gebeuren en ik huilde bitter...

De volgende dag kwam ik weer langs de plek in de singel waar de moederzwaan met haar kleintjes wachtte op haar man. De zwanen keken me aan met hun kleine donkere oogjes en het was of ze zeiden: 'Jij..., jij bent ook een mens.' Maar ik moest naar kantoor en na drie dossiers te hebben gelezen en vier telefoontjes te hebben beantwoord, na een vergadering die twee uur duurde en een uitgebreide lunch met koude kip en wijn was ik al mijn mooie gedachten vergeten. Ik liep in de tredmolen zoals iedereen, want men studeert, men bouwt bruggen, men stelt theorieën op, men schrijft boeken, men vindt nieuwe geneesmiddelen uit, men slacht kalveren en kippen in abattoirs, we werken aan nieuwe satellieten, we zoeken naar goud en diamanten, we proberen het raadsel van de zwaartekracht te doorgronden en we luisteren naar muziek, we eten, we poepen en we piesen en we gaan naar bed. We gaan naar kantoor, naar de fabriek, naar de universiteit, we sjouwen met stenen en manuscripten en piano's, we maken nieuwe wetboeken, een houten stoel gooien we weg en een plastic stoel zetten we ervoor in de plaats, we veroordelen anderen en we roken een sigaar en zwetsen en neuken erop los. Zo zal het nog duizenden jaren gaan en nooit zal iemand mijn verhaal begrijpen...

Verstoten

Meneer meester F.C. Schaffelaar werkte tot zijn grootste genoegen bij de juridische faculteit van de Leidse universiteit. Hij was gespecialiseerd in oudvaderlands recht en in Romeins recht. Hij zag er leuk en vlot uit, maar hij was eigenwijs en gesloten. Voor de helft van de tijd gaf hij les in het recht en voor de rest werkte hij aan zijn proefschrift. Dat proefschrift beloofde iets heel speciaals, iets heel bijzonders te worden. Hij vond het leuk om met de studenten over ons oude recht te praten. Al die merkwaardige opvattingen die de mensen vroeger hadden, daar kon je om lachen. Zo bestond het recht van hoge heren om de eerste nacht met een vrouw die net in het huwelijk was getreden... donders, dat weet immers iedereen. Je had bijvoorbeeld het recht van zwaan, dan mocht je een zwaan in je vijver hebben, dat was een zogenaamd heerlijk recht, een recht van heren, en iemand anders die ook een zwaan in zijn vijver deed kon je zijn linkervoet af laten hakken. Het recht van overpad heb je nog steeds. De betekent dat je over iemand anders wei mag lopen om bij de kruidenier en de kerk te komen als dat de kortste weg is. Moordenaars werd kokend lood in de keel gegoten. Het was allemaal even interessant, boeiend en wreed. Schaffelaar kon wel aardig met de studenten opschieten, hoewel hij een beetje autoritair optrad. Maar met zijn collega's kon hij het minder goed vinden. Tijdens de koffie- en de theepauze zat hij eigenlijk altijd alleen. Dat kwam deels omdat de medewerkers hem eigenwijs vonden en bekakt, deels omdat de mare van een uitstekend proefschrift dat hij aan het schrijven zou zijn hem overal vooruitsnelde. Hoeren en heksen, vlaaien over het dak werpen, in de hoeken van de kamers rochelen ten teken van eigendomsoverdracht van een huis, behekste bezems, de actio doli, de Pauliana: je mag geen geld wegmaken als er schuldeisers op je zitten te wachten, onderzetting of hypotheek, bij faillissement mag je een onderhemd, een koe en een geit behouden, een meester mag zijn pen en papier plus vier boeken behouden, bij onroerend goed behoren ook de konijnen in de konijnenwarande, zelfmoordenaars werden na hun dood nog gehangen: Schaffelaar schreef er een prachtig proefschrift over. Hij kreeg van de promotiecommissie het cum laude. Een enkeling van de medewerkers mocht na het afmaken van zijn proefschrift op het instituut blijven. Dat was Schaffelaar echter niet vergund. Hij moest het veld ruimen voor een ander. De professoren en de lectoren waren blij dat ze van hem af waren, maar de studenten misten hem. Schaffelaar voelde zich verstoten en een week lang lag hij in bed detectives te lezen. Hij kwam weleens op het instituut maar daar was niemand die hem wat vroeg. Op een dag las hij een advertentie in de krant: 'Inspecteur gezocht voor de goede gang van zaken bij raden van bestuur in familiebedrijven.' Het leek hem een leuke baan, hij solliciteerde en werd meteen aangenomen.

Hij werkt daar nu zeven dagen. Vandaag is hij erg opgewonden. Vanavond zal er een feestelijk etentje zijn van de vakgroep oudvaderlands en Romeins recht. Hij hoort daar weliswaar sinds een maand niet meer bij, maar hij zou het feest toch graag mee willen maken. Nu zint hij op allerlei manieren om alsnog uitgenodigd te worden. Er gaat hem niets boven de wetenschap. Het liefst had hij professor willen worden. Hij rijdt met zijn auto van Leiden naar Amersfoort. Onderweg hoort hij de nieuwslezer spreken over overvliegende dollarvelden en verplichte reflectors voor nieuwe platenspelers, over asbakken in diervorm en schoenen zonder pedalen. Hij is er niet helemaal bij. Op een gegeven moment ziet hij in de wei een kameel tussen de koeien staan. Hij stopt en het blijkt dat hij zich niet vergist. Hier moet een zonderling wonen. Hij rijdt door en zet de radio uit. Een half uur later is hij in Amersfoort. Hij vraagt de directeur van een fabriek van speelgoedwaren te spreken en laat hem zijn visitekaartje zien: 'Mr. F.C. Schaffelaar, inspectie raden van bestuur.' Hij wordt naar een deftige kamer gebracht en krijgt koffie met gebak. Langzaam komen de leden van de raad van bestuur binnendruppelen. Op een gegeven moment komt er ook een jongetje van vier aanhuppelen. 'Dit is een feestelijke dag,' zegt de voorzitter, 'wij zijn van plan om de kleine Charles van Kakesteyn in de raad van bestuur op te nemen.' Het jongetje zit op tafel en wil bij verschillende heren, zijn ooms en neven, paardjerijden op de knie. Hij wordt bijgeschreven in het register en dan moet hij mee vergaderen. 'Wij willen een filiaal openen in Oost-Polen,' zegt de voorzitter, 'ik weet dat de helft van ons tegen dat plan is en de rest van ons ervoor, maar nu hebben wij de kleine Charles. Wat vind jij ervan, lieve jongen?' Een heer neemt hem op zijn schoot en zegt tegen de vierjarige: 'Als je ja zegt mag je morgen in het wagentje met het paard.' Een neef met een snor en vest rukt de kleine op zijn schoot en sist hem in het oor: 'Als je nee zegt krijg je van mij een elektrische trein en gympjes.' De hele verzameling heren kijkt ingespannen naar de kleine kerel, de zakenman van vier jaar. De jongen vraagt hoe dik Polen is en of je het met slagroom mag eten. Nogmaals legt de voorzitter uit wat er aan de hand is. Weer wachten de heren. Dan zegt het jongetje, het speeksel loopt hem uit de mond en hij speelt met zijn blote voetje, zijn lieve mollige, rozige voetje met de pasgeknipte nageltjes en de frisgepoederde teentjes, tergend lijzig: 'Nee, ik wil het niet.' Hij heeft voor de elektrische trein gekozen, maar hij wil er een remise bij hebben. Dat gaat Schaffelaar te ver. Namens de minister van economische zaken en krachtens zijn gewone recht staat hij op en neemt het woord. Hij vertelt de raad van bestuur dat de kleine Charles pas mee mag doen als hij eenentwintig is. Hij doet de gift van de elektrische trein af als chantage en verklaart het genomen besluit voor ongeldig. Na een kwartier hakketakken begrijpen de heren hoe de vork in de steel zit en Schaffelaar gaat weer tevreden naar huis. In zijn auto denkt hij: 'Zal het nou zo mijn leven lang gaan? Altijd die kinderachtigheden, altijd dat kopje koffie en die gestreepte dassen, altijd die lintjes en vesten, altijd die geveinsde onwetendheid? Was ik maar professor geworden.'

Het diner van de vakgroep zal gehouden worden in het deftige restaurant De Doelen aan het Rapenburg in Leiden. Tijdens het naar huis rijden komt hij op het briljante idee om, nu hij niet uitgenodigd is, toch naar De Doelen te gaan en daar aan een hoektafeltje in zijn eentje te gaan eten. Vanzelf zal hij dan aan de grote tafel genood worden, misschien kan er over een eventuele terugkomst van hem op het instituut worden gepraat. Thuis leest hij twee uur lang in *Anna Karenina*, dan kleedt hij zich op zijn best, hij kiest de beste onderbroek uit die hij heeft, een visgraatpak, een das met gouden speld en hij wandelt naar het restaurant. O, hoe wandelt hij. Als een kleine majoor, als een Napoleon op weg naar het slagveld. Hij betreedt het restaurant. Er is nog niemand. Hij bestelt de terrine du chef, kreeft, garnalen, een Chateaubriand, worstjes, uien, augurken, een dame blanche, witte en rode wijnen van uitgelezen kwaliteit en Irish coffee en een havannasigaar voor toe. Als hij aan de kreeft bezig is komen zijn oud-collega's binnen. Het is overduidelijk dat de heren schrikken als ze de eenzame gast aan zijn hoektafeltje zien. De heren gaan zitten en zwijgen. O God, wat zwijgen ze. Dik Vermeer die Schaffelaar nog het naaste stond loopt naar een van de professoren toe en fluistert hem in het oor: 'Zullen we Schaffelaar toch maar niet uitnodigen bij ons aan tafel? Dit is toch te mal. Hij is pas een maand weg en nu zit hij daar toevallig in zijn eentje aan het hoektafeltje te eten.' De professor is in zijn wiek geschoten. 'Weg is weg,' zegt hij, 'als we Schaffelaar gaan uitnodigen kunnen we iedereen wel aan de dis noden die ooit bij ons heeft gewerkt.' Er komt veel eten op tafel bij de heren en Schaffelaar kijkt ernaar. De dranken worden aangevoerd. En juist als ze willen beginnen loopt hij op de grote tafel af en schudt professor Feenstra de hand en professor Fischer en lector De Boode en wetenschappelijk hoofdmedewerker Vreugdenhil en die goeie oude Dik Vermeer. Zo loopt hij alle heren af en maakt hier en daar een praatje. Het is een genante toestand omdat hij erbij hoort en er tegelijk niet bij mág horen! Dan gaat hij weer naar zijn tafeltje en eet tamelijk smakelijk. De stemming aan de grote tafel is behoorlijk bedrukt. Er wordt niet gesproken en vaak werpt men een stilzwijgende blik op Schaffelaar. Verschrikkelijk, alleen het lepelen van de soep is hoorbaar, het knarsen der kiezen en adamsappels, gesprekken komen niet op gang. Het feestelijke tintje is van het etentje af. Mr. Schaffelaar denkt aan een uitspraak van Carmiggelt: 'De heren spreken niet zozeer met mij.' Op de geluiden na die Schaffelaar en de heren aan de grote tafel met hun vorken en messen maken is het doodstil in de zaal. Nu ja, wie alleen eet en eerder begonnen is, is eerder klaar dan een groot gezelschap dat langzaam bediend wordt. Mr. Schaffelaar doet zo lang mogelijk over zijn sigaar, maar dan staat hij op. Weer loopt hij op de tafel af en begint uitgebreid en zeer hoffelijk afscheid te nemen: 'Dag professor, dag meneer De Boode, dag Dik,' enzovoort. De heren staan schutterig op en zijn blij als Schaffelaar eindelijk zijn jas heeft aangetrokken, afgerekend heeft en vertrokken is. Het begint met een licht gemurmel aan de grote tafel maar na tien minuten zit de stemming erin. En daar gaat hij weer van haha, actio doli, de Pauliana, het recht van zwaan, daar wordt weer gloeiend lood in de kelen gegoten, daar heb je weer het recht van overpad, de konijnen in de tuinwarande horen bij verkoop bij het huis, bij faillissement mag je een geit en een laken behouden. Het eten smaakt nu veel beter en luidruchtig worden er anekdotes uitgewisseld. Er wordt tamelijk flink gedronken terwijl de vergeten Schaffelaar op weg is naar huis. Thuis gaat hij in bed liggen en leest verder in *Anna Karenina*. Hij kijkt een half uur later op zijn horloge: 'Nu krijgen de heren hun koffie,' denkt hij. En inderdaad krijgen de rumoerige heren, die het vervelende voorval geheel vergeten zijn, aan het eind van de maaltijd hun koffie. Maar owee! Er worden ook achttien glazen cognac opgediend, voor iedere ambtenaar een glas. 'Hela,' roept professor Feenstra, 'deze cognac is niet besteld.' De eerste kelner komt er aanrennen en duwt de professor, de voorzitter van de vakgroep, een visitekaartje in handen. Daarop staat alleen: 'Deze cognac wordt u aangeboden door Mr. F.C. Schaffelaar.' Alle heren lezen het kaartje en er valt een diepe stilte. Weer is de stemming eruit. Op dat moment valt de verstotene rustig in slaap, het boek ligt opengeslagen naast zijn bed en een kat ligt snorrend aan zijn voeteind...

Vrijgezel

Blok bewoonde een kleine flat in een buitenwijk van Den Haag. Hij was een vriendelijke, rustige man van veertig jaar, hij stak altijd keurig in het pak, hij hield er conservatieve meningen op na en hij rookte pijp. Hij was tamelijk mager en ging eens in de maand naar de kapper. Zijn ouders woonden in het rustieke Bemelen bij Maastricht en daar ging hij regelmatig heen. In Bloks flat was het altijd een geweldige rommel. De vuile was lag in een hoek van de slaapkamer, overal lagen tijdschriften, boeken en kranten opengeslagen. De vuilnisbak in de keuken was altijd te klein, in de gootsteen stond vuil vaatwerk van weken opgetast. De huiskamer was helemaal een kuil om snikkend in te vallen: daar lagen op de vloer omgerolde stereoscopen, kapotte radio's, boeken, flessen, geelgeworden kranten, er stonden planten geheel vergeeld en verdord in grote bakken. Gordijnen had Blok niet, hij kleedde zich in het donker uit. Hij hield van prenten en door het hele huis waren alle muren beplakt met knipsels uit kranten en tijdschriften, foto's uit boeken. In zijn werkkamer slingerden negen paar schoenen over de vloer zodat Blok er steeds over struikelde, hij had er een wastafel en daarnaast stond een grote ventilator op een sinaasappelkist die weer op een prullenmand stond. Die kist lag vol met oude boeken en bestofte manuscripten. Onder de wastafel stonden zeven koffers met langspeelplaten, alles zang met pianobegeleiding. Op de wastafel lag een stukje zeep dat drie jaar geleden voor het laatst was gebruikt. Ook in deze kamer slingerden boeken over de grond. Op een divan in de hoek lagen dekens en lakens, de dekens waren altijd opengeslagen. Bij het raam stond een Indisch tafeltje dat Blok op straat had gevonden. Daaroverheen hing een met gouddraad geborduurde lendendoek uit Tasjkent. Hij had dat ding ooit op vakantie gekregen. Het was de bedoeling dat men de doek sierlijk om het blote lichaam drapeerde voor men begon te vrijen. De doek had altijd over het gammele tafeltje bij het raam gehangen en hing met zijn punten in het stof en in de schoenveters op de grond. Op de doek stond een periscoop uit negentienhonderdtien. Daarboven, naast de telefoonaansluiting, hing vroeger een pijpenrek dat Blok als dassenrek gebruikte. Hij had er echter zoveel dassen over gehangen dat de spijkers hadden losgelaten en alle dassen nu in bonte mengeling over de periscoop heenhingen. De ventilator werkte al jaren niet meer en hoewel hij veel plaats in beslag nam, gooide Blok hem niet weg. Boven de ventilator hing een koperen scheepsklok die altijd meer dan een uur achterliep. Die klok had Blok ten geschenke gekregen van vriendelijke collega's op een bedrijf waar hij vroeger werkte, ze hadden hem het ding aangeboden bij zijn afscheid. Naast het tafeltje stond een grote kist, versierd met Sumatraans houtsnijwerk; hierin lagen stenen die Blok langs de rivieren verzamelde. Ook hier barstte het van de prentjes langs de muren. Midden in het vertrek, tussen de schoenen en de omgevallen laarzen, tussen de dassen en de boeken, tussen de vuile lakens en de oude schrijfmachines die nodig eens schoongemaakt moesten worden wilde Blok erop kunnen tikken, stond een geweldig bureau. Het zwarte blad dat één bij twee meter mat lag onder de paperassen en inktpotten. Er stond een vaasje met verlepte rozen, er lagen pijpen, er stonden twee asbakken, er lag een zwarte leren portefeuille en een leeg blikje Navy cut Capstan waarin een potlood, een balpen en een vulpen. Daarnaast een vloeiroller, een glazen gewicht, doosjes lucifers, pijperaggers, een gaatjesmaker, een horloge, een oude wekker naast een dossier van het ministerie, een schaar met de benen wijd open. Het meest in het oog viel een grote Olivetti schrijfmachine die hij van zijn vader had gekregen. Daarnaast een hoge stapel wit papier, het bovenste blad bedekt met tepelachtige, ingedroogde spatjes langgeleden gemorste thee, een paar boeken van Boenin, tegen de muur stond een metershoog portret van Marilyn Monroe. Links en achter het bureau stonden hoge boekenkasten vol omgevallen boeken en overbodige spullen, zoals schaaltjes op poten, diertjes van plastic en van steen, een briefweger, een paar schilderijlijsten, een tube bisonkit en een tube zalf tegen aambeien, een rij langspeelplaten met het verzameld werk van Poesjkin in het Russisch in één band daartussen. Blok hield van klassieke muziek, hij was vooral verzot op Schubert, Schumann, Spohr, Moessorgski en Mozart. In een apart kastje lagen de ondeugende blaadjes en boeken weggeborgen. In een van de kasten stond een oude portable radio en daarop was een eenvoudige grammofoon aangesloten. Tegen het bureau stond een stapel bijbels in zeventien talen, zo probeerde Blok zijn talen bij te houden. Wanneer hij van zijn werk op het ministerie kwam waar hij een hoge plaats had bereikt omdat hij zowel in het Russisch als in het recht was gepromoveerd, ging hij in de stad ergens eten, een auto had hij niet, hij deed alles lopende want hij hield niet van het rumoer en de drukte in volle bussen en trams op het spitsuur; daarna ging hij naar zijn huis, dronk in de woonkamer een halve fles wijn en ging dan naar zijn werkkamer. Daar maakte hij een plaatsje op het blad van het bureau vrij en begon onder het genot van een pijpje tabak *De dubbelganger* van Dostojevski te lezen. Blok had vaak geprobeerd zelf iets als een kort verhaal of een novelle op papier te krijgen, maar het was hem niet gelukt. Een paar jaar geleden ging het hem toch aardig af en menige Nederlandse schrijver zou het verhaal onverwijld naar de drukker hebben gebracht. Blok was echter te kritisch. Hij vond dat iets pas goed was als het niet onderdeed voor de klassieke schrijvers die hij placht te lezen. Toch willen wij het verhaal hier in het kort even vertellen. Wij weten waarschijnlijk ook wel hoe hij op het idee gekomen is indertijd. Op de kamer van een van zijn collega's hangt namelijk een romantisch schilderij waar Blok ooit een kwartier, toen hij op die collega moest wachten, met een vriendelijke glimlach op het gezicht naar heeft staan kijken. Dat schilderij inspireerde hem tot het volgende verhaal:

Er stond een landhuis in het oude Pruisen op een kilometer afstand van het strand van de Oostzee. Daar woonde een graaf die geweldig veel land had. Dat land werd gepacht door dertien grote boeren en van de opbrengst van de pacht kon de graaf makkelijk leven. De graaf en de gravin hadden een zoon die nu eens een jaar in Marburg, dan weer een jaar in Göttingen, dan weer in Cambridge studeerde. De student kwam maar eenmaal per jaar thuis en dan was het groot feest. Hij leerde op een bal niet ver van zijn ouderlijk huis een prachtig en lief meisje kennen en hij raakte op haar verliefd. Een jaar later, de studieresultaten waren erg matig geweest maar minstens honderd brieven hadden hun weg afgelegd van Cambridge naar het lieve plekje aan de Oostzee, de student had gezwijmeld bij de berichten van zijn geliefde uit het Noorden en lag van louter zenuwen en verlangen haast de hele dag op zijn buik in bed, volgde de verloving. Het was hoogzomer, boekweit, haver, rogge, uien en aardappelen stonden er prachtig bij. De verloving werd een formidabel feest. Het meisje dat de student had leren kennen heette Karla von Dittersdorff en ze was een baronesse. Eerst was er een jachtpartij, onderdehand werd op het gazon voor het grote huis gedekt. Het wild werd gebraden, de wijn stroomde overvloedig, er waren heerlijke groenten en verrukkelijke sauzen. Vanaf het gazon, dat honderd meter langzaam afliep, hadden ze uitzicht op een brede rivier, aan de overkant liep de oever weer glooiend op, daar was een geweldig goudgeel graanveld en daarachter begon het bos. Er waren veel genodigden: rechters, reders, advocaten, landeigenaars en doktoren. Het gesnater en het gerinkel der glazen, af en toe een vrolijke uitroep van de gelukkige Karla als ze weer een verlovingscadeau kreeg, was tot aan de overkant van de rivier te horen, water draagt geluid ver. De student was dolgelukkig en verliefd keek hij naar zijn aanstaande bruid. Karl Heinz Götz zu Magdeburg heette hij en hij was vierentwintig. Hij beloofde zijn vader tijdens de cognac dat hij dit jaar werkelijk zou promoveren. Het proefschrift zou over akkerbouwkunde en pachters gaan en het zou een echt internationaal proefschrift worden: Karl Heinz beschreef hoe het in Australië was, hoe in Afrika, hoe in Engeland, in Nederland en Duitsland met de akkerbouw en de pachters. Overigens had hij zich tot nog toe het meest beziggehouden met literatuur, filosofie en sterrenkunde. Terwijl een oom een schallende rede hield over de toekomst van Duitsland en het genie van Karl Heinz in het bijzonder, waarbij hij niet verzweeg hoezeer Karla bij de gelukkige paste, werd een telegram op het gazon waar de eters zaten, bezorgd. De eerste wereldoorlog was uitgebroken en omdat Karl Heinz reserveluitenant was moest hij nu gaan vechten. Karla weende bittere tranen en de echte pret was van het feest af, hoewel de fervente nationalisten in het gezelschap 'hoera', 'heiho' en 'Deutschland hoch' riepen. Om drie uur die nacht, de maan scheen prachtig over de rivier en over de eiken rond het grote huis, nam Karl Heinz afscheid van zijn Karla. De student sliep slecht en om zeven uur was hij al op. Om acht uur vertrok hij in een licht duowagentje met een snel en vurig paard ervoor naar het station. Zijn vader mende het karretje. Ze kwamen langs het huis van Karla, die in haar nachtpon op het bedauwde balkon stond en wuifde tot er niets meer van het duowagentje te zien was. Karl Heinz kwam aan het front terecht en hij betoonde zich een dapper luitenant. En te midden van houwitservuur, in de loopgraven, soms met een gasmasker op, te midden van de kreten van pijn der zwaargewonden en de barse bevelen van kapiteins en kolonels, schreef hij zijn brieven aan Karla. Hij schreef er drieëntwintig en ze kwamen allemaal aan. Toen stopte de post, het was herfst geweest, winter en nu zou de lente komen. Karla wandelde maar van haar huis naar de zee en weer terug. Blootsvoets liep ze over de akkers en klom over hekken. Soms zat ze in het struikgewas te snikken: er waren nu al in maanden geen brieven meer gekomen en het scheen er voor de Duitsers niet al te best voor te staan in de oorlog, men was aan de verliezende hand. De laatste brief was uit België afkomstig en hierin vertelde Karl Heinz dat drie van zijn beste kameraden waren gesneuveld door granaatvuur. Karla meende dat haar verloofde was omgekomen en wel op zulk een afschuwelijke manier dat men zijn lijk niet had kunnen identificeren. Langzaam zette die gedachte zich ook vast in de hoofden van de graaf en de gravin Götz zu Magdeburg. Het was een vreemde zaak: er werd niets meer vernomen van Karl Heinz. En de winter lag grauw over het landschap. Weliswaar was het al opgehouden met vriezen, maar nu regende het veel. Het ijs in de rivier begon te smelten en de sneeuw dooide zachtjes op de velden weg. Plassen vormden zich op de nog ongeploegde akkers en de stammen en takken van de kastanjes en populieren waren nat en kaal en glimmend. Men rook het rotten van de bladeren die het vorig jaar gevallen waren. Er waren alleen nog maar oude mensen en meisjes op het land, jongemannen zag men haast niet. Maar de meisjes deden hun best en men begon te ploegen, langzaamaan begon het minder te regenen en de zon brak door. De eerste zwaluwen lieten zich zien en de sneeuwklokjes en de krokussen kwamen boven de grond. 's Morgens dampten de rivier en de akkers. Karla praatte veel met de boeren, die vertelden dat het ondanks de oorlog een goed jaar zou worden. Voor het overige wandelde ze maar en trok langs beemd en veld. Ze zat op de natte grond te huilen onder een natte struik en ze keek naar de zee waar in de verte schoeners en fregatten en een enkele stoomboot voorbijtrokken. Het was een drukte van belang op het land. Overal zag je vrouwen en oude boeren. Overal werd geploegd, de grond werd gescheurd en er werd gezaaid. En juist door dat gevoel dat het leven gewoon doorging, dat er in september weer geoogst zou worden, dat het zomer zou zijn, dat de kinderen op school hun liedjes zouden zingen, dat de gymnasiasten in Danzig hun 'amo, amas, amat' zouden stamelen en 'periculum in mora', dat de meisjes in zonnejurkjes naar de kerk zouden trekken, dat de eerste communie weer gewoon plaats zou hebben, dat het orgel op zondag harder zou zingen dan alle merels en nachtegalen tegen de avond bij elkaar, juist door het feit dat de rododendronstruiken weer in bloei geraakten en het eerste dons van groen en geel zich op de velden liet zien, werd het Karla droevig om het hart. Op een avond was ze op bezoek bij de graaf en de gravin en het gezelschap was buitengewoon stil. Ze durfden elkaar niet aan te kijken en aller gedachten gingen terug naar de gelukkige verlovingspartij. Hoe afschuwelijk voor Karla dat haar lieveling nu dood was. Waarom spraken de graaf en de gravin anders over het verkopen van hun landgoed en reizen naar Italië maken, naar Griekenland en Turkije, wanneer de oorlog afgelopen zou zijn? Ook zij hadden de moed opgegeven en begonnen nu vergetelheid uit hun rouw en droefenis te zoeken. Maar nog altijd leefde er hoop bij Karla. Het regende die avond, het was lauw water dat uit de hemel kwam en zachtjes tikten de grote druppels tegen de hoge ruiten van het statige huis. De graaf begon te neuriën: 'Schön ist die Jugendzeit...,' maar zijn vrouw vermaande hem. De klok tikte en verder was er niets te horen in het huis. Hier en daar kraakte een deur of een scharnier. Op dat moment kwam een postbesteller een telegram brengen: 'Ben gewond, stop, arriveer morgen om kwart over tien 's avonds op het station, stop, kom me afhalen, Karl Heinz.' De graaf liet een fles champagne aanrukken en hoewel iedereen erover in het onzekere verkeerde in welke graad Karl Heinz nu eigenlijk gewond was, terwijl men zich afvroeg hoe het kwam dat men zo lang niets van hem gehoord had, kwam er toch een beslist opgewekte stemming in huis. De volgende dag bleek dat Karl Heinz slechts op een brancard mocht worden vervoerd. Hij had van alles gebroken en zijn rug was verbrand. Bovendien had hij nog flink last van een hersenschudding. De crisis was voorbij, maar veel hoofdpijn had hij toch nog. Karla kon desondanks haar vreugde niet op. In het huis van zijn ouders begon ze haar verloofde te verzorgen, zijn rug werd beter, de beste dokters werden gehaald en alle breuken heelden. Hoe hoger de zon kwam te staan, hoe dikker de appels en hoe boller de peren aan de bomen werden, des te minder werd de hoofdpijn van Karl Heinz. Eerst had hij een maand op zijn kamer in het donker gelegen maar nu kon hij op het balkon zitten en hij legde uit waarom er geen brieven meer waren gekomen. Hij was krijgsgevangene geweest en men had hem verhinderd te schrijven. En als hij wel schreef werden zijn brieven weggeworpen, zulk een hekel hadden de Fransen aan de 'pedante' Pruisen. En toen hij eindelijk bevrijd werd stuurde hij twee brieven die waarschijnlijk allebei in beschoten treinen verbrand waren. Het was een warrig verhaal en dat kwam gedeeltelijk omdat Karl Heinz nog steeds lichte koorts had. Maar de artsen vonden het goed dat hij op het balkon zat... Dat had Blok op dat schilderij gezien: een gewonde in een gemakkelijke stoel. Een verband om zijn hoofd en zijn linkerarm in een steundoek, een gewonde in volledig uniform. Een gelukkige verpleegster, verloofde?, die hem een glas melk te drinken geeft, daarachter de ouders van de gewonde in een schemerige kamer. Ze kussen elkaar juist onder de grote lamp. Op het gazon voor en onder het balkon rijden kinderen paard, verderop de rivier, aan de overkant het koren en daarachter het woud. Over de rivier komt juist een stoomslepertje aanvaren dat twee aken voortsleept over het visrijke, gevaarlijke, want hier en daar ondiepe, water. Maar wat het meest opviel aan het portret was de gelukkige uitdrukking op het gezicht van het meisje dat de luitenant te drinken gaf. De luitenant zat er nog een beetje bij als een natte vlieg, maar toch rechtop met een zweem van waardigheid. Dat was alles wat Blok had gezien, jaren geleden, op de kamer van een collega toen hij een kwartiertje moest wachten. Een maand lang had hij iedere avond zitten schrijven en hij was gelukkig geweest. Het werd een novelle van ongeveer veertig bladzijden. Maar toen hij het na een jaar herlas begon hij te piekeren. Moest hij niet meer gegevens over de oorlog hebben? Trouwde een graaf wel met een baronesse? Waarom zouden die twee brieven verbrand zijn? Was de stijl van het geschrevene niet een beetje te plechtstatig en romantisch? En wat groeide er op de akkers in de buurt van Danzig? Wat was boekweit eigenlijk? Werd er brood van gebakken? En waren er juist niet allemaal moerassen tussen het huis van de graaf en de zee? Studeerden jonge Duitsers in die tijd wel een jaar in Cambridge? Was de droevigheid van Karla wel goed getekend? En hoe zag een huis waar een graaf woonde er ongeveer uit? Waren er hertegeweien langs de muur of hingen er een Ruysdael en een Rembrandt? En zou de student niet onmiddellijk na de aanslag te Serajewo onder de wapenen hebben moeten komen? En met wat voor mensen gingen graven eigenlijk om? Hoe lang was Danzig al Duits? Het waren allemaal vragen waar Blok geen antwoord op wist. Het zou van hem een gedegen studie vergen voor hij het verhaal goed zou kunnen schrijven. Een beetje verzinnen naar een vage indruk van wat romantiek is, dat kan iedereen, maar een sociologisch en historisch verantwoord werkstuk maken, daar ging het hem om. Het moest allemaal kloppen en hij had het idee dat zijn novelle rammelde van de onjuistheden. Bovendien was het het eerste verhaal dat hij had geschreven en hij voelde dat hij zich er nog niet helemaal in had kunnen leggen. Nu hij het, een jaar nadat de novelle afgekomen was, herlas beving hem niet meer de ontroering die hij had tijdens het schrijven en dat alles deed hem besluiten het verhaal voorlopig op te bergen en het niet naar een uitgever te zenden. En dan nog, moest hij het verhaal, als de uitgevers het wilden hebben, onder zijn eigen naam of onder een pseudoniem publiceren? Hij was adviseur van de minister en hij wilde zich niet belachelijk maken. Maar goed, zoals ik het u verteld heb was ongeveer de inhoud van Bloks novelle. Het is jammer dat het nooit uitgegeven is want hij heeft me het verhaal zelf laten lezen en ik was er diep van onder de indruk. Expres heb ik niet de volle veertig bladzijden hier laten afdrukken zodat Blok nu nog de kans heeft zijn verhaal het licht te doen zien. Geloof me, lezer, dat mijn afgietsel maar een heel povere indruk geeft van de sfeertekening, de ontroering en de romantiek in Bloks verhaal...

Wij hebben nog niet verteld dat Blok vrijgezel was. Het was iets dat hem kwelde: hij was nog niet aan de vrouw gekomen en hij wist maar niet hoe hij het aanleggen moest. Altijd had hij gestudeerd en toen hij eindelijk klaar was, was hij al vijfendertig. Aan verenigingsleven in zijn studententijd had hij weinig gedaan en zo had hij behalve op college maar weinig meisjes ontmoet. Weliswaar had Blok vijfmaal tijdens zijn leven hartstochtelijke pogingen ondernomen om een meisje op hem verliefd te krijgen, maar het was hem niet gelukt. Hij had het altijd verkeerd aangelegd: uit verlegenheid ging hij te ruw met meisjes om. Juist als het meisje er helemaal niet op was voorbereid, zei hij bijvoorbeeld plotseling: 'Wat zou het verdomd leuk zijn als we getrouwd waren en kinderen hadden...' 'Tja,' mompelde het meisje dan en ging blozend over tot de orde van de dag. Het ergerde Blok dat hij nog niet geslaagd was en het werd hem droef om het hart als hij bedacht dat hij zijn leven lang ongetrouwd zou blijven. De laatste tijd had hij zijn oog laten vallen op een juriste die een paar kamers verderop in het ministerie aan dezelfde gang werkte, ze was secretaresse van de minister, ongetrouwd, ze zag er lief uit en ze had een prachtig karakter. De dag waar we het nu over hebben had Blok iets raars gedaan: 'Eigenlijk moet je verbergen dat je verliefd bent,' had hij gedacht, 'eigenlijk moet je je zo gedragen of het je allemaal niets kan schelen.' Hij stond op haar kamer en samen begonnen ze over een wetsontwerp. Blok was erbij gaan zitten. Na vijf minuten praten had hij tegen Yvonne, zo heette de juriste van zijn gading, gezegd: 'Dat is echt iets voor een tut hola als jij om te menen dat die gastarbeiders niet door de politie uit de kerk mogen worden gehaald, je hebt een weke geest en je ziet de realiteit niet. De kerk als wijkplaats voor het gerecht is een belachelijk overblijfsel uit het verleden. Illegale gastarbeiders moeten het land uit worden gezet! Trouwens, als ik als gastarbeider door de politie in Turkije word gezocht en ik ga in een moskee slapen, dan word ik ook opgepakt en naar huis gestuurd.' Yvonne keek een beetje beteuterd en ze was verontwaardigd. Ze vond dat de regering de hand in eigen boezem moest steken. 'Wij hebben dat klimaat helemaal geschapen,' zei ze, 'ons land is onderdehand een Mekka voor illegale gastarbeiders geworden en wij, dat wil zeggen de meesten van onze werkgevers, hebben er dankbaar misbruik van gemaakt.' 'Laat me niet lachen,' antwoordde Blok, 'immers, wat zijn de feiten?!...' Hierbij stompte hij iets te hard tegen haar schouder. Buiten kwam een man met een heel klein hondje voorbij. Blok moest erom lachen en maakte Yvonne erop opmerkzaam. Hij ging voor het raam staan om het beter te kunnen zien. Yvonne bleef op haar plaats. 'En daar komt een vent met een bouvier,' giechelde hij, 'kom toch kijken, Yvonne, dat kan me wat moois worden, de eigenaar van dat hoerenjong kan niet uitwijken en de angst straalt uit zijn manier van doen...' Yvonne kwam niet. 'Ze vechten!' riep Blok. Yvonne bleef zitten. Blok rende naar haar toe en sleurde haar aan haar haren en armen naar het raam. 'Dat is toch een prachtig schouwspel!' riep hij uit. Yvonne poogde zich los te wurmen uit zijn houdgreep en net toen ze loskwam drukte hij haar een kus op het dons van haar nek. 'Lapswans, sukkel,' zei ze, 'wat ben je toch hardhandig. Ik zal wel nooit hoogte van jou krijgen...' Ze gingen weer zitten, keken elkaar haast niet meer aan maar praatten door over het wetsontwerp. Op de een of andere manier was Yvonne gepikeerd, maar Blok begreep niet waarom. Weer op zijn eigen kantoorkamer aangekomen deed hij de deur op slot en maakte een rondedansje: hij had haar een kus gegeven, de eerste pogingen waren geslaagd! Ja, het kon niet anders of hier moest beslist een verloving uit voortvloeien. Blok zou hardnekkig avances blijven maken tegenover Yvonne en op een gegeven dag zou ze door de knieën gaan. Hij zat nu achter het zware bureau op zijn kamer en probeerde zich te concentreren op de wensen van de minister. Wat moest hij hem nu weer voor raad geven? Bloks ogen stonden glazig en steeds dacht hij aan Yvonne. Wat was het moeilijk om op je veertigste nog aan een vrouw te komen! Maar het zou hem beslist lukken. Hij schreef op kantoor een paar liefdesgedichten, knullige en oubollige gedichten in de trant van: 'Oh liefde, die ooit mijn hart doorkliefde, je weet niet hoe ik van je hou, ik blijf je eeuwig trouw, denk ik aan je benen, dan moet ik zo bitter wenen, maar denk ik aan je lieve mond, dan ben ik op slag weer gezond. Ja wij worden nog gelukkig samen, dat is mijn wens, het slot is amen.' Een referendaris kwam binnen en snel legde Blok het gedicht onder zijn schrijfmap. Hij kwam tegen vijven Yvonne nog een keer op de gang tegen en hij kon het niet laten tegen haar te zeggen: 'Zoals jij hier loopt ben je een van de lekkerste stukken op het ministerie!' 'Ik ben geen vee dat zich laat keuren,' bitste ze en weg was ze weer, maar onmiddellijk kwam ze om een hoekje terug en zei: 'Waag het niet meer, meneer Blok, om mij te overmeesteren en dan een verraderlijke kus in mijn nek te plaatsen, ik hou niet van die grapjes.' Blok bloosde en bood zijn verontschuldigingen aan. Hij zei niet, wat hem heel goed van pas had kunnen komen: 'Ik ben een beetje onhandig, ik ben vrouwen niet gewend, ik weet nog niet hoe ik met die wezens moet omgaan, maar geloof me, wees ervan overtuigd dat ik je heel aardig en lief vind. Mag ik je misschien eens een briefje schrijven om je uit te leggen wat er in me omgaat? Misschien kan ik het beter in een brief zeggen dan tijdens een tête-à-tête.' Hij mompelde: 'Wat ben je toch een vlug op haar teentjes getrapt spinnetje.' Verliefd, hartstochtelijk, haast geil keek hij haar aan. Ze vluchtte voor zijn blik die haar ontkleedde. Op zijn kamer begon hij *De dubbelganger* van Dostojevski te lezen, het was vrijdag, de minister was weg en zou waarschijnlijk niet meer bellen. Hij was geheel verdiept in zijn lectuur, maar op een gegeven moment hoorde hij Yvonne, het was duidelijk Yvonnes stem, buiten de deur op de gang zeggen: 'Ja, hier zit Blok, het is een vervelende rokkenjager en eigenlijk een kwal van een vent, hij is zo ruw in de omgang.' 'Stil toch,' zei een andere meisjesstem, 'vergeet niet dat hij nog altijd adviseur van de minister is.' 'Hij is niet op zijn kamer,' mompelde Yvonne, 'vrijdags gaat hij altijd wat eerder naar huis.' Blok keek op zijn horloge en zag dat het al zes uur was. Hij pakte zijn tas in en trok zijn regenjas aan. Hij verliet het gebouw en neuriede buiten op straat. Hij wandelde de stad in en meende hier en daar Yvonne te herkennen. Mooie vrouwen lijken, op de rug gezien, vaak zoveel op elkaar. Hij kwam in zijn restaurant en at er tong met een lekkere salade. Hij dronk er witte wijn bij en nam een Irish coffee voor toe. Hij betaalde en toen wandelde hij naar zijn huis. Binnengekomen bekeek hij met weerzin de rommel in de huiskamer, in de keuken en op zijn werkkamer. Hij trok een fles rode wijn open en ging in zijn werkkamer zitten. Hij maakte een plekje vrij op het bureau en zocht alle liefdesgeschiedenissen bij Boenin op. Er zat een hor in zijn raam en buiten ruisten de bladeren van een rij populieren in de zachte avondlucht. Af en toe keek hij naar de stapel dassen die als dode slangen, bonte slangen over zijn periscoop in de hoek krioelden. De wasbak waar hij vaak in plaste liep niet goed door en stonk geweldig. Hij probeerde erachter te komen hoe de helden van Boenin aan hun meisjes kwamen. Hij las toepasselijke passages bij Nabokov, uit de bijbel las hij het Hooglied. 'Zulke dingen zou ik tegen haar moeten zeggen,' dacht hij, 'uwe borsten zijn als reeën die door de velden huppelen, uw benen zijn als kunstige pilaren die een tempel kunnen dragen, uw haar lijkt op de voorhang van de tempel, uwe ogen lijken op diepe wateren vol vis, uw mond is als een huis vol sneeuwwitte ooien.' Vervolgens pakte hij Conrad, Maugham, Melville, Maupassant en Babel. Overal vond hij voorbeelden, maar alle helden pakten het anders aan. De een was schutterig, de ander brutaal, de een viel meteen met de deur in huis, een ander schreef gedichtjes. 'Yvonne,' dacht hij, 'hoe vang ik je in mijn netten?' Hij las tot twee uur in de nacht en toen was hij verschrikkelijk opgewonden. Het liefst was hij meteen naar Yvonne toegerend om haar alles te vertellen wat hij had gelezen. Misschien konden ze samen de mooiste passages herlezen. Maupassant was nog wel de geschiktste schrijver om de lusten op te wekken. Of zou hij haar misschien zijn eigen novelle voorlezen? Het werkstuk over de doodgewaande verloofde luitenant die tegen de zomer thuiskomt op het landgoed? Dan zou Yvonne zien dat ook hij tedere gevoelens had. Blok lachte. Het was nu diep in de nacht. Alles wat hij verzon was malligheid. Bovendien zou hij morgen met vakantie gaan. Drie weken had hij vrijgenomen. Hij was van plan te gaan logeren in Bemelen bij Maastricht waar het zo rustig was en waar zijn vader en moeder in een groot huis woonden, zeer idyllisch tussen het koren en de bomen. Daar hoorde je in bed 's avonds de nachtegaal en 's nachts de uilen. Overdag zag je de buizerds duiken. En het was er zo stil. Het zou een goede plek zijn om na te denken. Hij ging naar bed en droomde die nacht natuurlijk van Yvonne.

De volgende dag stond hij vroeg op en nam de trein naar Maastricht. Vandaar nam hij een taxi naar huis en vond thuis op zijn kamertje een passage bij Maupassant waar twee mensen, een jonge man en een jonge vrouw die elkaar niet kenden, in een gloeiendhete coupé van een boemeltrein in Zuid-Frankrijk zaten. Het was grappig om te lezen hoe de man steeds maar zinspeelde op de prachtige borsten van de jonge vrouw. Ze vertelde dat ze op weg was naar haar kind en tenslotte bekende ze dat er zo'n spanning op haar borsten stond omdat ze zo vol melk waren. De gordijntjes in de coupé gingen dicht en de jongeman zei, de gelukkige: 'Dat is makkelijk te verhelpen.' Hij legde zijn hoofd in haar schoot en wipte haar borsten uit haar blouse. Toen dronk hij de warme moedermelk en de trein sjokte onderdehand door het kale landschap en als de machinist plotseling moest stoppen voor een overstekende koe werd de jongeman nog steviger tegen de vrouw aangedrukt. Een prachtig verhaal en Blok lachte om Sartre die beweerde dat Maupassant als een zwijn schreef. Hij zat thuis op zijn jongenskamer die zijn moeder net zo gelaten had als toen hij het gymnasium verliet. Hij keek naar het eenvoudige boekenkastje: *Kleider machen Leute*, *Alleen op de wereld*, *Fabels* van La Fontaine, *Bartje*, *Die Armen* van Heinrich Mann, *Immensee* van Storm... het waren eigenlijk geen van alle boeken die hem konden helpen in zijn moeilijke situatie. Hier op zijn kamertje in Bemelen was alles nog keurig: bedje opgemaakt, boekenkastje deftig afgestoft, vliegtuigje in de vensterbank. Hij had op zijn zestiende Maupassant moeten lezen, dan zou alles anders zijn gelopen. Hij wandelde veel in de omgeving van Bemelen en genoot van de natuur en de stilte. Zijn vader was eigenaar van een cementfabriek en vaak had hij het 's avonds nog druk. Maar in het weekend was hij weleens tot een grote wandeling over te halen en terwijl ze liepen tussen de rijpende bieten, de aardbeien, de rozen en het wuivende graan, terwijl ze liepen door diepe bossen waar het geheimzinnig rook, roerde Blok op een keer het tere onderwerp aan. 'Vader, hoe heb jij het aangepakt toen je moeder wilde versieren?' De oude Blok lachte en legde alles zo goed mogelijk uit. Vleien, prijzen, bloemen laten bezorgen, gedichtjes schrijven, parfum opsturen, tegen vrienden roepen: 'Daar gaat ze en durf er eens wat van te zeggen!' Het inlikken bij de ouders. Het meisje kon leuk zingen en de oude Blok speelde vroeger aardig piano. In de kerk naast haar zitten en alles oprapen wat ze liet vallen. Na de kerk naar haar huis gaan, de ouders ook en dan voor haar spelen: 'Ich liebe dich so wie du mich', terwijl ze zelf het lied zong. Zo groeide er vanzelf een band. 'Het is allemaal zo eenvoudig,' zei de oude Blok, 'maar het moet vooral innig gaan en beleefd, niet als een geile bok er meteen bovenop springen.' 'Zo heb ik het dus gedaan,' dacht onze held over die laatste opmerking en hij wandelde maar en piekerde maar. Zijn moeder merkte op dat hij mager werd, ingevallen wangen kreeg en holle ogen. Hij had haast geen eetlust. De hele dag wandelde hij en eten deed hij weinig. Hij sjouwde met zijn Maupassant door bos en veld en vaak zat hij op een boomstronkje een uurtje te wenen. Verliefd als hij was er naar zijn mening nog nooit iemand geweest.

De laatste dag van zijn verblijf in Bemelen brak aan en toen hij naar bed ging was hij volkomen uitgeput. De volgende dag zou hij weer naar Den Haag vertrekken. In bed, terwijl de uil griezelige geluiden maakte, droomde hij dat hij getrouwd was. Het was een heerlijke droom. Hij droomde geen verhaal van Maupassant, Conrad, Maugham of Nabokov, geen gedicht van Poesjkin, hij droomde zijn eigen verhaal. De novelle die hij ooit geschreven had kwam weer tot leven. Hij was de luitenant en langzaam werd hij beter. Maar hij heette gewoon Blok en de baronesse was Yvonne. Werken hoefde hij niet, Den Haag leek niet te bestaan. Het huis was keurig opgeruimd, er was niet overal rommel. Ze waren getrouwd en zijn vader had een apart huis laten bouwen. Gearmd liepen Blok en Yvonne naar zee en weer terug. Het was een zalige tijd. Vooral als ze 's avonds bij elkaar op schoot zaten en alleen het loeien van de wind om het huis en de zware tik van de grote klok hoorden. Er kwamen kinderen, een meisje en een jongetje. Toen die vier en zes jaar waren gingen ze met zijn allen naar Venetië. Daar was geen verkeer. Alleen het gemummel van pratende mensen hoorde je daar, de voetstappen van heren en dames, de golfjes die uiteenspatten tegen de rompen van de gondels. Ze gingen er naar de kerk en hoorden er Gregoriaans. Een priester zegende het gezin en toen gingen ze op hun hotelkamer taart eten. Daarna waren ze weer thuis. De kinderen werden groot en de graaf en de gravin Blok liepen gearmd door de grote tuin. Nooit had Blok zulk een heerlijke droom gehad. Altijd thuis eten, altijd gezelligheid om je heen, geen rommel in de werkkamer, geen geheime verlangens: juist als jij naar bed wilde, wilde je vrouw ook. Het was mooi en stralend. Tegen Kerstmis gingen ze naar de kerk, met zijn allen in een grote slee, de plaid om de voeten van de graaf en de gravin Blok geslagen. De kinderen achterin op een bankje. De tocht ging in ijskoude lucht en over bevroren sneeuw door eindeloze wouden. Rennende wolven, grijnzend met gevaarlijke, spierwitte gebitten, hun roze tongen uit de bek hangend, dampend uit de mond als draken, probeerden het tuig tussen paard en slee door te bijten, de ellendige dieren hapten naar de gravin en de kinderen. Blok pakte zijn revolver en schoot op de wolven. De kadavers nam hij mee, de vachten zou hij duur kunnen verkopen. Aan wat een gevaar waren ze ontsnapt! En hoe veilig lagen ze 's nachts weer in het grote hemelbed met de donzen dekbedden. Geld was er genoeg en eenzaamheid was iets dat niet bestond. Als tortelduifjes gingen ze door het leven. Blok was nooit ruw tegen Yvonne. Hij uitte zich tegen haar altijd in de tederste bewoordingen. Soms dacht hij nog aan zijn vrijgezellentijd en die kwam hem dan als een hel voor, als een sombere plek in de geschiedenis, als een zwarte bladzijde in zijn leven. Smeerlapperij, zelfbevlekking! De droom kon Blok niet lang genoeg duren. Alle heerlijkheden van het huwelijk werden hem getoond en toen hij wakker werd voelde hij zich een ander mens. Hij nam afscheid van Bemelen en van zijn ouders en de volgende dag was hij weer op kantoor. Pas tegen elven zag hij Yvonne even. Blok complimenteerde haar met haar toilet en overhandigde haar een stukje zeep en een klein, eenvoudig maar roerend gedicht. Yvonne straalde: wat was die Blok ineens veranderd, een echte galant was hij geworden. Blok merkte dat ze nu niet meer zo afwijzend tegenover hem stond. Misschien had ze er in de afgelopen twee weken nog eens over nagedacht. Hij nodigde haar uit op zijn kamer en gezamenlijk, onder het genot van een kopje koffie, namen ze er wat officiële stukken door. De sfeer tussen Yvonne en Blok was beter dan ooit. Daarom waagde hij het aan haar te vragen: 'Zou je vanavond niet met mij in de stad willen eten? Over geld behoef je je geen zorgen te maken, we gaan het echt chic doen en ik beloof je dat je om halftwaalf uiterlijk weer thuis bent.' Yvonne keek Blok blij verwonderd aan. 'Dat zou nou eens leuk zijn,' zei ze, 'maar ik begrijp je niet, je bent plotseling zo veranderd.' 'Dus je doet het?' vroeg Blok, terwijl hij naar haar glimlachte. 'Ik moet even naar huis bellen,' zei Yvonne, 'dan kunnen we onmiddellijk na het werk op stap.' Een kwartier later zaten ze allebei weer op hun eigen kamer en Blok zag de wijzers van de klok, naar zijn zin veel te langzaam, naar vijf uur kruipen. De minister was op stap en Blok pakte de sprookjes van Andersen om de tijd door te komen. Hij zat er behoorlijk in verdiept. Tweemaal ging de telefoon en dat stoorde hem buitenmate. Om vijf uur haalde hij Yvonne op en samen liepen ze naar een van de meest romantische restaurants in de stad. Daar namen ze plaats aan de bar en begonnen gezellig over het werk te keuvelen. Ze waren van plan om pas om halfnegen met het eten te beginnen. Er speelde een man op de piano die daarbij niet onverdienstelijk allerlei liefdesliedjes zong. Blok bood hem tweemaal een borrel aan en vroeg dan of hij het liedje wilde zingen dat Yvonne zo graag wilde horen. Langzamerhand begonnen Yvonne en Blok elkaar van alles op te biechten over hun eigen bestaan, Yvonne merkte niet dat Blok zijn kruk steeds dichter naar haar kruk toeschoof en na een uur leek het of daar twee gezworenen zaten. Eindelijk gingen ze eten. Tijdens de maaltijd kwam een violist af en toe aan hun tafeltje spelen. Het eten was uitgebreid en overheerlijk. Na de Irish coffee verkeerden ze allebei in een roes. Ze stapten op en het regende. Blok ontvouwde zijn paraplu en Yvonne kwam gezellig dicht naast hem lopen. Het was nog druk in de stad. Blok vroeg of Yvonne ooit *Witte nachten* van Dostojevski had gelezen, ze kende het werkje niet. Toen begon hij haar het hele verhaal uitgebreid te vertellen. Hij schilderde hoe de jongeman almaar verliefder werd op het wonderlijke meisje, hoe blij hij was als hij maar even haar hand mocht kussen en hoe hij onmiddellijk plaats maakte voor de oude, de echte, de enige waarachtige minnaar toen die eindelijk op kwam duiken. Yvonne stonden de tranen in de ogen. Zonder dat ze het zelf in de gaten hadden waren ze steeds verder weggewandeld van plekken waar trams, taxi's en auto's kwamen. Zelfs wandelaars zag je hier niet meer. Het was een donker, verlaten stukje van Den Haag waar ze liepen en toen ze onder een afdakje kwamen bleven ze daar allebei tegelijk stilstaan. Blok kon zijn paraplu op de grond zetten. Zij legde haar hand op zijn schouder en hij omhelsde haar. Toen fluisterde hij zachtjes in haar oor: 'Ik hou van je.' Ze was stil maar streek met de palm van haar hand over zijn wang. Ze gingen dichter tegen elkaar aan staan. Yvonne voelde Bloks warmte door zijn kleren heen en andersom. God,! wat waren haar borsten zacht. Wat niet kon uitblijven volgde: een smachtende, hartstochtelijke kus die zeker een half uur duurde. Een oude man, die daar in de buurt al jarenlang ziek op zijn bed lag en die om negen uur het licht uit had gedaan, maar de gordijnen had opengelaten, zag dat alles en werd er zelf gelukkig van. En Blok dacht: 'Zal het dan eindelijk nog goedkomen...?' Onderdehand viel een zachte regen op alle daken en straten van Den Haag, de regen viel in Rotterdam en in Groningen. Ook op de Noordzee regende het en vissers die daar juist in het pikkedonker het net ophaalden (op het schip dat deinde op de lange golven), droomden van liggen in bed, tegen de warme vrouw, terwijl ze de regen op de pannen van het dak, waar ze vlak onder sliepen, hoorden tikken.

Op stap

Wij hebben het over Rotterdam in het jaar 1930. Meneer Dobler en zijn vrouw zitten gezellig in de huiskamer. Meneer is een krasse oude man. Hij is eenenzeventig jaar en net gepensioneerd. Hij geniet met volle teugen van zijn vrijheid. Ze wonen in een beetje een achterbuurt, namelijk de Zandstraat die op de Coolsingel uitkomt. Maar het huisje van meneer en mevrouw Dobler ziet er keurig uit en is popperig gestoffeerd, alle meubeltjes zijn netjes afgestoft. Hoewel het eind mei is, regent het vandaag. Jammer is het dat die twee oude mensen nu niet kunnen gaan wandelen. Maar er gaat iets moois gebeuren! Mevrouw heeft tijdens haar leven zes kinderen gekregen van wie er twee kort na de geboorte overleden zijn. Een dochter is schooljuffrouw geworden, twee zoons werken in de haven, maar de derde zoon heeft het ver geschopt: die is procuratiehouder bij een bank geworden. En die procuratiehouder heeft weer twee zoons en een dochter. Een van die zoons, de liefste kleinzoon van meneer Dobler de oude, is in Leiden kunstgeschiedenis gaan studeren omdat hij ooit directeur van een museum wil worden. Bij die gedachte kan opa zich verkneukelend in zijn handen wrijven: hijzelf is zijn leven lang machinebankwerker geweest op de grote scheepswerf Wilton en nu gaat zijn kleinzoon Hans misschien directeur worden! Hoewel het regent is het vandaag toch een aangename dag want Hans zal op bezoek komen. Hij is een paar dagen in Parijs geweest en zal zijn grootouders daar nu verslag van doen. Om halftwee wordt er gebeld. Opa en oma hebben juist hun eenvoudige maaltijd op: aardappelen met bruine bonen en spekvet en een appeltje voor toe. Opa doet open en daar komt de vrolijke Hans, die pas drieëntwintig jaar is, de trappen opgehuppeld. Hij draagt onder zijn regenjas een zwierig pak, een gekleurd overhemd en een leuke vlinderdas. Hij rookt een pijpje. Als hij boven is gekomen, hangt opa zijn jas op een knaapje terwijl Hans zijn overschoenen uittrekt. Hans kijkt pienter in het rond, hij vindt het hier altijd gezellig. Hier vind je de sfeer van Rotterdam zoals het altijd is geweest en als je eenmaal in de huiskamer bent is het net of je de negentiende eeuw binnenstapt. Op een geboend dressoir staat de dom van Keulen in het klein onder een stolp. De tafel staat precies in het midden van de kamer met vier stoelen eromheen. Een olielamp die zich niet gauw tot walmen laat verleiden hangt daarboven. Aan de wand hangt een groot schilderij van een schoener die voor de wind op volle zee vaart. Aan de overkant aan de andere muur hangt een schilderij dat een herder met zijn schapen voorstelt. De schoorsteen in deze kamer is tamelijk hoog. Er staat een potkachel die, op kolen gestookt, 's winters roodgloeiend kan worden. Naast de kachel hangen tangen en poken, daar staat de kolenkit. Op de schoorsteen staan de foto's van alle kinderen en kleinkinderen, de foto van Hans, genomen in de tijd dat hij in de vierde klas van het gymnasium zat, met een boek van Homerus opengeslagen voor zich, heeft een ereplaats gekregen. Terwijl oma thee gaat zetten, gaat Hans aan tafel zitten. 'Jij komt net terug uit Parijs,' zegt opa, 'maar je grootmoeder en ik gaan ook een reisje maken. Wij gaan namelijk morgen met veertig andere mensen naar Doorn, allemaal leden van de wijkvereniging, en in Doorn gaan we onder een malse boom zitten picknicken...' Op dat ogenblik komt oma weer binnen. 'Praat toch niet zoveel over jezelf,' zegt ze, 'laat Hans nu toch eerst eens vertellen. Parijs is immers iets heel anders dan Doorn.' 'Ja,' zegt opa, 'daar heb je groot gelijk in, maar eerst moet Hans zijn thee hebben, wil je er één of twee koekjes bij? Begin maar eens aan je verhaal.' 'Nou,' zegt Hans, 'ik weet niet precies waar ik moet beginnen, hebben jullie weleens van Breughel de schilder gehoord?' Nee, knikken de oudjes verlegen. En Hans begint omslachtig te vertellen wanneer de schilder geleefd heeft en wat voor soort schilderijen hij gemaakt heeft. 'Nou was ik bezig om daar een soort proefwerk over te schrijven voor mijn professor,' gaat Hans door terwijl de oudjes vol belangstelling luisteren, 'maar ik vond het zo vervelend dat ik de schilderijen van Breughel zelf nog nooit gezien had. Ik kende zijn werk alleen maar van plaatjes uit boeken. Ongeveer twee weken geleden had ik het daar met mijn professor over en die zei: "Maar dat is toch helemaal niet erg, jongen. Ik ben van plan om zelf in mijn auto naar Parijs te rijden om de grote Breughel-tentoonstelling te kunnen zien. Nu zijn er maar twee plaatsen in mijn wagen, mijn plaats is achter het stuur en de tweede plaats is voor jou. En een goedkoop hotel valt er toch altijd nog wel te betalen? Dat is leuk Hans, je bent een van mijn beste studenten en ik vind het fijn om samen met jou te reizen." Dat zei de professor en verleden week kwam hij me afhalen op mijn kamer. Ik heb maar een heel klein kamertje aan de Hogewoerd in Leiden, dat is een smalle, lange straat waar een tram doorheen rijdt, veel koetsen en veel fietsers, een enkele auto, veel paard-en-wagens. Hij zou 's morgens om zeven uur al komen. Om zes uur zat ik al met mijn koffer gepakt, met alle kleren aan en het geld dat ik van vader voor logies en eten onderweg had gekregen in mijn portefeuille. Mijn paspoort was nog helemaal nieuw! Iets voor zevenen kwam de professor, hij reed in een glanzende, nieuwe Bugatti-sportwagen en mijn gezicht straalde van trots. Mijn bagage werd ingeladen en we vertrokken. Het was een zonnige dag. Eerst hadden we nog het dak op, maar ter hoogte van Breda ging de kap eraf en zaten we zomaar in het zonnetje. Voor het eerst kwam ik in Antwerpen en na Antwerpen begon de professor zo hard te rijden dat ik in mijn overmoedige brutaliteit uitriep: "Liever een uurtje minder Breughel, dan mijn leven lang in een beugel!" Daar moest professor zo om lachen dat hij gas terugnam en zachter ging rijden. Op een gegeven moment werden de wegen zo slecht en was het zo droog dat we allebei stofbrillen op moesten zetten. We hebben, het oponthoud aan de grenzen meegerekend, acht uur over de tocht gedaan.' Dan vertelt hij over Parijs, hij schildert zijn grootouders wat er in de grote stad zo allemaal te doen is. Hij vertelt dat het er barst van de kunstenaars en dat het leven er erg mondain is. Hij was boven op de Eiffeltoren geweest en had het gevoel gehad dat de hele wereld aan zijn voeten lag. De Breughel-schilderijen waren fenomenaal en prachtig. Het eten in het hotel was lekker, veel wijn. Hij had veel op terrasjes gezeten. Uren zit hij te vertellen en opa wenste wel dat zijn bus morgen ook naar Parijs reed. Hans eet een boterham mee, daarna gaat hij nog even naar zijn ouderlijk huis om dan morgen met de trein weer naar Leiden te vertrekken. Hans neemt hartelijk afscheid van zijn grootouders, trekt zijn jas en overschoenen weer aan en vertrekt. De hele nacht ligt opa te dromen over een snelle tocht van Rotterdam naar Parijs in een vlotte sportwagen om daar vreemde schilderijen te zien. Hij heeft zijn hele leven op de werf gewerkt en is nog nooit verder dan op de fiets naar Hoek van Holland geweest.

De volgende dag stappen de oudjes Dobler in de oude, krakkemikkige bus die voor het stadhuis op de Coolsingel staat geparkeerd en die hen naar Doorn, het land der grazige weiden zal brengen. Terwijl er liederen worden aangeheven: 'We gaan nog niet naar huis' en 'In 't groene dal, in 't stille dal', komt de chauffeur binnen. De bus vertrekt en zodra de oude Dobler ziet dat naast de chauffeur nog een plaatsje vrij is maakt hij zich kwajongensachtig los van zijn vrouw en gaat daar zitten. Nu voelt hij zich net als zijn kleinzoon Hans naast de professor. De bus kan in de stad nog niet erg op gang komen, de chauffeur zit maar te schakelen en te sturen. Er staan voortdurend vrachtwagens stil waar niet zo snel omheen gereden kan worden en de fietsers rijden zeer gevaarlijk. Na een half uur zijn ze in Gouda en de chauffeur manoeuvreert zijn grote bus de nauwe straatjes in. Grootvader Dobler zou zelf wel chauffeur willen zijn, de hele wereld zou hij rond willen rijden en alle wonderen aanschouwen. Hij denkt weer aan het spannende verhaal van zijn kleinzoon, dan legt hij vriendelijk zijn hand op de schouder van de chauffeur, deze kijkt de oude Dobler bevreemd aan, maar grootvader zegt als een man van de wereld: 'Hou jij je nou maar bij je stuur, chauffeur, dan zal ik onderdehand wel in de benzine roeren!'

Giuliano

Een kleine veertig kilometer onder Napels lag een liefelijk vissersdorpje dat zelfs in het bezit was van een vuurtorentje. Er stonden maar zestig huizen, er waren vijf kleine winkels, men had daar de visafslag en dan was er nog een kerkje uit de baroktijd. In dat dorpje woonden in een huisje vlak bij het strand een visser met zijn vrouw, samen met twee kinderen. Ze hadden er eigenlijk zes, maar vier van de kinderen waren al groot en omdat ze niets zagen in het weinig opbrengende vissersbedrijf, waren er twee in Rome gaan werken, en twee werkten er in een autofabriek in Turijn. Twee kinderen waren er dus nog over: een meisje genaamd Teresa van achttien jaar en een jongen van veertien die Giuliano heette. Het meisje was verliefd op de zoon van de groenteboer en 's zondags maakten die twee lange wandelingen over de hete, stoffige weggetjes in het binnenland, ze lagen te minnekozen onder een pijnboom met uitzicht op de heuvels en de bergen aan de ene kant en het dorpje in de diepte – tientallen kilometers kon je vandaar over zee kijken. Er kwam daar weinig verkeer en het was heerlijk om er te wandelen. De vader, Pietro Gorbaldo was zijn naam, zag die liefde met vreugde in zijn hart groeien en bloeien. Teresa had een goede keus gedaan en de oude Pietro vond het leuk dat zijn dochter tenminste in het dorp zou blijven wonen. Giuliano was een prachtige knaap, hij had een tenger postuur met een licht gebronsde huid, hij had vriendelijke ogen en een altijd lachende mond, hij had glimmend zwart haar en kleine voeten. Hij hielp zijn vader bij het vissen. Hij kon eigenlijk niet anders want hij was niet zo begaafd als zijn broers, die nu als klerken en monteurs werkten, ver van het dorp. De lagere school had hij niet af kunnen maken. Maar zijn vriendelijke inborst en zijn werklust, hoewel hij af en toe iets doms deed, natuurlijk niet met opzet, maakten veel goed. Eigenlijk was Giuliano Pietro's oogappel.

Het huisje waarin ze woonden was maar klein, doch nu er vier kinderen het huis uit waren was er best te wonen. De moeder wist voor weinig geld de beste inkopen voor het eten te doen en kon heerlijk koken. Ze was de hele dag bezig in het huisje; het was keurig wit en schoon en binnen was alles opgeruimd. In de keuken glinsterde het keukengerei dat aan de wand langs het fornuis hing. 's Morgens van acht tot twaalf sliepen Pietro de vader en zijn zoon in een groot bed en er was niemand die het ze kwalijk nam omdat ze 's nachts visten. De laatste tijd kwamen ze niet meer met zo rijke buit thuis als vroeger en als de kinderen uit Rome en Turijn niet elke maand geld hadden gestuurd, zou het gezin niet eens hebben kunnen leven van de opbrengst van de nachtelijke vangsten van vader en zoon op de visafslag. Vroeger waren er vette vissen te vangen, grote bruine kreeften en garnalen, oesters, mosselen van de beste kwaliteit. Er was vroeger zoveel vis in de zee dat Pietro vaak iets ving waarvan hij niet eens wist hoe het heette en hoe het wel smaken zou, hij wist niet of zulk een vis gerookt, gebraden of gekookt moest worden. Er waren soms vissen bij van een meter lang. Maar sardines werden er ook gevangen. Toen Giuliano nog maar twaalf was ging hij al met zijn vader mee en altijd weer was hij verbaasd als hij de buit zag als het net bovenkwam. Vissen met sprieten, vissen met vier tanden, inktvissen, kleine haaien die meteen weer overboord werden geworpen, geel-blauw gestreepte vissen, rode vissen, blauwe vissen. En al dat vissevlees smaakte verrukkelijk. Maar de laatste tijd was het niet veel meer met de zee. Er werd haast niets meer gevangen, het loonde eigenlijk niet meer de moeite om 's nachts de zee op te gaan want altijd bleek weer dat de vangst 's morgens, omgerekend, maar een gulden of een gulden vijftig opbracht, terwijl ze vroeger vaak vangsten van zestig gulden haalden. De zee was vervuild, het was niet veel gedaan. Op een avond om tien uur voeren Pietro en Giuliano uit. Ze zeilden tot een mijl of vier uit de kust en wachtten tot het helemaal donker was. Toen hingen ze de sterke lamp, die op een accu werkte, buiten boord om te zien wat er voor vis op af zou komen. Veel snuiten en nieuwsgierige ogen vertoonden zich niet boven water, maar toch hingen vader en zoon plichtsgetrouw de netten uit. Ze wachtten tot vier uur in de morgen en toen gebeurde er iets dat ze nog nooit meegemaakt hadden. 'Een krankzinnige vis in het net,' zei Pietro en ze begonnen het net binnen te halen. Nieuwsgierig waren ze om te weten wat ze nu in vredesnaam gevangen hadden. Nog nooit was een vis zo in het net tekeergegaan, het scheepje schudde ervan, het helde flink naar stuurboord over, ze leken wel walvisvaarders. Ze trokken en trokken uit alle macht aan de touwen en tot driemaal toe dreigde Giuliano overboord te slaan. Toen ineens kwam er een kop boven water en dat was het hoofd van een zo afschuwelijke en griezelige vis dat vader en zoon behoorlijk schrokken. Echter 'hoe lelijker een vis hoe beter hij smaakt', luidde in het dorp het gezegde en ze probeerden het dier binnen te halen. De vis was zeker twee-en-een-halve meter lang en Pietro wist niet wat het voor een dier was. Het verzette zich uit alle macht om binnengehaald te worden. Het beet van zich af als een hond en het had een gebit waar menige gezonde en grote herdershond nog voor terug zou deinzen. Pietro probeerde het dier eerst met een bijl en later met een pikhaak de kop in te slaan. Allemachtig, hoe moesten ze die idiote vis binnen boord krijgen? Het werd een verwoed gevecht. Toen de zon opkwam doofde Giuliano uit zuinigheid de elektrische lamp, hij hoorde een gil, zijn vader lag met zijn buik op de zijkant van de boot te kronkelen van de pijn. De vis had hem zijn linkerarm bij de elleboog kapot geknaagd, vervolgens had hij de touwen doorgebeten en zijn vrijheid hernomen in het diepe water. Pietro bloedde als een rund. Zelf bond hij zijn bovenarm af met een stevig stuk touw, Giuliano moest de laatste knoop leggen. Pietro was een man uit een sterk geslacht en hij krijste of huilde niet van pijn. Hij ging in een hoek op een bankje zitten en zei niets. Giuliano haalde het net nu helemaal binnen. Het was behoorlijk beschadigd. Het enige dat ze gevangen hadden was een kleine inktvis. Giuliano hees de zeilen en een kwartier later voeren ze weer op huis aan. Pietro zat aan de helmstok terwijl zijn zoon de kapotte arm bekeek. Het was duidelijk dat de onderarm alleen nog maar aan een reep vlees hing. Pietro meende dat hij nog wel geopereerd zou kunnen worden. Ze hadden tegenwind en een paar uur later waren ze aan wal. Pietro liet zijn gewonde arm aan zijn vrouw zien en samen gingen ze naar de dokter. 'Hebben jullie geld?' vroeg de dokter. 'Voor een behoorlijke operatie moet ik geld hebben.' De moeder rende naar huis en schraapte bij elkaar wat ze vinden kon. Het was niet meer dan honderdtweeënzestig gulden en vierenvijftig cent. Dat geld gaf ze aan de dokter die zijn schouders ophaalde. 'Er is niet veel meer aan te doen,' zei hij tegen Pietro, 'zelfs in Rome of in Londen zouden ze dit niet kunnen repareren.' Toen verdoofde de dokter de arm en begon te snijden. Vijf minuten later was de onderarm helemaal los van Pietro en de dokter begon de stomp te hechten. Drie dagen later was er een begrafenis. De arm lag in een klein kistje en de pastoor zong en sprak bij het kleine graf waar Pietro ooit als hij zou sterven helemaal zou komen te liggen. Er waren wel twintig mensen aanwezig en met behulp van zijn gezonde arm en een kunstarm, die Pietro op voorschot van de dokter had gekregen, begroef de gewonde zelf een deel vlees en botten van zichzelf dat hem heel dierbaar was. Er was daarna een rouwmis voor verdronken gewaande vissers waar de pastoor zelf iets aan veranderd had want men kan niet zingen: 'Heer, ontferm u over de ziel van deze onderarm en wees de kunstarm genadig!' Een week later voeren Giuliano en Pietro alweer uit, maar het werd spoedig duidelijk dat dit geen doen was. Wat moest Pietro immers met een kunstarm op zee terwijl er niets gevangen werd? Bovendien moest die vermaledijde kunstarm worden afbetaald en dat ding kostte achthonderd gulden en daar kwam dan nog de rente bij die de dokter bedongen had. Voor de visserij was Pietro een wrak geworden, hij kon zelfs de kleine boot niet meer zeewaardig maken en het hijsen van de fok kostte hem al de grootste moeite.

Nu was het zo dat vanaf de oostelijke kust in de Adriatische Zee nog aardig gevangen werd, heel aardig zelfs. Grote witte koelwagens reden van de ene kust naar de andere en brachten prachtige vis op de visafslag in het dorp. Heerlijke, mooi gevormde vissen met lekker vlees zoals Pietro ze vroeger zelf gevangen had. Die vis was tamelijk duur, dat kwam door het transport in de vrachtwagens. De zee aan de andere kant van Italië was nog niet zo vervuild. Pepita, zo heette de moeder, vroeg eens op een nacht of ze niet naar de andere kust zouden kunnen verhuizen. Pietro kende geen vak behalve vissen en misschien kon hij zich op de Adriatische Zee nog verdienstelijk maken, al was het alleen maar door het bedienen van de lier of de winch op de veel grotere en modernere schepen die ze daar hadden, motorboten die vaak een week op zee bleven. Er was echter een grote vijandschap tussen de vissers van de ene kust en die van de andere. Ze konden elkaar gewoon niet uitstaan. En zelfs nu de vissers van Genua tot ver beneden Napels tot diepe armoede vervallen waren, wilden de vissers die in gunstiger water visten, de hand niet over het hart halen. Ze wilden er geen vissers bij hebben aan de oostkust. Er braken nu vervelende weken aan voor de familie. Er werd niet meer gevist terwijl Giuliano als hulpje bij een boer achter de heuvels in het binnenland werkte. Hij verdiende niet veel maar gelukkig bleven de andere kinderen hun geld sturen. Pietro voelde er niet voor om op het land te werken. Dat was iets dat niet strookte met zijn gevoel voor waardigheid en decorum. Beter in een fabriek dan op het land. Maar in Italië was er nergens in de industrie plaats voor een invalide visser. Overal armoe, werkeloosheid en zelfs de kinderen in Rome en Turijn konden geen geschikte baan voor hun gehandicapte vader vinden. Nu had Pietro een vriend die in Nederland in Leiden niet ver van de Noordzee op een constructieplaats werkte. Pietro schreef brieven en na lang gezeur en gebedel kreeg hij de toezegging dat hij voor een vorstelijk loon, in vergelijking met wat hij nu had, aan de lopende band in Nederland zou kunnen komen werken. Er werkten op de constructieplaats nóg drie gehandicapte mannen. Pietro had wel meteen willen vertrekken, maar dat ging niet omdat de kunstarm moest worden afbetaald en dat lukte maar bij beetjes tegelijk. Per maand kon de familie niet meer dan vijftig gulden missen. 'In Nederland heb je een ziekenfonds voor arbeiders en vissers,' zei Pietro, 'het is daar een waar Paradijs.' Teresa, de dochter die vrijde met de zoon van de groenteboer, kreeg de vader van haar vrijer zover dat deze de hele bruiloft zou betalen. Dat was een vernedering voor Pietro waar hij slechts met moeite overheen kwam. Toch werd het een prachtig feest in het kerkje dat ze gehuurd hadden. De bruiloft zou in de kerk zijn, het eten op het gazon voor de kerk. Achter het kerkje was het kerkhof waar de arm van Pietro lag. Nu was het zo dat Giuliano als een engel kon zingen. Altijd had hij in het knapenkoor gezongen en nog altijd kreeg hij de mooiste partijen. Toen de eigenlijke huwelijksinzegening achter de rug was, ging Giuliano naar het orgel. Beneden stond een koor opgesteld van mannen, vrouwen, meisjes en jongens. Het orgel begon te spelen, alle vissers waren in de kerk. Het koor begon te zingen: 'Ave, maris stella, Dei mater alma...,' dat klonk al heel mooi; toen kwamen de jongens en de meisjes erbij en die zongen: 'Atque semper Virgo, felix coeli porta...,' begeleid door het orgel was dit al heerlijk om te horen, maar toen kwam jubelend en stralend de hoge, verdragende stem van Giuliano die boven stond erbij: 'Sumens illud ave, Gabrielis ore, funda nos in pace, mutans Hevae nomen, solve vincla reis, profer lumen caecis, mala nostre pelle, bona cuncta posce, monstra te esse Matrem, sumat per te preces, qui pro nobis natus, tulit esse tuus...' Toen zweeg het koor, deels omdat het zo hoorde, deels uit ontroering. Zachtjes speelde het orgel en Giuliano maakte dat bij menigeen de tranen in de ogen sprongen toen hij met allerlei loopjes en lang aangehouden hoge noten, ineens duikend in de diepte om dan des te mooier weer hoog te zingen, begon: 'Agnus Dei, qui tollis peccata mundi, miserere nobis.' Wij denken vaak dat we mooie muziek op een langspeelplaat of in het Concertgebouw horen, maar de echte muziek wordt door die vissers en knapen, vrouwen en meisjes in dat vissersdorp gemaakt. Trouwens, niemand was ook welsprekender en kon ontroerender preken dan de pastoor van dat kleine witte kerkje. Ja, Giuliano was beslist een simpele, weinig begaafde knaap, maar hij kon prachtig zingen, misschien was dat wel zijn enige gave. Echter, is een stem die de mensen de tranen in de ogen brengt niet oneindig veel meer waard dan de kundigheid om een automotor uit elkaar te halen en weer zo in elkaar te zetten dat hij goed draait? Is een mooie zangstem niet veel meer waard dan de kunsten van een boekhouder, een uitvinder of een professor in een uitheemse taal? Ook op het land waar hij werkte, door de week, zong Giuliano dat het een lieve lust was en ook altijd op zee, bij dag en bij nacht had hij gezongen. Wel honderden liedjes kende hij, zowel profane als geestelijke. En iedereen werd vrolijk als men hem hoorde. Giuliano deed het ook erom, als hij bijvoorbeeld zag hoe het gezicht van de boer betrok omdat het te weinig regende en hij geen geld genoeg had om kunstmatig te laten sproeien, zodat de oogst beslist slecht moest worden dit jaar, dan monterde Giuliano de man op met een grappig en vriendelijk gezongen liedje...

Het zou nog drie maanden duren voor de arm was afbetaald en het was zondag. De familie, die nu nog maar uit drie man bestond, Pepita, Pietro en Giuliano, trok naar de kerk. Giuliano mocht de belangrijkste stem in een mis van Mozart zingen. Zulke muziek was hier nog nooit gehoord. In de hele omgeving zou er geen knaap te vinden zijn die al die modulaties zuiver uit zijn keel kon krijgen, maar Giuliano draaide er zijn hand niet voor om. De vissers zongen met lage stemmen, het orgel donderde, maar de stem van onze lieve knaap jubelde overal bovenuit. De pastoor had een merkwaardige preek. Het ging over iets dat weleens in de streek werd gezegd: 'Zodra wij vissers stenen gaan vissen in plaats van vissen, is het einde der tijden nabij.' De pastoor beschreef hoe vreemd de vissers zouden opkijken als ze in hun netten stenen zouden vinden die wel leken te drijven vlak onder hun schip, als vissen, een griezelige zaak want zware stenen behoren naar de wet van de zwaartekracht netjes en gewoon op de diepe bodem tussen het wier en de krabben te liggen. Giuliano begreep er niets van. Stenen in plaats van vissen? Zou het ooit zo mal worden dat stenen gingen drijven? De pastoor beschreef hoe dan de maan in stukken zou breken die vervolgens sissend in zee zouden vallen, de zon zou veranderen in een harige zak en alle kraters zouden vuur en lava spuwen. De mensen zouden geoordeeld worden en God zou streng zijn. De kerkgangers moesten bidden tot Maria hun voorspraak. Thuis vroeg Giuliano zijn vader over die stenen. Pietro beweerde dat het beslist malligheid moest zijn. De vader en de zoon zaten samen op een bank in het tuintje dat zo mooi uitzicht gaf op zee. In de verte kwam een mammoettanker voorbij. Er stond een zware deining maar het grote schip lag zo vast dat het wel leek alsof hij als een wagon over de rails gleed door een vlakte. 'Men vist vissen of anders helemaal niets,' beweerde Pietro, 'stenen liggen zo diep, daar komen wij niet bij, je kan natuurlijk op het strand stenen gaan rapen, maar dat is geen vissen. Welnee, lieve jongen, wij zullen nooit stenen vissen. Ik zeg het nogmaals, als je op zee bent en je wilt vissen dan vang je vissen als ze er zijn, maar stenen dat zal er nooit van komen, tenzij je net toevallig op een ondiepte terechtkomt, maar dan werp je die stenen onmiddellijk weer overboord. Maar weet je waar de preek van meneer pastoor mee te maken heeft? Dat heeft te maken met die smerige olietankers die midden op zee breken, met al het gif dat in de zee wordt geloosd, met het nucleaire afval uit de atoomreactors dat stiekem op de bodem van de zee verborgen wordt. Nucleair afval wordt in beton gegoten, in meters dik beton, in zekere zin zijn dat stenen, maar als het radium en het plutonium toch blijft stralen zodat de vissen ervan doodgaan, vooral ook omdat er olie op de golven ligt zodat de algen doodgaan en alle plantjes in het water zodat de zee geen zuurstof meer kan maken, dan zullen wij op een gegeven moment ophouden met al die verdomde olie te vervoeren, we zullen de zee schoonmaken, waarschijnlijk zullen we de blokken beton waar het stralingsgevaar in schuilt dan ook wel weer opvissen, en dan is het misschien al te laat...' Pietro mompelde voor zich uit: 'Stenen in plaats van vissen vissen...' Tenslotte vermande hij zich en zei: 'Het is allemaal onzin. Ik ben nooit bijgelovig geweest.' Maar Giuliano was wel bijgelovig. Hij had een heel eenvoudig verstand en in zijn kinderziel begonnen de raarste fantasieën te groeien over het einde van de wereld. De hele week spraken de mensen in de buurt over de preek van de pastoor en Giuliano had de woorden van de dienaar des Heren diep in zijn hart gegrift. Hij droomde ervan. Vissers werden duikers. In de diepste zeeën daalden ze af en bonden touwen om grote stenen. Die stenen werden opgehaald en aan land gebracht. De mensen gingen stenen eten en de vissers verdienden eraan. Het was een afschuwelijke zaak. En was er niet ergens het gezegde: 'Gij zult uw zoon geen stenen in plaats van brood te eten geven'? Ja, dat stond in de bijbel. Giuliano zong die week een paar dagen in het geheel niet. In zijn simpele ziel hoorde hij alleen maar: 'Gij zult geen stenen in plaats van vissen vangen, gij zult geen gevaarlijke stenen tot op de zeebodem neerlaten...', hij droomde er steeds van. Eindelijk leek hij het vergeten te zijn, maar in zijn hart bewaarde hij de woorden van de priester. Al jaren had hij het gezegde over de stenen en de vissen in de streek gehoord en altijd al had hij het vreemd gevonden, maar nu de pastoor erover gesproken had, een man die voor hem haast meer betekende dan de medicijnman voor de inboorling, was er een zekerheid in zijn hart gekomen: 'Eens zullen wij stenen vissen en dan is het einde nabij.' Na een maand sprak hij er met niemand meer over, naar de pastoor durfde hij niet te gaan, wie weet wat die nog meer te vertellen had over het einde, dingen die Giuliano niet weten wilde. In ieder geval zong Giuliano weer, de pastoor preekte weer over gewone, minder verontrustende teksten, het leven ging zijn gewone gang op het feit na dat steeds meer vissers in de buurt ophielden met vissen omdat er geen spaghetti meer mee te verdienen was. Nog een paar maanden later was de arm afbetaald. Toen verkocht Pietro radicaal zijn huis en zijn oude boot. De boot werd overgenomen door een Romeinse familie, een rijke familie die er in het weekend voor het plezier mee wilde zeilen. Pietro had nu genoeg geld om met zijn vrouw en zijn zoon naar Holland te reizen. Uitvoerig werd er afscheid genomen van Teresa en haar man. Ze woonden op zolder bij de groenteboer. De vier zoons uit Rome en Turijn kwamen voor een paar dagen over en logeerden in een klein pension buiten het dorp, waar gewoonlijk alleen maar doorgaande reizigers en buitenlanders kwamen. Het avontuur was al begonnen. De hele familie at nog één keer samen. Het was voor het eerst sinds jaren dat ze met zijn achten om de tafel zaten en het was een heerlijke dag. De volgende dag was het zondag en gingen ze naar de kerk. Nu konden de vier broers nog eens horen hoe mooi Giuliano wel zingen kon en omdat het de laatste keer was dat hij in het kleine kerkje zong, op de plek bij het orgel, naast de organist, op de gammele planken die voor Giuliano altijd het mooiste plekje op aarde waren geweest, zong onze knaap mooier dan ooit.

De volgende dag vertrokken Pepita, Pietro en Giuliano met de trein richting Holland, ze reisden door heel Italië, door Zwitserland, Duitsland en eindelijk waren ze in Leiden. Daar konden ze van de fabriek een huisje dicht bij de spoordijk aan de buitenkant van de stad huren. Het werk dat Pietro te verrichten had was tamelijk eenvoudig en hij had het in Italië ook kunnen doen als men daar maar een iets menslievender sociaal beleid voerde. Het was lopende band-werk, de hele dag moest hij schroeven en bouten controleren op breukplaatsen. Het was vervelend en afmattend voor de geest, maar de radio stond altijd aan en die gaf afleidende en vrolijke muziek. En eigenlijk waren ze best gelukkig zo met zijn drietjes. Brieven werden naar de kinderen in Italië geschreven en regelmatig kwamen er brieven terug. Het huisje bij de spoordijk in Leiden, het lag eigenlijk nog net in de oude stad, daarbuiten begon de moderne buitenwijk, was mooier en handiger ingericht dan het huisje dat ze in Italië hadden gehad. Alleen miste Pietro 's nachts het geluid van de branding. Soms droomde hij van huizehoge golven die stuksloegen tegen de rotsen. Hij droomde ook van vissen. In zijn dromen haalde hij vette walvissen binnen, tonijn, dolfijn, haring, kreeften, poon en pieterman. Toch was hij niet ontevreden met het werk. Eigenlijk hoefde hij zich minder in te spannen dan op zee en het loon was heel goed. Pietro leerde binnen een paar maanden al aardig wat Nederlands spreken. Pepita leerde de taal van de buurvrouwen en de winkeliers. De mensen in de buurt dachten eerst met zigeuners te doen te hebben, maar toen ze zagen hoe proper het huisje bijgehouden werd, hoe lekker er werd gekookt en hoe vriendelijk Pepita tegenover zwerfkatten was – af en toe gaf ze op verjaardagen van kinderen in de buurt kleine cadeautjes en tegen iedereen was ze even vriendelijk, ze koesterde nooit argwaan – werden de buren toeschietelijker. 's Zondags namen ze vaak de bus naar zee in Katwijk of Noordwijk en daar zaten vader en zoon uren naar het water te turen. In de kerk was weinig te doen voor Giuliano. Er werd hier in Leiden geen Italiaans of Latijn gezongen. Op het orgel werd haast niet gespeeld en een knapenkoor was er niet. Er was bij de hoogmis vaak moderne muziek, er werd op sambaballen gespeeld, op gitaren, op trompetten en op drumstellen. Die muziek werd meestal gemaakt door jonge mensen en het was erbarmelijk om aan te horen. In ieder geval was die manier van muziek maken Giuliano een gruwel in zijn oren en op een gegeven moment ging hij niet meer naar de kerk. De verhuizing had trouwens voor Giuliano nog meer vervelende gevolgen. Hij kende geen vak en was te jong om ergens te mogen werken. Bovendien was hij niet slim genoeg om de taal te leren en zo maakte hij in het geheel geen vrienden. Terwijl zijn moeder in het huisje bezig was en zijn vader op de fabriek, maakte hij lange wandelingen. Een van zijn lievelingstochten was van Leiden door de weilanden naar Zoetermeer te lopen. De uitstapjes naar zee wilde hij voor de zondag bewaren als hij met zijn vader en moeder op stap ging. Hij hield ervan schapen, zwanen, kieviten en zwaluwen te zien en te horen. Zoetermeer vond hij echter een afschuwelijke spookstad. Allemaal hoge grijze gebouwen waar duizenden mensen boven op elkaar gestapeld woonden. Er was nauwelijks groen in de stad, parken waren er niet en overal raasde het verkeer. Hij wandelde daar als een vos die verdwaald is. Hij begreep niet hoe mensen zo konden wonen en spoedig hernam hij weer zijn tocht en liep hij door de weilanden op huis aan. In zijn eentje zong hij dat het een lust was tijdens die wandelingen, maar er was eigenlijk niemand die hem hoorde, vooral omdat Giuliano zweeg als er een fietser of een wandelaar voorbijkwam. Met zijn moeder praatte hij erg veel en 's avonds probeerde hij van bouwpakketten de modellen van de vissersschepen die hier gangbaar waren te bouwen. Dat duurde zo ongeveer een half jaar. Het beviel Pietro niets dat zijn zoon maar een beetje aan het lanterfanten was, Giuliano was altijd zo'n ijverige knaap geweest. Maar de ziel van de jongen was hier geheel ontworteld. Men had iedereen uit Italië hierheen kunnen overplaatsen, maar Giuliano juist niet. Uit de verhalen die hij op de fabriek hoorde begreep Pietro dat er in de Noordzee niet veel meer gevangen werd. Sommige Nederlandse trawlers voeren helemaal naar IJsland, ze visten tussen Ierland en Newfoundland, ze visten voor de Afrikaanse kusten. Er rijpte een idee in het hoofd van de vader, hij had er lang op zitten broeden. Op een dag bracht hij zijn zoon naar Scheveningen en zorgde dat hij als jongste maat monsterde op een vissersschip. Na zijn zoon goede raad te hebben gegeven, kuste hij hem langdurig vaarwel en liet hem op het schip achter. Hij begon langs de havens te wandelen. Hoe graag zou hij zelf op dat schip gevaren hebben, maar de Nederlandse wet verbood een man met een kunstarm om als visser dienst te doen. Het schip heette de Cornelia en kwam uit Scheveningen, het was prachtig gelijnd en het was duidelijk dat het een aardig zeetje kon verduren. Pietro had zijn zoon verteld dat het diens taak was op het schip om voor de koffie te zorgen, om overal de onopgemaakte kooien weer netjes te leggen en verder de kok te helpen bij het zware werk. De schipper nam Giuliano graag aan, het was moeilijk tegenwoordig om een goede en ijverige jongste maat te vinden. Jammer was het dat de jongen bijna in het geheel geen Nederlands sprak. Pietro wandelde langs de havens. Hij hoorde dat het schip de volgende dag zou uitvaren. Het was een schip dat ingericht was voor sleepnetten en hier en daar hoorde Pietro de vissers spreken over de Cornelia. Er was iets geheimzinnigs met het schip. Het had van die korte zware bomen, uitgezaagde boorden en bovendien kleine, zeer stevig uitgevoerde ijzeren netten. Maar niemand wist er eigenlijk het fijne van...

Hier moeten wij iets verklappen. Voor de kust van Noorwegen, ver in zee en ongeveer honderd mijl boven Stavanger, werden boortorens in zee geplaatst. Dat waren kolossen van dingen. Hele fabrieken waren het en sommige van die boortorens stonden op vierentwintig geweldige olifantspoten die wel honderdtachtig meter lang waren. De nieuwe boortoren Norsköl, die nog in de haven van Göteborg lag, was een van die boortorens. Men was van plan om de boortoren in september van dat jaar op de bestemde plek in zee te plaatsen. Ingenieurs hadden net zolang gezocht en gerekend tot ze een plek van een kilometer in het vierkant vonden, midden in de oceaan, waar de bodem vlak was en overal precies honderdvijftig meter onder het wateroppervlak lag zodat de boortoren nog dertig meter boven het water uit zou steken. Wat de ingenieurs gevonden hadden was dus een uitstekende stek voor de boortoren, maar er was één bezwaar aan verbonden. Er lagen daar keien, geweldig grote keien, zware stenen op de bodem van de zee die samen met het gletsjerijs dat misschien honderden jaren geleden in zee was terechtgekomen, hun plaats tussen de krabbetjes hadden gevonden. Als een van de poten van de boortoren op zo'n steen, die in gewicht kon variëren van een halve tot anderhalve ton, neer zou komen, bestond er een groot gevaar dat de poot verbrijzeld zou worden of de boortoren wankel kwam te staan. Om dat gevaar nu te voorkomen moesten die stenen eerst op een diepte van honderdvijftig meter worden weggevist. En dat was nu juist de bedoeling van de schipper van de Cornelia, die, nu hij op de Noordzee geen vis kon vangen en geen vergunning kreeg om ergens anders te gaan vissen, graag dat karweitje aannam. Er was een computer aan boord en ter hoogte van Stavanger zouden subhydrometrische gelijkrichters aan de ijzeren netten worden vastgemaakt, die in samenwerking met de computer en een soort van televisiescherm de schipper haarscherp duidelijk zouden maken welke banen er in de vierkante kilometer zand op de bodem van de zee vrijgemaakt moesten worden van stenen. Geen kei mocht er blijven liggen. Koste wat het kost moest juist op die plek een boortoren komen, want men verwachtte uit de bronnen onder de grond miljoenen kubieke meters olie te kunnen oppompen. De schipper had voor het klaren van het karwei een contract gesloten behelzende een overeenkomst sui generis tot het verrichten van enkele diensten, hoewel het ook half een overeenkomst was die een arts met een patiënt sluit als het nodig is dat bij de patiënt een blindedarm wordt weggehaald (met het verschil dat die laatste overeenkomst altijd tot een inspanningsverbintenis leidt en de eerste wis en waarachtig een resultaatsverbintenis is, hetgeen wil zeggen dat wanneer er een ongelukje is gebeurd – laten we ons indenken dat de arts een tampon in het lichaam van de geopereerde achterlaat en de schipper op de hele vierkante kilometer ook maar één kei laat liggen, al weegt hij maar dertig kilo, met het gevaar dat toch een van de poten van de boortoren op die kei komt te staan – dat dan de schipper altijd aansprakelijk is voor de schade terwijl de arts vrijuit gaat en niet aansprakelijk is louter en alleen door te beweren dat hij zijn uiterste best heeft gedaan en dat door zweet in zijn ogen hij de tampon over het hoofd heeft gezien en zo het corpus alienum in het lichaam van de patiënt heeft laten zitten. Na deze kleine juridische verhandeling gaan we weer verder met het gewone verhaal, ik wilde u alleen maar even laten zien hoeveel liever het mij is om *Moby Dick* te lezen dan een wetboek, terwijl ik toch eigenlijk jurist ben, ik wilde u het verschil laten zien tussen een wonderlijk verhaal en een dorre juridische theorie). De schipper had in ieder geval een heel slim contract gesloten daar hij bedongen had dat hij vijfhonderd duizend gulden met het karwei zou verdienen, en daarbovenop nog tweehonderdvijftig duizend gulden gevarengeld, daar het schip plotseling zou kunnen kantelen en iedereen zou kunnen verdrinken, wanneer het onverhoeds een kei van anderhalve ton in zijn stuurboordnet zou krijgen, terwijl het door een grote golf naar die kant al scheef lag en het bakboordnet leeg zou blijven. Van dit alles wist Giuliano echter niets. Zijn vader, die nog steeds over de kaden van de haven rondscharrelde, wist onderdehand al beter en hij vroeg zich af of hij zijn zoon nu niet van boord moest halen daar hij zich zo goed herinnerde hoezeer zijn Giuliano overstuur was geweest toen de pastoor in Italië had gesproken over het vissen van stenen in plaats van vissen. 'Maar dan gaat hij weer doelloos zwalken tussen Leiden en Zoetermeer en zeurt de hele dag zijn moeder aan haar kop met de meest malle verhalen,' dacht Pietro, 'het zal Giuliano beslist goeddoen om eens op een Hollands vissersschip te varen en avonturen mee te maken en nieuwe ideeën op te doen.' In een kroeg op de kade dronk Pietro nog een paar biertjes en tegen het vallen van de avond ging hij weer naar huis. Met spijt en smart in het hart verliet hij de haven, hoe graag zou hij immers zelf zee hebben gekozen! Giuliano snoof de bekende oude geuren op van teer, vis en rotte manden, van olie en natte visserskleren. De volgende ochtend om zes uur vertrok het schip en zodra Giuliano midden op zee was begon hij te zingen. Hoewel de bemanningsleden hem maar nauwelijks duidelijk konden maken wat hij aan boord allemaal te doen had, hadden ze veel plezier in zijn gezang. Na drie dagen wist Giuliano precies hoe hij koffie moest zetten, hoe hij de kooien op moest maken en hoe hij de kok moest helpen. Na een week verkeerde hij nog steeds in de mening dat hij op een vissersschip was en hij was begerig om de eerste haring te zien, een levende haring, een vis die hij in de Middellandse Zee nooit was tegengekomen. Het was eigenlijk meer een grote sardine had zijn vader gezegd. De bemanning vond het helemaal niet nodig om Giuliano in te lichten over de plannen van de schipper. Hoe noordelijker de

Cornelia kwam, hoe grauwer en kouder de zee werd en het begon gedurig te regenen. Er stond een flinke bries en de golven waren hoog, het schip Cornelia stampte en rolde, maar Giuliano was veel gewend, hij zou de laatste zijn om ziek te worden. 's Avonds zaten de mannen op het voordek onder de overkapping. Het was gezellig om de zware golven over te horen komen en zelf droog te blijven. Er was een ingenieur aan boord en die bevestigde de subhydrometrische instrumenten op de kleine, zware, ijzeren netten. Toen Giuliano die netten zag dacht hij: 'Zo'n haring moet wel een verrekte sterke vis zijn en waarom moet je hem met een ijzeren sleepnet vangen? Kruipen haringen soms over de bodem? Zijn ze zo slim dat ze onder het net doorkruipen, zijn ze zo sterk dat ze een net van touw of nylon gewoon door kunnen knagen?' Giuliano kwam bij de mannen zitten. Aan de horizon ging een mammoettanker voorbij. De matrozen controleerden de kabels en maakten de netten gereed. Omdat de mannen Giuliano al zo vaak hadden horen zingen, vroeg een van hen nu in een gebrekkig taaltje: 'Hej Giuliano, tralala, fideldidom en Ave Maria.' Onze knaap begreep precies wat er van hem werd verwacht en hij begon te zingen terwijl de mannen meeneurieden, want ze kenden onderdehand allemaal de melodieën van Giuliano's lievelingsliederen. Het neuriën van die twaalf mannen klonk als het koor in de kerk en Giuliano voelde zich geheel in zijn sas. Zijn stem bleef de stem van de nachtegaal of de leeuwerik die veel mooier is, veel verder draagt dan het gekwetter van de mussen in het struikgewas. Hij zong met overgave twee van zijn lievelingsliedjes, namelijk 'Caro mio ben' en 'La Donna è mobile'. De mannen hakkelden en stamelden het lied mee. De matrozen vormden een echt bromtollenkoor, het leek net of ze met hun blote voeten in gloeiend zand stonden, het geluid dat ze maakten leek nog het meest op de kreten van pijn en misnoegen. Toch waren ze ten zeerste in hun schik en ze vroegen of Giuliano nu niet een 'Ave Maria' wilde zingen. Toen de knaap begon zwegen de mannen, de zee leek alleen maar bestemd om het schip te dragen en het schip diende er alleen maar toe om Giuliano te dragen en Giuliano op zijn beurt was alleen maar aan boord om te zingen en zijn klanken troffen de zeebonken en de ingenieur tot in het diepst van hun ziel, ja, het leek of Giuliano zelfs de wolken in trilling en beweging bracht want de bewolkte hemel werd op slag helder toen hij zong: 'Ave Maria, gratia plena, dominus tecum, benedicta tu in mulieribus et benedictus fructus ventris tui Jesus. Sancta Maria, Sancta Maria, Maria!, ora pro nobis, nobis peccatoribus, nunc et in hora, et in hora mortis nostrae... Amen!' De mannen die toch voor het merendeel protestant waren vroegen om nog een ander katholiek lied en Giuliano stelde zich in postuur, hij miste het orgel enigszins, maar hij stond nu op de zijkant van de brug, op de uitkijkplaats, hoog boven de mannen, en hij zong op de wijs die Mozart daarbij bedacht had: 'Agnus Dei, qui tollis peccata mundi, miserere nobis...' Zo zong hij liederen tot diep in de avond en de matrozen en de ingenieur neurieden zo goed en zo kwaad als dat ging mee. In zijn kooi lag Giuliano nog zachtjes te zingen en niemand zei er iets van. Hij was blij op zee te zijn, morgen zouden ze gaan vissen. Het water was hier ijskoud en de kleur van de golven was heel anders dan die van de zee bij Napels. De volgende dag stond Giuliano om vijf uur op. Hij zette koffie en zag hoe men toebereidselen maakte tot het vissen. De ingenieur kwam naast de schipper in de stuurhut staan. Na een uur gevist te hebben, kreeg het schip plotseling een enorme schok te verduren, het helde behoorlijk naar stuurboord over, het maakte zelfs water en men begon het net binnen te halen. De knaap stond er vlakbij. Wat zou men in vredesnaam voor vis gevangen hebben? Giuliano's gezicht betrok toen hij de kei van anderhalve ton boven water zag komen. De kei werd met veel moeite aan boord getakeld en in een hoek weggestouwd. Twee uur later hadden de mannen nog vier keien opgevist. En zo ging het de hele dag door. De mannen schenen tevreden te zijn, maar Giuliano was bang, verontwaardigd en teleurgesteld. Hij dacht aan de woorden van de pastoor. Zolang er gevist werd zong Giuliano niet meer, en na een dag of twee kon hij zijn werk niet meer doen. 's Nachts keek hij op het achterdek of de maan in stukken zou breken en overdag verwachtte hij dat ieder moment de zon in een harige zak kon veranderen. Na drie dagen was hij volledig ongeschikt voor zijn werk. Doordat hij almaar Italiaans ijlde, hetgeen de mannen niet verstonden, wisten ze niet wat ze moesten doen. Anderhalve maand lang zweeg Giuliano, hij zong geen liedjes, hij at niet meer en in het holst van de nacht ijlde hij, het waren geen andere woorden dan de griezelige preek van de Italiaanse pastoor, maar er was niemand die dat begreep. Op een zonnige morgen sloot hij zijn ogen en blies de laatste adem uit. Hij kreeg een waardig zeemansgraf, maar voor de zekerheid voer de schipper, terwijl hij het lijk van Giuliano in een zeildoeken zak die met een zware steen was verzwaard liet naaien – het was een van de stenen die ze hadden opgevist – tot buiten de vierkante kilometer zee waarvan de bodem schoongemaakt moest worden. Op een gegeven moment sprak de ingenieur: 'Hier kan het wel, schipper.' De mannen kwamen aan stuurboord staan waar ook het lijk lag en na een kort gebed ging Giuliano met een een-twee-drie-in-godsnaam overboord. Pas toen de schipper tijden later met Giuliano's vader sprak, kon hij begrijpen wat er in de ziel van de eenvoudige jongen was omgegaan voor hij de geest gegeven had. Juist hij had misschien nog het meest gehouden van het gezang van de jongen en nu huilde hij, een man die nog nooit gehuild had en die tijdens storm op zee rustig zijn pijpje rookte. En dat is het eind van de geschiedenis van Giuliano...

Praktijkoverdracht

Ik ben gisteravond naar een feestje van een buurman geweest. Het was daar ongelofelijk druk en het zag ernaaruit dat het feest wel tot zes uur in de ochtend door zou gaan. Ik kwam er om halfelf, maar ging, na drie biertjes te hebben gedronken, weer weg want ik voelde me moe en slaperig. Bovendien kon ik niemand vinden om een gesprek mee aan te knopen. Het was drukkend warm en ik was bang dat ik niet in slaap zou kunnen komen. Eva zou nog even op het feest blijven, ze zat met Mieke, de vrouw van een autohandelaar, te praten die bij ons in de buurt woont. Ik ging dus naar huis en nam een koud bad. Toen ging ik naakt in bed liggen en las artikelen van Renate Rubinstein. Ik werd moe en deed het licht uit. Uit alle macht probeerde ik in slaap te komen maar door het feestgedruis en het schaterende gelach, door het geluid van vallende en brekende glazen en muziek die iets te luid aanstond, door het gegons van de vijfenveertig aanwezigen op het feest in een iets te kleine ruimte, bovendien door het zweet dat me tappelings van het lijf liep en de muggen die in mijn kamer zoemden en af en toe een aanval op mijn blote lichaam ondernamen, bleef ik wakker. Ongeveer een half uur lag ik te woelen en toen deed ik het licht weer aan en ging verder met het lezen van Rubinstein. Tegen tweeën kwam Eva thuis. Omdat het zo warm was lag ik op mijn studeerkamer en zou zij met Mikkie in het grote bed in de slaapkamer slapen. Mikkie is ons kleine zwarte straathondje. Na een half uur zei ze dat ze last had van het licht dat op mijn kamer brandde en met een zucht draaide ik het licht uit. Tot vijf uur lag ik wakker. Eva kon klaarblijkelijk ook niet slapen. Er zat een hond aan de overkant van de straat voor de deur te janken, al urenlang. De volgende dag hoorden we dat zijn baas het dier had uitgelaten, dat hij op een bankje in het park in slaap was gevallen en niet voor de ochtend was wakker geworden. De hond was naar huis gelopen en was toen hij de huisdeur dicht vond, gaan zitten janken. Eva kleedde zich aan en ging de hond halen. Negen poezen zaten in de woonkamer en de keuken, Mikkie was in de slaapkamer, het beste was volgens Eva dat ik me in mijn werkkamer waar ik sliep, over de vreemde hond ontfermde. Ik keek naar het dier, dat geweldig groot en rood-bruin was. De hond likte vriendelijk mijn hand. Ik bleef in bed liggen. Eva gaf de hond te eten en te drinken en vervolgens kroop hij tevreden onder mijn bed. Die hond is er waarschijnlijk de oorzaak van dat ik me niet helemaal mezelf voelde, want ik droomde zo vreemd als me nog nooit is overkomen. Ik zag een groot wit vel papier en ik voelde mijn handen ergens op timmeren, blijkbaar zat ik achter mijn schrijfmachine. Op dat witte vel, dat zeker een halve vierkante meter groot was, zag ik in grote letters het woord verschijnen: 'Praktijkoverdracht' en onmiddellijk schuin daaronder zoals ik gewend ben wanneer ik een verhaal opzet: 'door J. M. A. Biesheuvel.' Ik wist bij lange na niet wat ik nu wel zou gaan dromen, maar ik was heel benieuwd. Langzaam vervaagde het beeld van de schrijfmachine, van het papier en mijn handen timmerden niet meer zo, er kwam rust, er voer nog even een schok door me heen en toen was het kalm als in een bioscoopzaal vlak voor de film begint...

Eerst moet ik vertellen dat ik als jurist werkzaam ben en Eva, Mikkie en ik verlieten ons huis waarin we zo prettig twaalf jaar lang gewoond hebben. 'Had ik niet van je gedacht,' merkte Eva trots op. 'Wat bedoel je?' vroeg ik. 'Dat je nog eens arts zou worden,' antwoordde ze. 'Ja,' zei ik, 'het is een malle boel, ik vraag me af of ik wel een goede arts zal zijn. Moeten we nu alles in de steek laten? De langspeelplaten, de prenten, de boeken, de poezen, de bedden, het servies, al die kleine pulletjes waar ik door de loop van de jaren zo aan gehecht ben geraakt?', want ik zag dat Eva alleen haar handtasje droeg. We hadden helemaal geen bagage bij ons. Ik had alleen mijn geld en mijn paspoort in mijn portefeuille. Ik telde mijn geld en merkte dat ik driehonderdvijfentwintig gulden bij me had. Ik vond het niet veel voor een zo grote reis, want we zouden hier misschien nooit meer terugkomen. (De grote rode hond likte tijdens mijn droom een van mijn handen die uit het bed hing.) Ik trok een nat washandje van mijn hand en gaf dat aan Eva. 'Goed voor onderweg als je kleverige handen hebt,' zei ze en borg het in haar handtasje. We liepen helemaal naar het station. Ik ging nog even op mijn bureau langs om er afscheid te nemen van mijn altijd vriendelijke collega's. Toen namen we de trein. Drie uur later arriveerden we in Groningen. We vroegen daar de weg en kwamen uiteindelijk aan bij een groot huis aan het Schuitendiep. Er hing een bord aan de gevel. 'Praktijk dr. Schönfeld, spreekuur van tien tot twaalf in de ochtend, particuliere patiënten na afspraak,' las ik, 'de praktijk zal worden voortgezet door dr. Biesheuvel uit Leiden.' We belden er aan en een vrouwtje deed ons open. Het was winter en we werden voor een open haardvuur gezet. 'Ik zal u eerst maar eens wat warm eten geven,' zei het vrouwtje. Na een half uur kwam ze binnen en legde twee biefstukken, gebakken aardappelen en groente zomaar op het gladgepolijste plastic televisietoestel. We bedankten en toen we jus hadden gekregen begonnen we te eten. Een uur zaten we met het vrouwtje te praten. Ze legde uit hoe laat we 's morgens op moesten staan, wat voor ontbijt we moesten nemen, bij welke bakker en melkboer we moesten kopen. Eenmaal per jaar een grote schoonmaak waarbij sommige schilderijen zo kostbaar waren dat ze niet van de muur mochten worden gehaald. Het vrouwtje die met de arts die ik op zou volgen was getrouwd, vertelde dat eerst Eva op diende te staan 's morgens om ontbijt voor me te maken. De ventilator mocht alleen bij heel drukkend weer aan. 'U verdient ongeveer twee ton per jaar schoon,' zei het vrouwtje, 'de vakanties brengt u door in het huis in Frankrijk waar we zelf ook dertig jaar zijn geweest. Het adres zal ik u geven.' 'En poezen?' vroeg Eva. 'Die hebben we nooit gehad,' zei mevrouw Schönfeld verontwaardigd. En ze ging door met wat er ons zoal te doen stond: 'Asbakken tweemaal per dag legen, altijd horren plaatsen tegen de muggen. In Groningen alleen maar met vier families omgaan, ik zal u de namen geven. Meneer heeft een geheim kastje met boeken. Dat zijn de boeken die niet door mij mochten worden gelezen.' Mevrouw deed Eva voor hoe ze de afwas deed. Het was de bedoeling dat we altijd stipt om halfelf naar bed gingen. De Wedgwood-borden mochten we alleen op hoogtijdagen gebruiken. De dame ratelde uren door. Toen kwam de dokter binnen en begroette mij: 'Ha collega, ik had de vent die mijn praktijk zou overnemen wel wat jonger geschat,' zei hij. Hij nam me mee naar zijn kamer en begon daar met toewijding en liefde over zijn patiënten te praten. 'Mijn vrouw vertelt uw vrouw wel hoe het met het huis moet,' zei hij. Om halfelf gingen we naar bed. We lagen met zijn vieren in een groot tweepersoonsbed. Ik lag wakker tot drie uur en hoorde toen buiten een klok slaan. 'Om drie uur draaien,' zei de dokter en wij allen draaiden honderdtachtig graden om onze lichaamsas. 's Morgens maakten onze vrouwen het ontbijt voor ons klaar en toen nam Schönfeld me mee naar zijn spreekkamer. 'Ik heb vandaag de helft van mijn patiënten besteld,' zei hij, 'je moet toch met iedereen kennis kunnen maken, morgen komt de rest. Er zijn drie vrouwen van lichte zeden. Die komen nooit hun slaapkamer uit, die gaan we zelf bezoeken eens in de maand. Ik zou zeggen, knijp er maar hard in want ze kunnen ertegen en vinden het lollig.' We waren de hele dag druk bezig. De volgende dag ging het weer precies eender. Mijn hoofd tolde door alles wat ik te onthouden had en ook Eva was flink vermoeid. 'Gordijnen tweemaal per jaar wassen,' zei ze, 'maar de vitrage driemaal.' Op een gegeven moment had ik alle patiënten gezien. We brachten een bezoek aan de dames van lichte zeden die ik een spuit moest geven. We haalden Eva en mevrouw Schönfeld op en gingen buiten eten. Het werd een copieuze maaltijd. 'Ik betaal,' zei dokter Schönfeld, 'straks gaan we op bezoek bij onze vrienden, we werken ze allemaal in één avond af. Jullie moeten ze allemaal leren kennen. Ik had het liefst dat jullie VVD of CDA stemden. Met de vrienden spreken wij altijd over boten, jachten, auto's, geld verdienen en huizen.' Een week lang werden we ingewijd in de geheimen van het leven van mevrouw en dokter Schönfeld. 'Weten ze nu echt alles?' vroeg het vrouwtje aan haar man. 'Ja beslist,' zei hij, 'ik zou niets meer weten wat ik nog vertellen moet. O ja, meneer Goedegebuure mag af en toe opium hebben als hij veel last van pijn heeft.' Op dat moment werden er twee doodkisten het huis binnengedragen en meneer en mevrouw trokken hun doodshemden aan. Ze gingen in de kisten liggen die op tafel waren gezet. 'Dit is mijn kist,' zei mevrouw Schönfeld en wees op de grootste. 'Nee, het is andersom,' zei de dokter en het vrouwtje gehoorzaamde. Eva en ik keken uren toe hoe meneer en mevrouw daar in hun kisten lagen. Ik stookte het haardvuur hoog. De deksels van de kisten stonden tegen de muur. Om drie uur in de nacht stootte de dokter zijn vrouw aan en vroeg: 'Zijn we nu echt niets vergeten?' Mevrouw Schönfeld glipte uit haar kist en nam Eva bij de arm. Ze bracht mijn vrouw naar de keuken en pakte het zoutvaatje. 'Hier moet altijd tweederde droge, zeer droge rijst in en iets minder dan eenderde zout, dat strooit het lekkerste,' legde ze uit. Ze ging weer in haar kist liggen en zei tegen haar man: 'Nu is alles goed.' Eva en ik hielden de dodenwacht. 's Morgens werden de deksels op de kisten geslagen. De volgende dag was de begrafenis en de dag daarop kon ik mijn praktijk beginnen. Dat alles leek me even gewoon als het verschijnsel van een grazende koe. Geen arts kan mij beter duidelijk maken hoe het is om geneesheer te zijn dan mijn droom het heeft gedaan. Toen ik wakker werd en de vreemde hond naar zijn baas, die inmiddels koffie stond te zetten, was gebracht, ging ik met spijt in het hart naar mijn werk. In werkelijkheid was er niets plotseling aan mijn bestaan veranderd en dat is juist iets dat wij allemaal, van vuilnisophaler tot minister, zo gaarne wensen!

Reisavonturen

Een paar weken geleden, in de maand juli, zou ik met mijn vrouw en hond gaan zeilen met mijn zwager, die een comfortabel en prachtig zeiljacht heeft. We zouden drie dagen wegblijven. Een van de reismogelijkheden was om van Leiden naar Roosendaal met de trein te gaan en daar de bus te nemen naar Willemstad, waar het jacht in de haven lag. Ik had het gevoel dat ik al eens diezelfde rit met de bus had gemaakt en dat die wel twee uur duurde. Na langdurige bestudering van een landkaart kwam ik met een ander plan op de proppen. We zouden in Lage Zwaluwe, vlak over het Hollands Diep, achter de Moerdijkbrug uitstappen en daar proberen een taxi te krijgen die ons naar het achttien kilometer verderop gelegen Willemstad kon brengen. We hadden maar één tas bij ons. In de trein filosofeerde ik over allerlei onderwerpen, ik was blij te bestaan en van alles mee te maken. Ik dacht ook na over de ondeugende dromen die ik de voorafgaande nacht had gehad. Ineens schoot mij een verhaal van Rein Dool te binnen: 'Kippen hebben geen gebitje. Nou zou je je afvragen hoe ze dan zo goed die harde maïskorrels en het graan kunnen verteren. Het is zo dat een goede kip ook af en toe kleine ronde steentjes oppikt, ik heb weleens een kippemaag opengemaakt en die zat vol met steentjes. Biologen hebben uitgevonden dat de maag van een kip tijdens de spijsvertering een draaiende beweging maakt, tegelijk krimpt hij beurtelings in en zet weer uit. Dat graan en maïs zitten dus eigenlijk als tussen molenstenen in een molen. Dat gaat allemaal goed. Het zijn maar van die kleine dingen, maar op school leren ze je het niet. En, Maarten, bijen paren op twee kilometer hoogte, dat leer je ook niet op school. Daar schiet me nog iets te binnen. In Frankrijk heb je in sommige vijvers plompeblaren, op het ene blad zit een rupsmannetje, op het andere een rupsvrouwtje. Hoe die daar komen is weer een ander vraagstuk. Maar hoe komen die rupsen nou bij elkaar voor de voortplanting? Ze knagen heel kleine vlotjes uit het plompeblad, gaan daar op zitten en drijven of peddelen dan naar een mannetje of een vrouwtje. Ik heb eens in zo'n vijver tijdens de paringstijd honderden van die vlotjes verzameld en ze waren allemaal precies twee centimeter in doorsnee. Je kon ze boven op elkaar leggen en dan had je gewoon een lijnrecht stokje. Ze pasten precies op elkaar. Aan dat soort dingen zie je maar hoe groot en wijs God is en hoe mooi de natuur in elkaar zit.' 'Lage Zwaluwe,' zei de conducteur en wij stapten uit. Ik zag alleen maar een café en liep erop af. Ik was van plan om daar een taxi te bellen. Het café lag heel vriendelijk en rustig in het stille landschap. Het was de eerste keer van mijn leven dat ik in Lage Zwaluwe uitstapte. Eva dacht dat er hier in de buurt wel helemaal geen taxi's zouden zijn. Ik zag tot mijn verbazing in grote rode letters boven de ingang van het café het woord TAXI staan. Ik ging door de deur en zag daar een man met zijn twee zusters praten. Aan de binnenkant van de deur stond: 'Café van Victor Buis.' Het was daarbinnen net een gezellige huiskamer. Misschien waren de twee vrouwen ook wel bezoeksters, maar een van hen zei: 'Straks maar eens stof afnemen.' 'Ik wil een taxi naar Willemstad,' zei ik. 'Meneer is zeeman!' riep Victor, die er meer als een boer dan als een kastelein of restauranthouder uitzag. Eva stond buiten met de hond. 'Ik ben zeeman geweest,' zei ik bescheiden, 'maar niet zo lang.' 'Meneer is stuurman geweest op de grote vaart,' zei Victor en zijn zusters beaamden het. 'Ik zie dat aan de manier van lopen en de blik in de ogen,' merkte Victor op. 'Maar tegenwoordig werk ik als jurist in een ziekenhuis,' zei ik. 'Wat doet een jurist daar?' vroeg Victor zich af. 'Ik lees er Sartre en Dostojevski,' legde ik uit. 'Eerst koffie drinken,' zei Victor, 'ik zie dat u uw vrouw buiten hebt laten staan. Roep die eens binnen. Zonder koffie gaat het niet.' Eva kwam binnen en we dronken koffie met zijn allen. 'Wilt u weten wie hier in de buurt wonen?' vroeg Victor. Hij noemde wat namen en beroepen. Voor een zekere Brands moest ik oppassen, dat was een aartszwendelaar. 'Wij komen hier misschien nooit meer,' zei Eva, 'die Brands kan ons geen kwaad doen.' We wilden de koffie betalen, maar dat mocht niet: passagiers voor de taxi moesten gesterkt de reis ondernemen. 'Loop even mee,' zei Victor geheimzinnig tegen mij. Ik volgde hem en zag achter het huis een nieuwe garage die Victor zelf gebouwd had. Hij vertelde me hoe hij dat had aangelegd. Toen zwaaide hij de deuren open en liet me de auto zien. 'De beste taxi van heel Brabant,' zei Victor trots. Hij reed de wagen tot voor de ingang van het café. Eva kwam eraan en de vrouwtjes volgden haar met de armen vol kussentjes. 'Mevrouw gaat lekker voorin,' zeiden de dames, die toch wel zusters van Victor moesten zijn en mede-eigenaressen van het café en taxibedrijf. Eva kreeg een kussentje voor onder haar voeten en twee kussentjes in de rug. Een babbelaar kreeg ze ook nog toegestopt voor onderweg. Ik ging achterin zitten en kreeg ook kussentjes. Er was een heel groot kussen waar Mikkie op kon zitten. 'Zullen we dan maar vertrekken?' riep Victor als uit de cockpit van een supervliegtuig. Een van de dames controleerde de luchtdruk van de banden en een ander bekeek het oliepeil. Daarna vertrokken we met een gangetje van twintig kilometer per uur. 'Ik zal u de mooiste weg laten zien,' zei Victor. Er was geen radio in de auto en ook hoorde ik niet voortdurend: 'Biebelebiep! Joop, er staan hier twee mensen die hun jassen in het ziekenhuis hebben laten liggen, zal ik dat vrachtje maar even nemen, ik bedoel dat Jan even naar de Morsweg gaat? Biebelebiep, goed, doe dat maar. I love you baby, please don't leave me alone, kadoeng kadoeng, kadoeng. Biebelebiep, Joop, ik moet op de Hoge Rijndijk nummer 44 zijn maar ik kan dat nummer helemaal niet vinden of het bestaat helemaal niet, wat moet ik nou doen? Biebelebiep, dan ga je achter in dat steegje tot bij de wasserij en dan moet je door een tuin rijden, zo kom je er, begrepen? Ja, biebelebiep. Hier volgt het weerbericht: weinig zon, afgewisseld door regenbuien, matige tot sterke wind, overvliegende zwanen kunnen een gevaar opleveren voor laagvliegende jet-toestellen. Biep de biep, God ziet de wereld als het centrum van het heelal en op die wereld weer is de mens Zijn oogappel, voor ons heeft Hij Zijn enige zoon gegeven. U hoort nu solospel op sambaballen, het lied heet "Looft den Heer".' Nee, al die onzin was niet op de radio. Het was stil en we genoten van het landschap. 'Woda is water in het Russisch,' zei Victor. 'Wodka is watertje of jenever, most is brug, pont is brug in het Frans, Brücke in het Duits, bridge in het Engels. Do swidanija is tot ziens in het Russisch en do zwiedjenieje is tot ziens in het Pools. Ik had eens drie Sloboden in de auto en die taal heb ik ook opgepikt van de gastarbeiders. Die Sloboden waren onbeleefd, het waren een man en een vrouw met een klein kind. Ze zaten maar ruzie te maken en te schelden op het landschap en mijn auto die te langzaam reed. Op een gegeven moment vraagt dat jongetje: "Kak hoor tjiep faktuaalniej?" dat betekent: "Hoe laat is het eigenlijk?" Ik zei meteen daarop, me omdraaiend: "Est hoor odien!" Dat betekent: "Het is één uur." Ze waren met zijn allen meteen stil want ze dachten dat ik nu alles verstond. Mooie wei is het hier langs de dijk, vindt u niet? Ik heb hier trouwens schapen lopen. Op dit stuk tussen de weg en de sloot, van hier tot een kilometer verderop, moeten er dertien lopen. Telt u even mee?' We reden zeer langzaam een kilometer, maar telden maar twaalf schapen. 'Voor de donder,' zei Victor, 'maar twaalf schapen? Dan rijd ik even een kilometer achteruit, heel langzaam want ze moeten er toch allemaal zijn, ik maak me altijd zorgen om die beesten.' We begonnen achteruit te rijden en telden weer slechts twaalf schapen, maar plotseling zag Eva een oortje achter een dikke boomstam. Het dertiende schaap was gevonden. Victor reed nu opgelucht met een rustig gangetje weer door. De politici deden het niet goed volgens hem. Alle werkelozen die steun trekken moesten aan het werk worden gezet. De dammen in Zeeland kostten te veel geld. Af en toe een overstroming was niet zo erg als het verkwisten van miljarden aan ophoging van alle dijken en het dichten van de Oosterschelde. 'Onlangs had ik een Estlander bij mij in de taxi,' zei hij, 'en die wilde hier naar een tandarts. "Waarom gaat u niet gewoon in Estland?" vroeg ik hem. "Daar mag je je mond niet opendoen," was het antwoord van de Estlander.' We waren nu al een aardig eindje op weg. Victor zag een sproeivliegtuigje aan het werk. 'Even stoppen,' zei hij, 'dat gaan we eens goed bekijken, zoiets zie je niet al te vaak.' Het vliegtuigje kwam steeds uit een grote bocht aanvliegen en sproeide dan een baan koren die door vlaggetjes was aangegeven. Precies aan het begin van het veld zette hij de sproeier aan en precies aan het eind van het veld gooide hij de installatie dicht. Dan vloog hij recht omhoog, vlak over de taxi heen, wij stonden op een dijk. Ik had het gevoel dat we de vliegenier in de weg stonden, want Victor ging steeds zo staan dat het vliegtuigje precies over de wagen heen moest. Ik zei er wat van. 'Daar heeft hij helemaal geen last van,' zei Victor, 'dat is Pieter de Perelaar, een oude oorlogsvlieger, in de oorlog heeft hij het geleerd. Hij zat bij de Royal Air Force en haalde de gekste stunts uit.' Toen we lang genoeg gekeken hadden, reden we weer rustig verder. Ik genoot van het landschap. Je zag veel zwaluwen hier. Ik zakte weg in een mijmering, heerlijk als ik was gezeten met de kussentjes in mijn rug en ik lachte omdat we net zo goed een fiets hadden kunnen huren en dan nog eerder uit Lage Zwaluwe in Willemstad zouden zijn aangekomen dan met deze wijze van vervoer. (Ik heb eens een jongen, wijzend op zijn motorfiets horen zeggen: 'Op deze machine kun je je razendsnel voortplanten.' Na een rit in een limousine door Maine heb ik eens een Duitse passagier tegen de Amerikaanse chauffeur horen zeggen: 'Dear Bob, thank you for the very interesting fahrt' en hij begreep niet waarom iedereen zo lachte.) 'Mag ik u eens een mopje vertellen?' vroeg Victor, onze chauffeur. 'Ja leuk,' lachten Eva en ik tegelijk. 'Drie mannen krijgen twintig jaar gevangenisstraf, maar voor ze de cel ingaan mogen ze een verzoek doen met betrekking tot wat ze bij zich willen hebben tijdens hun eenzame opsluiting. De eerste zegt: "Geef mij maar drie vrouwen van tussen de zestien en twintig." De tweede oppert: "Geef mij maar drieduizend flessen echte Schotse whisky, maut moet het zijn, maut-whisky." De derde vraagt om vierhonderd kisten goede havannasigaren. Het liefste heeft hij Upmann-sigaren van vijfentwintig tubetjes met elk een sigaar erin in een doos. Twintig jaar gaan voorbij en de eerste cel gaat open. De man en zijn drie vrouwen komen naar buiten en de man zegt: "Jammer dat het nu al voorbij is." De tweede gevangene komt dronken naar buiten en zegt: "Wacht even, ik heb nog een halve fles over, die moet nog op, maar dat is in een minuut gebeurd." Dan gaan de bewakers voor het raampje in de deur van de cel van de derde gevangene staan. Ze zien hoe hij zenuwachtig door zijn cel ijsbeert. De deur gaat open en de gevangene vraagt gejaagd: "Hebt u misschien een vuurtje voor mij, heren?"' Ik lachte door mijn neus (stootjes lucht uitblazend), Eva vond het een raar mopje, hoewel ze voor de beleefdheid even meelachte. De taxi stopte, wij betaalden en onderdehand kon ik al naar Joop op zijn jacht zwaaien. Ik zag dat hij de koffie al klaar had. Terwijl de taxi, nadat we betaald hadden, wegreed, rolden we zo in de kuip van het jacht en werden vriendelijk ontvangen. Het was de leukste taxirit die ik ooit heb meegemaakt en het kostte maar twintig gulden, voor dat geld koop ik anders weleens een boek dat je na vier bladzijden te hebben gelezen vol walging in een hoek van de kamer smijt, of zie ik een film in een bioscoop die zo humorloos is dat ik na tien minuten weer op straat sta!

Job

Ik kan me soms zo allemachtig gelukkig voelen. Het valt me moeilijk om uit te leggen hoe gelukkig ik dan ben en waarom ik zo gelukkig ben. Ik bedenk dat ik niet in een ziekenhuis ben als patiënt, niet in een gevangenis als gestrafte, niet in een psychiatrische inrichting als gek. Ik voel als het ware hoe mijn hersens, mijn nieren, lever en spieren werken. Ik heb aangenaam gegeten. Een hele avond van zalig nietsdoen ligt voor me. Dat had ik nu een maand geleden ook. Ik zat in mijn stoel en luisterde naar de klok in de huiskamer. Mijn vrouw was van huis. Buiten sneeuwde het. Twee poezen kwamen snorrend op mijn schoot zitten en de hond lag knorrend van plezier aan mijn voeten. Ik pakte mijn lievelingsboek, *Anna Karenina*, maar kon me niet tot lezen zetten. Toen pakte ik mijn viool en probeerde de tweede partita van Bach voor solo-viool te spelen, het ging niet naar mijn zin. Ik legde de viool weer in zijn kist en borg het boek op. Ik begon te mijmeren, eigenlijk had ik lust om uit de band te springen. Zou ik vanavond eens naar een nachtclub gaan? Zou ik niet vrienden van vroeger kunnen gaan bezoeken? Het leek mij beter om gewoon thuis te blijven en gelukkig te zijn. Ik herinner me dat ik vooral zo blij was dat ik nog niet dood was. Neuriënd liep ik langs mijn boekenplanken en bekeek ook mijn schilderijen. Ik probeerde Chopin op de piano te spelen. Na twee minuten sloot ik de piano weer en ging in mijn stoel zitten. Ik dacht aan mijn moeder, die nu al weer jaren dood is, mijn vader ligt ook al in zijn graf maar wat heb ik toch van die mensen gehouden! Goed, ik ging altijd mijn eigen gang maar vaak dacht ik: 'Het zijn pa en moe die me op de wereld hebben gezet, zodat ik nu genieten kan.' Ik overdacht wat me in mijn leven zoal niet overkomen was. (Dat is eigenlijk een verhaal op zich.) Levendig stonden me mijn werkkringen voor de geest, de mensen die ik in de loop der tijd heb leren kennen. Ik was een beetje moe van het overdadige maal, misschien had ik iets te veel wijn gedronken en zo kwam het dat ik zachtjes aan in slaap sukkelde terwijl ik in mijn stoel zat. Ik denk dat ik zo een half uurtje heb zitten dutten toen de telefoon ging. Ik nam hem aan en noemde mijn naam. 'Waar blijf jij in vredesnaam?! Je spreekt met Job,' hoorde ik een bekende stem zeggen, 'weet je dan niet dat ik vandaag getrouwd ben? Heb je misschien geen zin om te komen?' Ik ken Job al zeker acht jaar en hij is mijn beste vriend. Hij is een dichter en woont in een kleine stad in Zeeland. 'Hoe moest ik weten dat jij vandaag trouwde?' vroeg ik. 'Ik heb je een bericht over de post gestuurd en bovendien heb ik je vandaag driemaal opgebeld.' 'Je trouwkaart heb ik niet ontvangen tot mijn spijt,' zei ik, 'en ik ben vandaag de hele dag op kantoor geweest, Eva was niet thuis om de telefoon aan te nemen, dus ik weet van niets. Er raakt wel vaker iets zoek bij de post.' 'Maar kan je dan toch niet alsnog komen?' vroeg Job. 'Dat zou ik dolgraag doen,' antwoordde ik, 'maar het is nu halftien, zie ik op mijn horloge, en hoe kom ik nu zonder auto in die uithoek van jou?' 'Ach man,' zei Job, 'dan bel je Floor op, die heeft zo'n prachtige en snelle automobiel en hij wil het feest ook best meemaken. Dan blijven jullie hier vannacht logeren en morgen vroeg gaan jullie naar huis. Moet je je voorstellen dat ik hier wel tachtig man over de vloer heb en al meer dan tienmaal hebben mensen aan mij gevraagd waar Maarten toch bleef... Ik kan niet te lang bellen, maar je moet beslist komen hoor! Voor mijn part kom je hier pas om elf uur aan, dat geeft allemaal niets. Wat mij betreft is het feest hier pas geslaagd als jij er óók bij bent en neem dan Eva ook mee.' 'Eva is een paar dagen naar een vriendin,' zei ik, 'maar ik zal kijken of ik nog komen kan, misschien zie je me straks, in ieder geval zal ik eens zien of ik Floor nog bereiken kan. Overigens, met wie trouw je eigenlijk?' 'Mijn vrouw is Karla Chouffour, de zangeres. God man, je kunt je er geen voorstelling van maken wat een schoonheid dat is,' jubelde Job door de telefoon, 'en een karakter!, en een principes!, en een geweten! Het is haast niet te geloven dat ik zoiets aan de haak heb kunnen slaan.' Door de telefoon hoorde ik op de achtergrond geroezemoes, het geluid van brekend glaswerk, gelach, gegiechel van een groep vrouwen, een mannenstem bij de piano, een mooie tenor. 'Ik kom,' zei ik beslist en hing op. Ik zat even voor me uit te staren en glimlachte: 'Een dichter, en dan nogal zo'n befaamde die op zijn vijfendertigste in het huwelijk treedt, dat zal me een feest zijn.' Ik pakte de telefoon weer en draaide het nummer van Floor. Gelukkig was hij thuis. 'Je spreekt met Maarten,' zei ik, 'zou je mij niet een plezier willen doen? Je kent Job immers nog wel?' 'Job met wie we samen aan de universiteit waren?' vroeg Floor, 'ja, die herinner ik me natuurlijk. Wij waren altijd met zijn drieën, het was een mooie tijd. Maar ik heb hem nu al in geen jaren meer gezien. Natuurlijk heb ik zijn verzen, af en toe is hij op de televisie. Ik zou hem graag nog eens zien.' 'Wat raar,' mompelde ik, 'Job belde mij zojuist op en uit zijn woorden kon ik alleen maar opmaken dat hij jou nog regelmatig zag. Het was net of hij nog de beste vrienden met je was. Hij had het bijvoorbeeld over je fijne en snelle wagen. Nu ja, Job trouwt vandaag en hij vraagt of we alsnog komen. Met de trein wordt het een beetje moeilijk. Ik zou je willen vragen of jij me rijden wilt. Zouden we vannacht nog terug kunnen komen?' 'Het is morgen zaterdag,' merkte Floor op, 'jij zal je leven lang wel verstrooid blijven. Als ik ga, blijven we daar gewoon hangen, dan gaan we morgen in de loop van de dag naar huis en dan kan ik vannacht ook lekker drinken. Jammer dat ik Kathy niet mee kan nemen. De kinderen liggen al een uur in bed, die kun je morgenochtend toch niet alleen laten? Ik moet even met Kathy overleggen...' Ik hoorde wat gesmoes en toen zei Floor: 'Het is goed, ik ben over tien minuten bij je. Het is overigens waarschijnlijk glad op de weg en sneeuwen doet het ook behoorlijk.' Ik kleedde me aan, stak mijn tandenborstel in de zak van mijn overjas, ik vergat de tandenstokers niet en ging alvast in het portiek staan. Ik had nog geen vijf minuten gewacht of Floor kwam voorglijden in zijn luxewagen. Ik hou niet van autorijden, maar ik vind het leuk om gereden te worden. Ik zou mijn gedachten niet bij het stuur kunnen houden en onmiddellijk brokken maken. Floor is een man van vijfendertig jaar. Hij is in goeden doen en ziet er gezond uit. Hij verhandelt computers en verdient daar goed geld mee. Hij is een echte zakenman maar als hij even vrij heeft leest hij Russische en Franse romans. Uit vriendelijkheid rijdt hij mij wel vaker. Soms lees ik op de radio een verhaal voor en dan wordt het weleens laat. Na twaalven is het zo moeilijk om met het openbaar vervoer uit Hilversum in Leiden te komen. Ik ging in zijn auto zitten en maakte het me gemakkelijk. Een kwartier later waren we op de grote weg en ik stak een havanna op. 'Zouden we er lang over doen?' vroeg ik. 'Ik denk dat we er als alles meezit, met een uur en een kwartier wel zijn,' zei Floor. We begonnen over Job zijn gedichten te spreken. Er komt zo vaak 'moeder' in die gedichten voor. 'Uw rose tepels', 'Uw buik', 'O moederschoot', 'Gij vriendelijke ogen', 'Ach, gouden hart', 'Vriendelijk over mijn hoofd aaide', 'Uw handen gegroefd door het zware werk', 'Gelukkige tijden bij u op schoot o moeder', 'Als ik aan u denk, moeder, schieten mijn ogen vol...' 'Wat zou hij nu ongeveer per jaar verdienen met die gedichten?' vroeg Floor. 'Het lijkt zo aardig,' zei ik 'maar echt veel kan het toch niet zijn. Job heeft mij zelf weleens toevertrouwd dat hij met al zijn werk niet meer dan twintigduizend gulden per jaar verdient.' 'Maar hij leeft toch op grote voet?' vroeg Floor, 'ik ben nog nooit in zijn huis geweest, maar het schijnt een klein paleisje te zijn met meer dan twintig kamers, een grote garage en vier badkamers, zes toiletten. Hij heeft bedienden en geeft regelmatig grote feesten. Kamermeisjes laat hij uit Engeland komen en hij heeft een chauffeur die hem in een Rolls Royce rijdt.' 'Maar ken je dat verhaal dan niet?' vroeg ik, 'weet je niet hoe hij zo rijk is geworden? Nou!, dat is een van de malste verhalen die ik ken. Hij heeft een vriend die professor is in Parijs. Die man is een kenner van godenbeeldjes uit Afrika. Op een dag, het is nu ongeveer zes jaar geleden, is Job met hem naar Afrika getrokken. Het was een hele expeditie. Ze reden in hun woestijnwagens naar de Tellem-hoogvlakte. Het was nacht. Op een gegeven moment zagen ze niets meer. Ze stopten en stapten uit. Het was koud. De voorwielen van de wagens stonden op de rand van een afgrond. Je zou er werkelijk vijf kilometer recht naar beneden kunnen lazeren. En die wand loopt niet recht omhoog of omlaag, nee hij loopt schuin naar binnen onder je weg, zodat, wanneer je springen zou, je beneden op een halve kilometer van de rotswand op het zand te pletter zou vallen. Twee-en-een-halve kilometer onder de plek waar ze stonden met hun wagens waren grotten in de wand. Heel vreemd, die grotten waren ook meer dan twee kilometer boven de grond ver in de diepte. Precies op het midden van de steilte hebben honderden jaren geleden mensen gewoond. Hoe ze aan drinkwater en eten en kleren kwamen mag Joost weten, maar ze leefden er. Nu wist die professor dat er meer dan zeshonderd grotten waren. Ook was hem ter ore gekomen dat zich in iedere grot een gouden godenbeeld van meer dan twaalf kilo bevond. Ze hadden een ijzeren kooi bij zich, eigenlijk een soort van mand en een heel lange zware kabel. De volgende dag is de professor in de mand geklommen en Job heeft hem laten zakken. Zoals je begrijpt kwam de kooi, naarmate hij kwam te hangen, steeds verder van de grotten af omdat de steilte schuin wegliep. Met zendertjes en ontvangertjes stonden Job en de professor met elkaar in contact. Job lag op zijn buik naar beneden te kijken en daar hoort hij plots: "Ik zie goud!" Job begon de kooi te laten slingeren. Dat was heel makkelijk. Je hoefde bij het ophangpunt de kabel maar een klein beetje naar links en naar rechts te bewegen en na een paar minuten had de kooi beneden, dus twee-en-een-halve kilometer lager, al een uitslag van een paar honderd meter. De professor schreeuwde door zijn walkie-talkie: "Iets meer naar links, nee nu iets meer naar rechts, nog twee meter zakken," enzovoort. Op een gegeven moment kon hij een haak uitslaan, de kooi vastbinden aan een uitsteeksel in de grot en in de grot kruipen en het godenbeeld pakken. Toen hij twintig beelden had heeft Job de kooi met een zware auto naar boven getrokken. De volgende dag hadden ze weer twintig beelden. Zo zijn ze een maand doorgegaan en toen hadden ze alle beelden te pakken en het was allemaal puur goud. Halverwege hun werkzaamheden kwam er een inheemse priester aanrennen die, toen hij zag wat de professor en Job aan het doen waren, zich gillend in de diepte heeft gestort. Bij die gelegenheid vond de priester de dood. Zo hebben Job en zijn vriend in één maand ruim zevenduizend kilo puur goud verzameld. Voor de vorm heeft de professor vier beeldjes aan musea cadeau gedaan, één is er in Johannesburg terechtgekomen, één in New York, één in Rio en één in Helsinki. De rest hebben Job en zijn vriend op de goudbeurs gegooid. Ze waren allebei in één klap miljardair. Sindsdien leeft Job op grote voet.' 'Maar wat een vreemde geschiedenis,' merkte Floor op, 'waarom heeft zoiets niet in de krant gestaan?' 'De beste verhalen staan nu eenmaal niet in de krant,' zei ik, 'en bedenk eens hoeveel mensen je ongelukkig van jaloezie zou maken met een dergelijk verhaal.' Floor floot van bewondering. Het begon harder te sneeuwen buiten en ik dronk een beetje cognac, hoewel het warm genoeg was in de wagen. Ik bedacht hoe romantisch het vroeger was als ik in Colijnsplaat of Kortgene in Zeeland moest zijn. Eerst met de kleine groene tram, een stoomtram uit Rotterdam naar Hellevoetsluis, dan met de pont, dan weer met een tram, dan weer met een pont over een veel bredere stroom, prachtig zeewater, de kapitein van de pont had het niet gemakkelijk want er stond altijd veel trek in het water en er waren veel ondieptes. Tegenwoordig rij je over bruggen en dijken zomaar naar waar je zijn moet. 'Heb jij die moeder van Job ooit gezien?' vroeg Floor. 'Er is iets met haar,' zei ik, 'het schijnt iets heel vreemds te zijn, ik heb er nooit naar durven vragen.' 'Toch prachtig zoals hij over zijn moeder schrijft,' zei Floor, 'ken je het gedicht "Het washok" soms? Daarin heeft hij alle zorgzaamheid en vriendelijkheid die een moederhart kenmerkt neergelegd. Het is geweldig groots en prachtig.' En hij begon te citeren: 'Wanneer moeder 's morgens het washok betrad...' Samen zegden wij het hele gedicht op. Het was een prachtige rit door het nachtelijke en winterse Zeeuwse landschap. Op een gegeven moment werden we er allebei stil van. Het was nu halfelf en binnen een half uur verwachtten we in het huis van Job te zijn. Die auto van Floor! Een achtcylinder! Was dat een wagen! Hij gaf niet meer geluid dan het gezoem van een normale vlieg en ik had een gevoel alsof wij roerloos boven de Zeeuwse autostrada hingen die als een drijfriem in dolle vaart onder ons doorschoot. 'Die Karla waar je het over had, is dat de bekende zangeres?' vroeg Floor. 'Ja inderdaad,' zei ik, 'en ze is nog barones ook. Ze komt van heel beschaafden huize. Ze heeft haar opleiding in Wenen, Moskou en New York gehad. Ik heb haar laatst mogen beluisteren in het Concertgebouw in Amsterdam. Ze zong als een engel en je kon een speld in de zaal horen vallen zo stil en ademloos luisterde het publiek. Ze zong onder andere de "Altrhapsodie" van Brahms en vaak leek het of ik Kathleen Ferrier zelf hoorde. Ongelooflijk, wat een hemelse stem. En wat is het toch vreemd dat nu een zo groot dichter en een zo begaafde zangeres elkaar gevonden hebben!' Ik zette de radio aan en alsof de duivel ermee speelde hoorde ik daar de stem van Kathleen Ferrier, een oude opname, terwijl ze 'Frauenliebe und Leben' zong. Zowel bij Floor als bij mij stonden de tranen in de ogen. Toen het lied was afgelopen zette ik de radio weer uit, wij praatten nog wat over koetjes en kalfjes en reeds waren we op de oprijlaan naar het grote huis waar het feest plaatsvond.

We parkeerden en liepen naar binnen. Onze jassen werden aangenomen en we liepen naar de zaal waar het meeste lawaai vandaan kwam. Er zou een Tolstoj voor nodig zijn om het feest dat aan de gang was te beschrijven. Mijn pen schiet tekort. We kwamen in een zaal van ongeveer dertig bij vijftien meter. Hij werd verlicht door prachtige luchters waarin honderden kaarsen brandden. Ik zag bekende professoren, staatslieden, advocaten en reders, chirurgen en schrijvers. Er waren veel dames in prachtige toiletten. Wat een de zinnen verwarrend en heerlijk geroezemoes. Honderden flessen wijn stonden er op tafel, ik zag de bonbons al. Men was bezig de plumpudding te verorberen. Zodra Job ons zag snelde hij op ons af en omhelsde ons. 'Nu jullie er zijn is mijn feest pas volmaakt,' zei hij. Hij stelde ons voor aan zijn bruid die ik nu zowaar een kus op de gloeiendhete wangen mocht drukken. Job ging aan de vleugel zitten en begon zijn vrouw te begeleiden. Ze zong een prachtig Russisch lied: 'Nje braní menjá rodnája, sjto ja ták jewó ljoebjlóe...' Ik moest ergens gaan zitten en toen het lied was afgelopen stelde Job me voor aan Yvonne, die voor de rest van de avond mijn tafeldame zou zijn. Ik luisterde naar de feestredes en hield ook mijn eigen speech. Dat ging me heel aardig af, ik vertelde op grappige wijze hoe ik Job had leren kennen, hoe het ons was vergaan, ik wenste hem geluk met zijn Karla, tussendoor vertelde ik nog twee anekdotes en dat alles lardeerde ik met citaten van Plutarchus, Herodotus, Flaccus, Ovidius, Homerus, Tolstoj, Melville, Couperus, Reve, Baudelaire en Elsschot. Ik had me een beetje zenuwachtig gemaakt voor die redevoering, maar toen ik ging zitten klapte iedereen zo vriendelijk dat ik begreep dat mijn rede goed was geweest. Ik begon nu een gesprek met Yvonne die naast me zat. Ze droeg een zwart fluwelen rok en had een zwarte doorschijnende blouse aan. Daarin kwamen haar borsten wel heel duidelijk tot hun recht. En ik moet zeggen dat het heel mooie borsten waren! Als rijpe perziken hingen ze in de opduwertjes of 'balkonnetjes', zoals Ethel Portnoy zegt, die ook wel bh worden genoemd. Maar deze bh was zo klein dat de tepels haast blootlagen. Tussen de borsten bungelde een klein gouden Jezusje aan het kruis. Ik sprak met Yvonne over de vrouwenbeweging, over politiek, over vervuiling van het milieu, over bootvluchtelingen, over allerlei dingen, maar ze had er niet veel meer verstand van dan ik. Toen begon ik maar over de verzen van Job, maar die had ze niet gelezen. Een bewegelijk heertje, tamelijk mager met spierwit haar, stond op en met zwaaiende armen begon hij een redevoering die zo grappig was dat ik haast van mijn stoel viel van het lachen. 'Wie is die heer?' vroeg ik. 'Dat is Huib Drion,' zeiden ze mij, 'als die er niet is kan een feest niet slagen.' De plumpudding smaakte me heerlijk. Job kwam op me af en vroeg: 'Heb je werkelijk genoeg gegeten?' Ik zei dat een stukje vlees met witlof er nog wel in zou gaan en binnen een kwartier had ik rollade voor mijn neus en een witlof zoals ik het nog nooit had geproefd. 'Jij houdt wel van een lekker hapje, is het niet?' vroeg Yvonne. 'Ja, als het maar mals is sla ik niets af,' zei ik. 'Jammer dat je de eend gevuld met druiven hebt gemist,' zei ze en keek me vriendelijk aan. Ik keek nog eens goed naar Yvonne. Veel verstand had ze misschien niet, maar ze was toch de verleidelijkheid zelve! 'Is de vader van Job er ook?' vroeg ik. 'Jazeker,' straalde Yvonne, 'dat is die man met dat korte grijze borstelhaar daar in de verte die juist champagne staat te drinken.' Ik ging naar hem toe en het bleek mij dat de vader van Job kapitein op de grote vaart was. Hij vertelde me binnen een kwartier drie sterke verhalen en hoe gemakkelijk het tegenwoordig was om kapitein te zijn met die satelliet-gestuurde navigatiemiddelen. Onderdehand zag ik Job de zaal uitlopen. Binnen vijf minuten was hij weer terug. Wat was ik trots op mijn jonggehuwde vriend. Ik keek nog eens naar Karla (hier tussen zoveel mensen, tussen zoveel geuren en flonkeringen, tussen al dat eten, dat wapperend licht van de kaarsen en het geroezemoes, tussen de aangename walm van de sigaren en de vallende flessen viel een onbescheiden blik beslist niet op). Karla, moet ik zeggen, was een klassieke schoonheid. Ze zou in de achttiende eeuw koningin hebben kunnen zijn in Polen, met zulk een waardigheid trad ze op. Wat een prachtige huid had ze, sneeuwwit gewoon, wat een bezielde en smachtende ogen en wat een prachtig zwart haar. Ik kon mijn ogen niet van haar afhouden. Ik zag Job niet naast haar zitten en ineens zag ik hem in een donker hoekje van de zaal op een hoge stoel. Hij zat daar een sigaar te roken en leek in gepeins verzonken. Hoe kan iemand toch peinzen en piekeren te midden van een gesnater als van duizend ganzen en eenden? Ik liep naar hem toe en ging naast hem op een stoel zitten. Misschien was het onbeschaamd van me, maar ik vroeg hem naar zijn moeder.

'Vertel nu eens iets over je moeder,' zei ik, 'is ze misschien hier?' 'Je zou kunnen zeggen dat ze hier was,' mompelde Job, 'maar dat is toch ook weer niet zo. Die Yvonne is mijn moeder. De dame naast wie ik je heb gezet toen je binnenkwam.' 'Bedoel je die verleidelijke vrouw die zo uitdagend gekleed gaat met een kruisje op haar blanke boezem?' vroeg ik. 'Ja, een kapitein wil ook weleens wat,' zei Job, 'dat is nu eenmaal de smaak van mijn vader, maar zij is niet mijn echte moeder. Nee, mijn moeder had een veel mooiere naam. Ze heette Jozefien. Nooit heb ik zoveel van iemand gehouden als van mijn moeder en wat is het vreemd met haar gegaan! Toen ik veertien was vertrok mijn vader voor een reis van anderhalf jaar naar de Verre Oost. De volgende dag kreeg mijn moeder het op haar heupen. Altijd was het haar grootste plezier geweest om ons te verzorgen, om de was te doen, om koffie te zetten, het eten klaar te maken en ons in bed te stoppen. Goed, vader was vertrokken en dat is bepaald niet vreemd voor een zeeman. Hij verdiende zo zijn geld voor ons en hij zou immers terugkomen? Moeder stond 's morgens vroeg op en riep ons bij elkaar. "Ik verlaat het huis," zei ze, "ik wil ook zwerven." Ze pakte haar spullen en deed die in een grote koffer. Ze nam tweehonderd gulden van het huishoudgeld en ging meteen op stap. We kregen af en toe kaarten van haar uit de vreemdste windstreken. Wij waren met zijn zevenen thuis, zeven kinderen waren er en nu moesten wij maar voor onszelf zorgen: de huur betalen, de was doen, het eten koken en onszelf 's nachts instoppen. Er kwamen kaarten van moeder uit Turkije, uit Zweden, uit Moskou, uit Vancouver. Het werd ons langzaam duidelijk dat ze verslingerd was geraakt aan veel drinken, opium en mannen. Nog één keer heb ik haar teruggezien. We hadden toen een familiereünie in Doorn en ik was tweeëntwintig. Acht jaar lang had ik haar niet gezien. De hele familie logeerde in hotel De Kroon in Doorn, vader, kinderen, grootmoeder, neefs, nichten, ooms en tantes. En wie kwam er op een dag als een zigeunerin met twee dozen onder haar arm in plaats van koffers aanzeilen? Mijn eigen moeder! Ze maakte een verstrooide indruk en vertelde dat ze juist uit Bagdad kwam. Wij allen vielen haar om de hals en smeekten haar om nu weer bij ons te blijven. Ze beloofde dat. Een half uur later gingen we met zijn allen wandelen in het bos. We kwamen aan de grote weg en moesten die oversteken om in een nog mooier deel van het bos te komen, namelijk in het stuk waar de Duitse keizer heeft gewoond tijdens de tweede wereldoorlog. We staken de grote weg over en er kwam een bus aanrijden. En op die bus stond "Velp". "Velp," lispelde mijn moeder, ze was geheel in vervoering, "daar heb ik nog een oude vriendin wonen, ik moet onmiddellijk naar haar toe." Ze rende naar het hotel, stopte haar spullen weer in de dozen, die ze dichtbond met touwen, en vertrok met de volgende bus. Mijn moeder is mijn grote en enige liefde en tegelijk het trauma dat me bij de psychiater heeft doen belanden. Sinds die gebeurtenis heb ik mijn moeder nooit meer gezien,' vertelde Job met droevige stem, 'en ik ben nu vijfendertig. Af en toe heb ik een kaart van haar uit Japan of uit Canada gekregen.' Job pakte zijn portefeuille en diepte er met voorzichtige en tedere gebaren een fototje uit op. 'Kijk toch eens wat een vriendelijk mens, wat een schat van een vrouw,' zei hij, 'hier was ze zesendertig, ongeveer een jaar voordat ze ons verliet. Ik heb een paar jaar geleden een kaart van mijn moeder uit Göteborg gekregen. Het adres was Kungsgatan 47A. Ik vond dat merkwaardig omdat mijn moeder nu eenmaal niet gewend is om haar adres op kaarten te schrijven. Wel wist ik soms in welk land ze was, dat kon je altijd aan de prent zelf of aan het poststempel zien. Maar dit keer was er ook een adres, ik reisde onmiddellijk naar de Kungsgatan 47A in Göteborg, maar daar had men nog nooit van mijn moeder gehoord. Ik beschreef haar gezicht en gestalte tot in de kleinste details, maar men kende haar niet en naar verluidde was ze nooit op het adres geweest. Een krankzinnige geschiedenis, vind je niet? Vandaag bijvoorbeeld heb ik weer niets van haar vernomen. En hoe kon ik haar ook een bericht dat ik trouwen ging sturen? Maar goed, ik moet het vergeten. Het is allemaal afgelopen en voorbij. Basta! Fini!' besloot hij zijn verhaal ferm en wilskrachtig. 'Maar nu moet je me even alleen laten,' merkte hij op, 'er zijn vanavond wel twaalf feestredes gehouden en daar moet ik nu op antwoorden. Ik zie je straks nog wel, maar laat me nu nog vijf minuten nadenken.' Ik ging weer naast Yvonne zitten en dronk champagne. Ze legde haar hand op mijn knie en vertelde me een schunnig mopje. Ik hoorde geklingel van een tafelbel en aan het hoofd van de tafel stond nu Job. Hij begon op zijn eigen manier, namelijk in versvorm, de redenaars te bedanken, maar hij was nog geen minuut aan het woord of er kwam iemand aangesneld, die Job een brief, die per expresse en aangetekend was verstuurd, in de hand duwde. Job keek naar de brief en werd lijkbleek. Op de een of andere manier kon hij niet meer spreken. Hij ging zitten naast zijn Karla en er werd niet over het voorval gesproken. Een kwartier later was hij echter verdwenen uit de zaal, ik zag het en ging naar Karla toe. Zij fluisterde mij in het oor: 'Jij schijnt hem zo goed te kennen, hij heeft me vaak genoeg verteld dat hij eigenlijk maar één echte vriend heeft en dat ben jij. Ga jij daarom Job nu eens zoeken en probeer erachter te komen wat er aan de hand is.' Een half uur dwaalde ik door het grote gebouw, overal draaide ik lampen aan en uit maar Job was niet te vinden. En ondertussen dacht ik: 'Zelfs zijn grootste vriend heeft hij altijd iets verzwegen.' Eindelijk kwam ik in de bibliotheek. Job zat daar, bij het licht van één kaars, aan een met groen laken bespannen tafel. Ik naderde hem voorzichtig, hij had me niet in de gaten. Hij was in tranen en hij wreef met zijn rechterhand steeds over zijn ogen en door zijn bruine haar. Ik ging naast hem zitten en legde mijn arm om zijn schouder. 'Wat is er nu toch, Job?' fluisterde ik. Hij liet me de bewuste enveloppe zien. 'Het handschrift van moeder,' fluisterde hij. Toen haalde hij een kaart uit de enveloppe. Het was een gewone ordinaire gelukwenskaart van Vroom en Dreesmann want de firmanaam stond er brutaal opgedrukt. Op de kaart stond een taart afgebeeld met een suikeren bruidspaar te midden van de slagroom. Job vouwde de kaart open en haalde er vier bankjes van vijfentwintig gulden uit. Hij liet die aan me zien met een gezicht dat de grootste smart uitdrukte. Toen hij het geld eruit had gehaald kon ik bij het flauwe lichtschijnsel van de kaars iets lezen. In gouden voorbedrukte sierlijke letters stond er: 'Hartelijk gefeliciteerd met jullie huwelijk.' Daaronder had degeen die hij zo liefhad en die hij hier op het feest zo node miste met een balpen in haastig neergekrabbelde letters geschreven: 'Moeder.' 'Ik ga nu naar bed,' zei Job, 'Karla komt straks wel als het feest is afgelopen, ik wil er niet meer bij zijn... Zou jij me misschien in willen stoppen? Dat vind ik zo gezellig,' en toen hij dat gezegd had begon hij te snikken als een kind.

Een goede grap

Jos, een vriend van mij, en ik waren een paar maanden geleden op fietsvakantie. Wij wilden weg uit het drukke gedoe in de Randstad om krachten op te doen. In de Achterhoek hadden we een aardig huisje gehuurd aan de zoom van een korenveld dat aan de drie andere zijden door bos werd ingesloten. Het was een houten huisje met bedsteden en een potkachel. De keuken was nog geheel negentiende-eeuws. Als het lelijk weer was zaten we de hele dag te lezen, scheen de zon echter dan bestegen wij onze fietsen en genoten van de stilte en de natuur. Ik ken Jos – zijn achternaam noem ik maar niet, temeer daar hij misschien liever niet heeft dat ik dit verhaal uit handen geef – al vanaf mijn twaalfde. We zaten naast elkaar op het gymnasium en wij kennen elkaar door en door. Jos en ik zijn allebei gelukkig getrouwd, maar één week per jaar gaan wij toch samen op vakantie, om eens bij te praten. Ja, wij zijn echte hartsvrienden. Als Jos een boek mooi vindt kan men er donder op zeggen dat ook ik het zal waarderen. Jos is groot en stevig gebouwd. Hij straalt plezier en levenskracht uit. Hij praat een beetje met een hoge falsetstem en heeft een klein beetje een babygezicht. Hij is mollig en heeft sproeten, hij kleedt zich als een heer, een beetje nonchalant. Hij heeft blauwe ogen, doorzichtig als glas, een heldere blik en een beetje een wulps gezicht. Hij is hoogleraar en weet hoe zich in groot gezelschap te gedragen. Hij is slim en niet voor één gat te vangen.

Op een donderdag goot het van de regen. We hadden allebei geen zin om naar het dorp te gaan om boodschappen te doen. Daarom wierpen wij een gulden op en ik verloor. Toen ik thuiskwam met boter, suiker, brood, aardappelen en groente, jam en vlees, paneermeel en studentenhaver, zat hij al bij de warme open haard *Anna Karenina* te lezen. We aten en we wasten af. Toen nam hij zijn boek weer en ik nam *Moby Dick* ter hand en een heerlijke dag vol leesgenot kon beginnen. Tegen drieën die middag kwam de postbode. Hij bracht ons brieven van onze vrouwen en er was een kaart bij voor Jos, gestuurd door een collega van hem. Jos bekeek de afbeelding en bloosde. Ik had toevallig ook de prent gezien. Het was zo'n kaart die als je hem gewoon bekijkt een luchtig geklede vrouw te zien geeft, maar als je de kaart een kwartslag voor je ogen draait blijkt de vrouw ineens helemaal bloot te zijn. Jos wierp de kaart een beetje korzelig in het vuur van de haard. Hij was kribbig, zenuwachtig en kwaad. Toch stond er bij mijn weten alleen maar 'hartelijke groeten van Peter' op. Wij lazen onze brieven, babbelden wat over onze vrouwen en toen doken we ieder weer in onze boeken. Tussen zes en zeven dronken we samen een halve fles Campari en toen begon ik te koken. Ik maakte spaghetti met gebraden gehakt, gesmolten kaas, oud brood, tomaten, aubergine, sla en paprika, uien en knoflook, kleine champignons, een lievelingsmaaltijd van mezelf. Ik kan maar één gerecht bereiden en dat is dit. Jos rukte een fles Pomerol open en wij genoten van het voedsel. De regen tikte gezellig op het dak en tegen de ruiten. Na het eten wasten we af en toen doken we weer in onze boeken. Het begon al vroeg te donkeren en ik voelde me bijzonder op mijn gemak. Tegen tienen – het licht in de kamer was al aan, we zaten tegenover elkaar onder de schemerlamp – keek ik op en zag de sombere ogen van mijn vriend. De hand waarin hij het boek hield hing over de leuning van de stoel, hij lag meer dan zat, het leek of hij mijn blik niet opving, hij was in diep gepeins verzonken. Ik begreep wel ongeveer waar hij zich druk over maakte en omdat wij toch geen geheimen voor elkaar hebben vroeg ik hem: 'Zit je over die kaart van vanmiddag na te denken?' Hij schrok op uit zijn gepeins en zei langzaam, terwijl zijn blik naar een hoek van het vertrek afdwaalde: 'Ja.' 'Van wie was die brief eigenlijk?' vroeg ik. 'Van Peeters,' zei Jos somber. 'Ik ken geen Peeters,' zei ik. 'Dat is een lector in de geologie,' verduidelijkte Jos, 'ik heb dit jaar samen met hem een artikel geschreven voor een Amerikaans tijdschrift.' 'Maar wat stond er eigenlijk op?' vroeg ik, 'je betrok ineens toen je iets erop las en de kaart zag.' 'Er stond "ondeugd!" op,' zei Jos, 'en dat gaf mij te denken vooral door de aard van het prentje. Ik maak mij een beetje zorgen en ben van plan om Peeters om een verklaring te vragen. Wat zou jij denken als jij op je vakantie-adres zo'n kaart van een collega ontving?' 'Ik zou eruit opmaken dat mijn collega me voor een vrouwenjager, een rokkenjager versleet,' zei ik. 'En wat zou je denken van het feit dat ik zo'n kaart op mijn vakantie-adres ontvang?' hield Jos aan. 'Peeters weet immers niet anders dan dat ik met een oude vriend een weekje aan het fietsen ben.' 'Ik zou eruit opmaken dat die Peeters je misschien niet helemaal vertrouwt,' zei ik, 'hij laat merken dat hij iets van je weet, misschien verdenkt hij je van overspel, misschien denkt hij dat je je met een vriendin hebt teruggetrokken om het er, in vleselijke zin, eens duchtig van te nemen.' 'Maar dat is toch ronduit een belediging,' bromde Jos, 'zoiets hoef je toch niet te nemen? Ik ben geschrokken en kwaad, mijn vakantie is voor vandaag naar de knoppen.' We pakten tegelijk onze boekenleggers, legden die op de pagina waar we gebleven waren, sloegen de boeken dicht en legden die op de schoorsteenmantel. 'Krankzinnig,' mompelde Jos steeds maar. We gingen weer tegenover elkaar zitten en keken elkaar aan. Ik glimlachte. 'Waarom lach jij?' vroeg Jos. 'Ik weet het niet,' zei ik, 'maar ik wil beslist meer weten van dit geval. Ik dacht dat ik jou toch goed genoeg kende.' Het begon harder te regenen en ik wierp nog wat blokken hout op het vuur. Ik schonk mijzelf en mijn vriend een glaasje whisky in. 'We hebben nu al Campari en Pomerol op en nu wil jij weer aan de whisky beginnen?' vroeg mijn vriend. 'Drank maakt de tongen los,' schertste ik, 'kom Jos, drink dit nu gezellig op en vertel mij precies wat er aan de hand is.' 'Het krankzinnige is dat er helemaal niets aan de hand is. Ik heb op geen enkele manier aanleiding gegeven tot het dwaze gedrag van die Peeters, die ellendeling, God hebbe zijn ziel. Ik zou nu het liefste hem opbellen om te vragen wat hij bedoelt met het sturen van die kaart. Jammer dat we geen telefoon hebben.' 'Maar de buren hebben telefoon,' zei ik, 'je hebt gelijk, je moet niet met een kwellende vraag blijven zitten. Als hij jou beledigt, mag jij hem om opheldering vragen. En als je zeker weet dat er niets aan de hand is, zou ik die Peeters onmiddellijk opbellen.' 'Denk je echt dat dat het beste is?' vroeg Jos. 'Maar natuurlijk,' zei ik, 'zo kun je toch niet door blijven lopen, met die omfloerste en droevige blik vanwege een duistere belediging? De zaak moet onmiddellijk opgehelderd worden.' 'Je hebt gelijk,' zei Jos en hij begon zijn schoenen aan te trekken, vervolgens trok hij zijn regenjas aan. 'Ga je niet met me mee naar de buren?' vroeg hij. 'Het heeft allemaal niets om het lijf,' zei ik, 'ik blijf liever hier, straks is de bui geweken en kun je weer lezen. Ik blijf liever thuis, dan kan ik weer aan mijn boek beginnen, over tien minuten kun jij met een gerust hart ook weer lezen, dat is een ding dat zeker is.' 'Goed,' zei Jos, 'dan ga ik meteen en dan ga ik alleen, het doet er ook niet toe, ik ben snel terug.' Ik pakte mijn *Moby Dick* weer en begon te lezen, ik hoorde Jos de deur dichtslaan en over het grind lopen. Ik raakte zonder op iets te letten geheel verdiept in mijn boek en pas tegen twaalven, twee hele uren waren er verstreken, begon ik me af te vragen waar mijn vriend toch eigenlijk zat. Ik liep naar de deur en zag dat het licht bij de buren bij wie Jos aan het bellen was al uit was. Het was duidelijk dat de slaap zijn intrek in dat huis had genomen. Maar wat was er met Jos gebeurd? Moest ik er nu in de stromende regen op de fiets op uit om hem te gaan zoeken? Voor het gemak riep ik een paar keer hard 'Jos' vanuit de deuropening en toen ik voor de derde keer riep hoorde ik een zwak 'Jaha' terug. Het was het droevigste 'Ja' dat ik ooit gehoord had en het geluid kwam ongeveer van halverwege het huis van de buren en ons eigen huis. 'Ben jij dat Jos?' riep ik voor de zekerheid. 'Ja,' hoorde ik nu voor de tweede maal maar iets sterker. Ik haalde mijn schouders op, trok mijn regenjas aan en liep in de richting van het geluid. Het water kwam werkelijk bij bakken uit de hemel! Na honderd meter zag ik een grauwe schim op een boomstronk zitten. Het was Jos in zijn regenjas. Hij was doorweekt en zat te klappertanden van de kou toen hij mij zag. 'Hoe lang zit je hier al?' vroeg ik. 'Ik weet het niet,' zei Jos, terwijl hij de natte slierten haar uit zijn ogen wreef, 'misschien een uur, misschien al drie uur, het kan mij niets meer verdommen. God! wat vreselijk! het is een volledige ramp, wat moet ik doen, wat moet ik doen en wie weet het dan nog meer!?' 'Dus er is toch iets,' zei ik. 'Het is krankzinnig,' mompelde Jos, 'hoe kunnen ze het weten? Het is allemaal al zo lang geleden. Ik dacht dat de zaak dood en begraven was en nu ineens dit!' 'Zo kunnen we niet praten,' zei ik. 'Ik moet onmiddellijk naar die Peeters toe,' zei Jos, 'door de telefoon kan ik niet met hem praten, zeker niet bij de buren, maar ik wil toch het naadje van de kous weten. Ik wil weten waar ik aan toe ben. Hoever het al bekend is. Maar hoe gaat het met zulke berichten? Sluimeren ze twintig jaar lang vlak onder het natte gras om ineens, als een paddestoel, weer de kop op te steken? Je kunt je niet voorstellen hoe ik geschrokken ben, ik ben op van de zenuwen...' Ik haalde hem over om naar huis te gaan. Daar zei ik hem dat hij zich uit moest kleden en afdrogen, droge kleren aantrekken. Daar was hij ongeveer tien minuten mee bezig. Toen kwam hij weer de kamer binnen en ging zwijgend in zijn stoel bij het vuur zitten. Vijf minuten zaten we zo tegenover elkaar. Hij zag er zielig uit. Zijn hele gezag, zijn hele persoonlijkheid was hij kwijt. Tenslotte vroeg ik hem – van lezen kon nu beslist geen sprake zijn: 'Wat is er nu eigenlijk gebeurd?' 'Als ik je dat vertel moet ik je een heel verhaal achter elkaar vertellen en daar heb ik eigenlijk geen zin in,' zei Jos, 'ik schaam me ervoor, ik dacht de bezwarende feiten, in ieder geval de herinnering daaraan uit mijn leven verbannen te hebben.' 'Je ging door de regen naar de buren,' zei ik, 'wisten die soms iets van je? Iets bezwarends?' 'Hou toch op,' bromde Jos. 'Je hebt toch wel gebeld?' vroeg ik, 'kom, wij zijn de beste vrienden, mij kun je het toch wel vertellen...?'

Jos haalde diep adem en begon als volgt: 'Bij de buren zaten ze naar de televisie te kijken toen ik aanbelde. Ik vroeg of ik even mocht bellen en het was goed. Ik draaide het nummer van Peeters in Groningen en kreeg zijn zoon van twintig aan de lijn. Die begon onmiddellijk te giechelen toen hij mijn naam hoorde. "Met meneer Jos?" lachte hij, "u wilt zeker even mijn vader spreken?" Ik hakkelde van ja, ik moest twee of drie minuten wachten en toen kwam Peeters zelf aan de telefoon. "Wat is dat voor onzin om mij naar mijn vakantie-adres zo'n zotte kaart te sturen?" vroeg ik, "wat moet mijn vriend niet van me denken? En vanwaar die verdachtmaking, dat kleinerende woordje 'ondeugd' achter op de kaart? Had je niet een beetje duidelijker kunnen zijn? Ik wil onmiddellijk weten wat je bedoelt." "Ik zal meteen duidelijk zijn," zei Peeters, "ik denk dat je aan één woordje wel genoeg hebt." "Dat weet ik nog zo net niet," antwoordde ik. "Goed dan," zei hij, "Konnie." "Konnie?" riep ik verbaasd uit en het was of de donder door mijn lichaam en een bliksem door mijn geest, ziel of verstand voer. "Ja," zei hij heel eenvoudig, "een goede grap, hè? Konnie!" Ik durfde niet te vragen wie er allemaal van wist en zweeg, misschien haalde ik snel en zwaar adem. "Trek het je niet aan," zei Peeters, "ik leg het je te zijner tijd wel uit." Ik kon niet spreken en stond als versteend met de hoorn in mijn hand. "Peeters, Pee... Peeters," hakkelde ik, maar ik durfde niet meer te praten uit vrees dat de buren toevallig zouden meeluisteren. Ik schaamde me en ging door de grond. Ineens besefte ik heel goed de strekking van het gezegde: "Eens een dief altijd een dief." Ik kon en durfde niet meer te spreken. "Jos!" riep Peeters, en na een minuut nog eens: "Jos!" Daarna riep hij: "Jos, Jos, luister nu toch even. De grap is namelijk nog niet afgelopen, er komt nog meer, laat me dat dan even uitleggen als je zo geschrokken bent." Een grap! dat noemde hij een grap! De adem bleef me stokken in de keel. Ze haalden een grap met me uit, maar hoe was het dan uitgelekt en de grap was nog niet eens afgelopen? Ach beste Maarten, je kunt je niet voorstellen hoe het mij te moede was, ik ging door de grond en schaamde me diep, ik was als verlamd en kon geen woord over mijn lippen krijgen. Ik hoorde Peeters maar roepen: "Jos, Jos, laat het me je nu even uitleggen, hoe kon ik immers weten dat je er dusdanig van zou schrikken...?" Toen ik maar bleef zwijgen hoorde ik Peeters zeggen: "Er is vast en zeker iets met de lijn, er is iets fout en ik weet niet waar hij vandaan belt." Toen legde hij de hoorn op de haak en hoorde ik helemaal niets meer. Ik klopte op de deur van de huiskamer van de buren, ze zaten naar een televisie-quiz te kijken en ik was ervan overtuigd dat ze niets gehoord hadden. Ik vroeg de buren hoeveel ik hun verschuldigd was. Ze wisten het niet. "Geef maar een rijksdaalder," zei de buurman. Ik deed dat en wankelde naar buiten toe. Toen ik eenmaal in de regen stond haalde ik opgelucht adem. Maar het gekke was dat ik helemaal niet naar huis durfde te gaan. Ik was bang om jou onder ogen te komen omdat ik zeker wist dat jij me zou gaan uitvragen. Een grap! Ik vond het helemaal geen leuke grap, niet iets fijnzinnigs, en het was mij alsof ik met mijn neus door de stront werd gehaald, of mijn goede naam voor de hele wereld door het slijk werd gehaald. Donkere wolken pakten zich samen in mijn bewustzijn, ik was in zekere zin gebroken. Ik dacht immers dat het verhaal uit de wereld was en ik maakte me zorgen hoe de grap zou aflopen, er moest volgens Peeters immers nog meer... Wat moest ik dan verwachten? Ik peinsde me suf en was droevig. Halverwege het huisje van de buren en ons huisje – ik denk dat ik over dat kleine stukje al zeker een kwartier treuzelend gelopen heb – zag ik een boomstronk, ik was al doornat en dacht: "Ik ga hier maar zitten, ik moet eens goed nadenken. En als Maarten me mist dan komt hij me wel halen. Het doet er nu niet meer toe, laat ik maar nat worden en kouvatten." En ik gaf mij over aan ellendig gepeins.' 'Ik heb wel drie of vier keer geroepen,' zei ik. 'Maar ik heb je maar één keer gehoord,' antwoordde Jos. Ik keek naar mijn vriend, hij zat nu in zijn kamerjas drooggewreven bij het vuur, maar wat een rimpels op zijn voorhoofd, wat een schaamte en somberheid waren in zijn ogen te lezen! 'Wij gaan nu niet naar bed,' zei ik, 'ik veronderstel dat je toch niet zou slapen en mij zou je ook maar wakker houden. Kom, wij hebben geen geheimen voor elkaar, vertel het nu maar eens aan mij.' Ik wierp nog wat blokken op het vuur en hij begon aarzelend met het schaamrood op zijn kaken: 'Het zit namelijk zo...' 'Niet meteen beginnen,' zei ik, 'je bent helemaal uitgeput. Ik ga even een boterham met dik kaas erop voor je klaarmaken en een rumgrog. Dat verorber jij allemaal eerst, daarna voel je je wel iets beter. Je zit te rillen van de kou!' Ik liet mijn vriend in de steek en begaf mij naar de keuken. Ik maakte de grog gloeiendheet en met veel citroen en rum erin, ik bakte een lekker stuk kaas met brood en toen alles klaar was zat hij ervan te smullen. Buiten regende en regende het maar. Toen ging ik bij Jos tegenover het vuur zitten onder de schemerlamp en zei: 'Nu kan je me alles vertellen, je zult zeker wel begrijpen dat ik behoorlijk nieuwsgierig geworden ben.'

Mijn vriend zette zijn glas neer, likte zijn lippen af en begon als volgt: 'Je weet dat ik van mijn achtentwintigste tot mijn vierendertigste op het ministerie van cultuur, recreatie en maatschappelijk werk heb gewerkt, nietwaar? Ik was toen al getrouwd met Yvonne. Ik was al afgestudeerd in de geologie maar kon het niet over me verkrijgen om bij een maatschappij als de Shell te gaan werken om olie te zoeken. Aan de universiteit was geen baan voor mij en ik deed in die tijd postdoctoraal examen bibliotheekwetenschappen. Zo kon ik een goede baan krijgen op de bibliotheek van het ministerie. Niet dat ik me daar als geoloog helemaal op mijn gemak voelde, maar het was toch beter dan niets. Een half jaar later werd mijn zoontje David geboren. Ach! ik had werkelijk alles om gelukkig te zijn en ik neem aan dat ik op jou ook werkelijk een gelukkige indruk maakte. Ik werkte, at met mijn vrouw, reisde met de bus op en neer tussen Zoetermeer en Den Haag, ik vermaakte me met mijn boeken en met mijn zoontje. Maar ik was behoorlijk ziek in die tijd, ik was er niet goed aan toe. Dat wil zeggen: ik was iets te hartstochtelijk. Veel te hartstochtelijk. De hartstocht en de wellust zijn een ziekte die in een mens zijn leven alles op losse schroeven kunnen zetten. Je weet hoezeer ik gesteld ben op Yvonne, ik kan haar eenvoudigweg niet missen. Ze doet de administratie, de belastingzaken, het huishouden, ze kookt voor de kinderen en voor mij is ze als een zuster en tegelijk is ze een goede minnares in bed. Maar ik was niet tevreden. De wellust knaagde aan mijn ziel. Ik had een plaatje op mijn kamer, dat had ik uit een Amerikaans tijdschrift geknipt. Het stelde een man voor in zogenaamd ideale omstandigheden: hij dronk de beste whisky en had tegelijk een harem. Je zag hem in zijn vrouwenkamer liggen. Een eunuch stond in de deuropening op wacht. Hij lag op een geweldig bed, rondom hingen Perzische tapijten. Hij bekeek een plaatjesboek, nipte van zijn whisky en overal in het rond lagen vrouwen op kussens. Vrouwen in wijde harembroeken en met blote borsten. Zeker twintig vrouwen telde men op dat plaatje. Zo wilde ik ook leven, maar ik wist dat ik altijd bibliothecaris zou blijven. Ik wist dat er saaiheid en grauwe eentonigheid in mijn bestaan zouden komen. Vaak als ik op mijn eigen kamer een boek aan het lezen was, dwaalde mijn blik af naar het prentje dat aan de muur tegenover mij hing en dan dacht ik: "Ach gelukkige, wat is het toch mooi om met twintig vrouwen te leven, ik ben helemaal niet geschikt om maar één vrouw te hebben. Ik ben jeugdig, ik zou alle mooie vrouwen tegelijk willen bezitten." En het waren mooie, verleidelijke vrouwen op het prentje. Jonge vrouwen met een grote haardos, een gulle lach en flink ontwikkelde borsten, prachtige benen en heerlijke buikpartijen. In die tijd kocht ik veel pornografie en ik moest dat alles voor mijn vrouw verbergen want ik wist dat ze dat niet leuk zou vinden. Ik leidde eigenlijk twee levens: aan de ene kant was ik de vlijtige bibliothecaris en de oppassende huisvader, aan de andere kant was ik de vrouwenvreter. Ik was werkelijk de hartstochtelijkste man die er in Nederland rondliep. Op straat keek ik naar alle meisjes en ik raakte er nooit op uitgekeken. Als een meisje voor me op de trap liep probeerde ik onder haar rokken te kijken. De hele dag waren er smerige gedachten in mijn hoofd. Je kunt je niet voorstellen hoe het is om zo hartstochtelijk te zijn. Ik gaf per maand wel honderd gulden aan pornografie uit. Ik verlustigde me aan de foto's van meisjes met grote, blonde pruiken die zich verleidelijk de lippen aflikten. Die twee levens moest ik zorgvuldig gescheiden houden. Het was moeilijk om een bergplaats voor al mijn pornografische tijdschriften te vinden. Ik zou me schamen als mijn vrouw ervan wist. Het enige dat in mijn kamer op mijn ziekelijke afwijking kon duiden was het prentje van de whisky drinkende man in zijn luxueuze harem. Als Yvonne er maar even niet was zat ik die tijdschriften te bekijken. Ik had toen het liefst beheerder van een pornografische bibliotheek willen wezen. Ik durfde er voor mijn vrienden niet voor uit te komen, jou bijvoorbeeld, heb ik het ook nooit verteld. Yvonne wist er ook niets van. En dan de manier waarop ik die tijdschriften kocht. Ik moest altijd iets eerder van mijn werk om in de binnenstad van Den Haag te komen. Daar liep ik dan tijdschriftenwinkel in en tijdschriftenwinkel uit. Ik was het meest verzot op plaatjes van meisjes in ondergoed. Maar het was erg moeilijk om bladen met zulk soort plaatjes te vinden. Ik was altijd erg zenuwachtig in die winkels, vooral omdat ik de kerels die er rondliepen te neuzen zo afzichtelijk en moreel verwerpelijk vond, het waren vieze kerels voor mij. Ik schaamde me om die winkels binnen te gaan, ik zou door de grond zijn gegaan als een familielid, kennis of vriend me ooit zo'n zaak binnen had zien lopen. Nu ja, die winkels zijn er nog steeds en jij kent de etalages waarschijnlijk ook wel. Ik vond mezelf erg diep gezakt dat ik langs een uitstalling van kunstpenissen en namaakvagina's moest lopen, langs onderbroekjes waar de textiel op de belangrijkste plek was weggeknipt, langs allerlei verleidelijk ondergoed waar begerige mannen aan friemelden met een gezicht of ze reeds een vrouw betastten, voor ik bij mijn tijdschriften kwam. Er waren drie winkels in Den Haag waar ik regelmatig kwam. Ze hadden stapels tijdschriften in de achterkamer in voorraad en vaak zat ik een uur voor ik had wat ik zocht. Ik had bijvoorbeeld nooit aan een verkoper durven vragen: "Heeft u plaatjes van meisjes in ondergoed voor mij?" Ik moest het allemaal zelf uitzoeken en het was walgelijk wat ik vaak zag. Sadisme, vrouwen die het met dieren deden, mannen die hun geheime deel in een levende rog staken, al dat soort dingen... en dan eindelijk vond ik iets, meestal een tijdschrift van twintig jaar oud toen men nog niet zo brutaal was met de plaatjes. Dolgelukkig was ik als ik een blad had gevonden met meisjes op hoge hakken, met hun slanke benen in strakke nylons, in een korte babydoll op bed gelegen of op een merkwaardige manier alleen in slipje en beha hangende in een stoel. De modellen staan, hangen en zitten, liggen allemaal op de meest vreemde manieren, net of ze heel ingewikkelde gymnastiek doen. Ik was een echte voyeur. Het liefst had ik een blad waar een meisje op een stoel zat met haar knieën een beetje wijd zodat je onder haar rok kon zien waar de kousen ophielden en het witte dijbeen in de heerlijke schemer begon. Ik moet je vertellen dat ik nooit zo'n plaatje heb gevonden. Het was me altijd net iets te smerig, te vies en te brutaal. Op een keer ben ik met mijn fototoestel naar een model toegestapt. Ik wilde de zolang en zo hevig door mij begeerde foto maken. Het was een aardig meisje op een kamer in een hoerenbuurt. "Wat wilt u?" vroeg ze, "zwepen, dieren, kunstpikken, leren riemen, zwarte maskers of is het u om mijn blote kont te doen misschien?" Ik vertelde haar wat ik wilde. Ik zei haar op een stoel te gaan zitten en haar knieën een stukje van elkaar te doen. Ik zag meteen dat ze lange nylons droeg. "Niet zo wijd die knieën," mompelde ik, "het is mij maar om een heel kleine inblik te doen, de foto moet werkelijk verleidelijk zijn, in ieder geval heel natuurlijk. Ik wil u er in zijn geheel op hebben, maar het is me alleen om het kleine stukje dij onder de rok te doen." Het meisje trok als een debiel haar rok omhoog zodat de hele santekraam bloot kwam te liggen, jarretels, dijen, slipje en buik. "Nee!" gilde ik, "dat lijkt toch helemaal nergens op. Ik wil u normaal hebben. Helemaal gekleed op een stoel, met blouse aan en die fluwelen rok precies op uw knieën. Misschien zoudt u eerst eens willen gaan zitten met uw knieën tegen elkaar en de punten van de schoentjes tegen elkaar, maar uw hakken zo ver mogelijk uit elkaar. Dat vind ik altijd zo'n leuk gezicht bij meisjes, en de volgende foto met de knieën ongeveer drie centimeter uit elkaar..." Het meisje begon te blozen. Ze riep haar herdershond, ging op bed liggen en liet zich berijden door het dier. De hond was er klaarblijkelijk op afgericht. "Maak hier maar foto's van," riep ze, "maar die viezigheid van u, daar ga ik niet op in, helemaal gekleed, alleen een centimetertje zus en zo, bah! wat bent u een smeerlap. Zeker zo'n ambtenaartje. Wat denkt u eigenlijk van mij? U wilt echt smerige prentjes maken, hè? En dan de foto's op de rechtbank of op het ministerie laten zien! Echt van die halfzachte, smerige foto's voor kleine jongens." "Maar dat met die hond dan?" vroeg ik, "vindt u dat niet afgrijselijk?" 'Dat beest heeft tenminste karakter en natuur," zei ze giftig, "Hector, pak de viezerik." De hond sprong grommend op me af en beet me in mijn kuit. Ik liet mijn toestel vallen en rende hals over kop de straat uit. "Viezerik, viezerik!" riepen overal de vrouwen uit hun ramen. Ik begreep niet hoe ze konden weten van mijn geval. "Rooie Jannie is door de wol geverfd," hoorde ik iemand zeggen, "als die een vent door haar hond laat bijten dan moet hij het wel heel smerig hebben gemaakt. God o God, en wij moeten vaak al zover gaan. Gisteren was hier nog iemand die vroeg of ik op zijn teen wilde zuigen en een jaar geleden heb ik zo'n schoft hier gehad die beweerde dat hij een stijve neus zou krijgen als ik een bepaalde beweging maakte. God o God, er zijn toch rare kostgangers op de wereld!" Het was verschrikkelijk! Ik moest werkelijk door een hel om aan mijn trekken te komen. Nu pas begrijp ik goed het gezegde van Plato dat een man is als een luchtschip, getrokken door vier paarden. Twee trekken hem aan de onderbuik naar omlaag en twee aan het hoofd naar boven. Het is heel makkelijk om naar beneden te gaan. Moeilijker is het om een horizontale lijn te beschrijven en pas echt ingewikkeld wordt het als je een beetje wilt stijgen! De stapel bladen die ik op mijn kamer moest verbergen werd steeds groter en zwaarder. Ik schaamde me voor de werkster en voor mijn vrouw. "Op een dag houden ze grote schoonmaak en dan vinden ze de hele mikmak," dacht ik. Maar dat ogenblik werd nog even uitgesteld. Op een avond toen mijn zoontje in bed lag en mijn vrouw toevallig een tamelijk lange, zwarte fluwelen rok aan had, en een witte blouse en een zilveren hanger met een donkerblauwe steen om haar hals, ging ik voor haar op de grond zitten en we praatten over koetjes en kalfjes. Ik wist dat ze nylons droeg. Op een gegeven moment vroeg ik haar: "Zou je je knieën niet een klein stukje van elkaar willen doen?" "Waarom in vredesnaam?" vroeg ze. "Omdat ik dan zo leuk naar binnen kan kijken," zei ik, "je kunt je niet voorstellen hoe leuk ik het vind om mijn blik te laten dwalen in het schemer onder je rok." "Je bent een mallerd," zei Yvonne, "en je hebt de vreemdste wensen, maar voor deze keer wil ik het voor je doen." "Je mollige dijen kleven aan elkaar," lispelde ik, "wat heb je een prachtige witte dijen, als je steeds je knieën van elkaar en weer tegen elkaar doet zie je hoe het raakvlak tussen de dijen zich smakkend en plakkend naar achteren begeeft, het vlees wil als de lippen van een zwijgend mondje niet van elkaar. Het is het mooiste dat ik ooit heb gezien. Het is het wonderlijkste 'Sesam open u' dat ik ken. Het is prachtig om te zien hoe dat witte vlees eigenlijk niet van elkaar wil! En beweeg nu eens met je knieën langs elkaar, o wat prachtig, nu is het net of er een krekeltje onder je rok sjirpt!" "Je bent een raar ventje," zei Yvonne, maar ze deed het tenminste voor me. "Je moet niet denken dat ik iedere avond zo'n voorstelling voor je geef," zei ze, "ik kan maar niet begrijpen wat jij toch voor een vreemde vent bent. Als je dit zo mooi vindt, waarom ben je dan niet wat vuriger in bed?" Een maand lang deed ik mijn uiterste best om mijn vrouw zo goed mogelijk te beminnen, ik wilde de meest uitgelezen minnaar voor haar zijn. Ik vond het echter niets gedaan in het donker onder de dekens. Dat gehijg en gekreun!

Dat zweet! En weet je waar het hem nu eigenlijk allemaal in zat? Het kwam omdat ik zelf zo graag een vrouw wilde wezen. Het vleselijke verkeer kostte mij werkelijk de grootste moeite. Tegenwoordig is dat allemaal anders, maar er is een tijd geweest dat ik zo jaloers was op Yvonne dat juist zij een vrouw was dat ik in bed helemaal niets kon verrichten. Op een avond had ze weer die fluwelen zwarte rok aan, het was een maand later. Ik haalde nu mijn fototoestel en vroeg of ik foto's van haar mocht maken terwijl ze haar knieën een klein stukje van elkaar deed! En toen was de wereld te klein. Wat of ik wel dacht? Was ze misschien een hoer? Ze schold mij uit voor alles wat vies, afstotelijk en lelijk is. Het lukte mij niet om het plaatje in bezit te krijgen. Afschuwelijk overigens dat een doodgewone foto zoveel voor een mens kan betekenen.' Het vuur dreigde uit te gaan en ik wierp er weer wat blokken op, ik keek mijn vriend die even zweeg, lang aan. 'Dat wist jij allemaal niet van mij, hè?' vroeg hij, 'maar straks komt er nog veel meer, je oren zullen ervan tuiten.' 'En heb je dat allemaal nodig om die geschiedenis met Peeters in een duidelijk daglicht te stellen?' vroeg ik. 'Zeker,' zei hij, 'en nu ik eenmaal begonnen ben wil ik je ook alles vertellen. Maar denk nu niet dat ik een viezerik ben, het heeft alles te maken met het feit dat ik zelf zo graag een vrouw wilde zijn, dat is me later pas duidelijk geworden.' Ik schonk nog twee glazen whisky in, ik stak een sigaar op en Jos ging door:

'Een jaar later werd mijn dochtertje Esther geboren. Men zou zeggen: "Wat een gekke boel is dat toch, aan de ene kant een normaal huwelijksleven, een zoontje van drie, een lieve vrouw en pas een dochtertje erbij, en aan de andere kant die malle afwijking." Ik had misschien een psychiater moeten zoeken, hoewel ik op de lange duur zelf de oplossing heb gevonden. Nu ja, in ieder geval begon ik weer pornografische tijdschriften te kopen. Juist in die winkels voelde ik mezelf vies. Daar stond of lag ik op de grond in mijn nette pak, met mijn diplomatenkoffertje naast me, te woelen in de stapels tijdschriften. En weet je, als ik dan iets gevonden had, durfde ik niet naar de toonbank te lopen en af te rekenen. Het liefst stopte ik het blad heimelijk in mijn koffertje en verdween dan als een dief uit de winkel. Ik deed dat niet uit gierigheid maar omdat ik me schaamde tegenover de verkoper. Als ik betaalde liep ik schoorvoetend naar de toonbank en vroeg dan bedremmeld, aan de verkoper, met een schuldige blik in mijn ogen en het rood van opwinding op mijn wangen: "Zou ik dit blad mogen hebben?" Hij bladerde het dan door met een gezicht van: "God, dat we ook nog zulke smerigheid in huis hebben, de mensen lopen toch met de vreemdste afwijkingen rond. Dit is nu een echte heer en hij heeft hier een uur op zijn knieën gelegen in het stof om iets van zijn gading te vinden. Er is nog geen naakte vrouw bij en van de exotisch uitgebeelde paring is helemaal geen sprake." Dan zei hij bijvoorbeeld met een pokerface: "Dat is dan vijftien gulden," terwijl het tijdschrift al vijftien jaar oud was, helemaal beduimeld, terwijl de blaadjes met de meest vunzige prenten maar vijf of acht gulden kostten. Dan zette ik mijn koffertje neer en keek nog even naar de andere mannen. Ik hoopte dat ze niet zagen dat ik inderdaad wat kocht. Ik diepte mijn portemonnee uit mijn zak, liet vervolgens het blad en mijn geld op de grond vallen. Ik bukte me om alles op te rapen en het spookte door mijn hoofd: "Schoft, schoft!" Met afgewende blik, ik durfde de verkoper niet aan te zien, en met trillende hand gaf ik hem twee tientjes. Dan gaf hij mij vijf losse guldens terug. Vaak beefde ik zo dat de guldens in mijn mouw en op de grond terechtkwamen. Ik stamelde "dankuwel" en dook naar de grond om het geld op te rapen. Wat een vernederingen allemaal. Dan zette ik mijn koffertje op de toonbank en de verkoper zag mijn broodtrommeltje, mijn tandenborstel, mijn boeken en mijn paperassen. In een zijvakje van de tas stopte ik het tijdschrift. Met een deftig klakgeluid ging het koffertje weer dicht, het paste helemaal niet bij een vieze oude vent, en dan kon ik opstappen. Onderweg naar het busstation liep ik me steeds meer op te winden: "Ik heb iets bijzonders in mijn koffertje, ach! kon ik het nu maar eens goed bekijken." Ik zag de mensen naar mij kijken en het was net of ze door het leer van mijn koffertje heen konden zien en mijn buit bekeken. In de trein heb ik ooit een jongen gezien, van ongeveer twintig jaar – er zaten nog drie andere heren in de coupé van wie ik er een was – die zomaar uit zijn tas een blad pakte en plaatjes van parende mensen ging zitten bekijken. Ik had grote eerbied voor die jongen. "Een gewone jongen," dacht ik, "dat is iemand zonder schaamte en schuldgevoel. Die blaadjes circuleren bij duizenden op de markt en ze hebben handelswaarde, iedereen weet ervan, waarom zo heimelijk en huichelachtig doen? Het komt allemaal door mijn gereformeerde opvoeding. De mens is geneigd tot alle kwaad en er kan niets goeds uit hem komen." Ja, ik had grote eerbied voor die jongen en hoopte nog eens zo te worden, gewoonweg uitkomen voor je verlangens en heimelijke begeerten. Zo was ik eens op een psychologische keuring en moest schriftelijk de zin afmaken: "Heimelijk verlang ik er weleens naar om..." Ik maakte ervan: "... om een meid van de straat, een lekkere del te neuken als mijn vrouw er maar niet achterkomt." Later werd ik juist op grond van die zin afgekeurd. De psycholoog beweerde dat ik achterbaks was. Ik heb dat altijd vreemd gevonden: men zegt toch niet: "Heimelijk verlang ik weleens naar een nieuw bureaulampje?" Nu ja, ik liep op straat en het was net of iedereen naar me keek: "Daar gaat weer een slachtoffer van de pornografie." Toen ik op het busstation kwam ging ik snel naar het toilet, opgewonden en zwetend opende ik mijn koffertje om het tijdschrift nu eens beter te kunnen bekijken. Meisjes met een borst bloot die hun lippen aflikten. Zwarte nylons, wit dijvlees, hoge hakken. Jurkjes met een diepe inkijk. Daar zat ik dan een uur naar te turen. De toiletjuffrouw hoorde het maar ritselen in het hokje en vaak kwam ze tenslotte vragen of ik onwel was geworden. Dan ging het blad weer snel in mijn koffertje en kwam ik naar buiten alsof ik een misdaad had begaan. Vervolgens kocht ik bloemen voor Yvonne en ging naar huis. Ik gaf de bloemen aan mijn vrouw en beweerde dat ik had moeten overwerken. Yvonne haalde altijd zelf het broodtrommeltje uit de koffer en dan was ik weer bang dat ze iets zou zien in het zijvak. Dat is gelukkig nooit gebeurd. Als ze aan het afwassen was, bracht ik mijn koffer naar mijn kamer en borg het tijdschrift op bij de andere bladen. Zo heb ik me jarenlang een dief in mijn eigen huis gevoeld. Het was werkelijk een smerige en afschuwelijke tijd. En het ergste van alles was dat de foto die ik eigenlijk zocht nooit bij de door mij gevonden waar zat.

In die tijd had je juist de seksuele revolutie. Ik was toen ongeveer drieëndertig jaar en veel van mijn kennissen meenden een achterstand te moeten inhalen. Velen hadden een grote slaapkamer met een bar bij het bed. Aan de bar werd je dronken gevoerd en dan werd je in bed getrokken. Ik vond dat iets walgelijks: ik heb nooit gehouden van geslachtelijke omgang met vrouwen van vrienden en kennissen, uit verhalen van andere mensen wist ik dat daar altijd de grootste ellende uit voortkwam, niet zelden een echtscheiding en ik wilde helemaal niet van Yvonne weg. Ja, ik wilde strijden tegen mijn opwinding en mijn afwijking. Ik was in alle opzichten normaal, alleen op één puntje was ik afwijkend en ik was mild genoeg om het mezelf vaak te vergeven. We waren eens op een groot feest en toen ben ik echt boos geworden. We zaten in een grote kamer en er waren wel vijftig mensen die allemaal gezellig met elkaar babbelden en zaten of stonden te drinken. Maar tegen tienen waren Yvonne en ik nog maar met vier andere mensen over en wij begonnen door het huis te dwalen. Vanachter een deur klonk gestamp en gezucht. Een jongetje kwam met zijn hoepel over de gang en lachte tegen ons. "Ik zou daar maar niet naar binnen gaan," zei hij. "Waarom dan niet?" vroegen wij. "Dat is de hijg- en zuchtkamer," zei hij. We begrepen niet wat hij bedoelde en openden de deur. Daar rezen en daalden gewoon op de vloer zeker zesendertig buiken en tweeënzeventig billen van mannen en vrouwen op elkaar. Het gehijg was inderdaad niet van de lucht en de zweetlucht was onbeschrijfelijk. "Walgelijk," zeiden Yvonne en ik tegelijk en we verlieten het huis om er nooit terug te keren. Onderweg hadden we het erover dat wij het nooit zover zouden laten komen. Ik gaf mijn vrouw groot gelijk: niets vond ik smeriger dan op een feest een meisje te ontmoeten en een half uur later bloot op haar te liggen rijden. "Er zijn geen normen en waarden meer," zei ik tegen Yvonne. "Gelukkig dat je het met me eens bent," sprak ze, "we leven werkelijk in een waardeloze maatschappij." Een paar maanden later gaf ik zelf een feest. De deuren van alle kamers stonden open, het was de bedoeling dat de mensen ook naar de zijkamers, de slaapkamer en mijn studeerkamer zouden gaan om daar te praten en naar muziek te luisteren. We hadden een poes en die heb ik de hele avond niet gezien. Het was een feest ter gelegenheid van het afstuderen van Yvonne. Ze heeft zeker twintig bossen bloemen gehad en Jacob Lever heeft een nieuw verhaal voorgelezen. Er werd geen wanklank gehoord en ik was erg in mijn nopjes toen het feest was afgelopen: eindelijk had ik weer een vriendelijk, beschaafd, gewoon ontspannen feest meegemaakt zonder allerlei vieze bijbedoelingen van de bezoekers. We begonnen de rommel op te ruimen en alle bloemen in vazen en teilen te zetten. Ik was aan het afwassen en hoorde ineens Yvonne gillen op mijn kamer. Ik rende ernaartoe en zag de hele vloer tussen het bureau en de sofa bezaaid met pornografische tijdschriften. Nu was alles uitgelekt. De kat was in het kastje onder mijn bureau gekropen en zodoende was alles eruit gevallen. "Viezerik!" krijste Yvonne, "waar heb je al die bladen vandaan en wat kosten die wel niet? Wat doe je er eigenlijk mee? En hoeveel gasten zullen er niet op je kamer zijn geweest en zich hebben verlustigd aan de aanblik van de vieze rommel op de studeerkamer van meneer Jos? Ik schaam me diep." Ik vertelde haar dat ik het al jaren deed en dat het een heel pijnlijk geval voor me was. Ik was in staat om de kat een trap te verkopen. Maar ook maakte een gevoel van opluchting zich van me meester: ik hoefde nu niets meer voor Yvonne verborgen te houden. "Ik schaam me nog meer voor jou dan voor die mensen in die zogenaamde hijg- en zuchtkamer," zei ze, "die mensen doen het tenminste openlijk maar jij knijpt de kat in het donker." Ik begon te huilen en omhelsde Yvonne, die mij wild van zich afstootte. "Je bent een monster," zei ze, "jarenlang heb ik een adder aan mijn borst gekoesterd." Ze zweeg een tijd en keek me bestraffend aan. "En jij altijd met je moraliserende praatjes," zei ze, "'ook al gaat het in een huwelijk niet zo goed, dan moet je tegenover de buitenwacht nog altijd de schijn ophouden van iets moois en teders,' dat zeg jij toch altijd? Waar blijf je nu? Waarom heb je er nooit met me over gepraat? Waarom moest dat allemaal zo in het verborgene gaan?" Ik bekende schuld en nam me voor om nooit meer zo'n blad te kopen. Dat besluit viel me tamelijk makkelijk omdat, zoals ik al gezegd heb, ik nooit de foto gevonden heb waar ik op zat te wachten. De open haard brandde nog en we hebben alle bladen in snippers erin gegooid. Het heeft twee uur lang gebrand als een hel. Na drie weken was de ruzie bekoeld en kon ik weer gewoon met Yvonne omgaan.

Dat is het eerste deel van het verhaal. Een half jaar ging voorbij en toen ging Yvonne een week naar haar moeder met de kinderen. Ik was blij nu eens alleen te zijn want er was een ander idee in mijn hoofd gerijpt. Zes maanden lang had ik als een gewoon en eerbaar burger, een keurig mannetje geleefd zonder bezoeken aan sekswinkels. Maar nu Yvonne er niet was en ik in haar kleerkast keek, bekroop me het verlangen om me eens in haar kleren te hullen. Ik vond een pruik en trok haar kleren aan. Ik heb een kleine maat schoen en Yvonne juist een grote. Zowaar, de schoenen pasten mij. Ik begon me op te maken en was dolgelukkig. Vaak heb ik me sindsdien verkleed. Maar Yvonne mocht er niets van weten. Dat was moeilijk, want ik was nu eenmaal niet vaak alleen thuis. Op een keer zou ik een week naar een congres gaan waar ik ruimschoots over vrije tijd kon beschikken. In Amsterdam kocht ik dameskleren en een pruik. Als dame reed ik door de stad. Nu durfde ik ook de straat op als vrouw verkleed en mijn hart sprong op van vreugde toen een jongetje aan mij vroeg: "Mevrouw, kunt u me ook vertellen hoe laat het is?" Nog mooier was het als iemand me vroeg even te helpen bij het oversteken van de straat. En het fijnste van alles was als er mannen naar me floten. Nu geloof ik ook dat ik er toen appetijtelijk uitzag. Ik had toen nog geen buikje. Ik hoorde van een vereniging van transvestieten en transseksuelen, genaamd "TenT", en ik ging daar op een woensdagavond heen. Nu was ik onder soortgenoten. Ik bepraatte met een aardige man die er nog beter uitzag dan ik, waarom we het eigenlijk deden. We wisten het niet, het was een tomeloze drift. Ik zag daar een man die geheel als man gekleed was, alleen had hij een beha over zijn overhemd heen aan, dat was een mal gezicht. Er was ook een oud kereltje dat bij zijn gewone pak alleen maar een pothoedje met een voile droeg. Ik voelde me daar toch niet helemaal thuis. Ik heb een uur zitten praten met een meisje van wie de jongen ook die neiging had, ze wilde nu eens precies weten hoe het zat. Toen ik weer naar huis ging, nadat het congres was afgelopen, moest ik alle kleren, de schoenen en de pruik wegdoen. Ik wist niet hoe ik de spullen moest verbergen voor

Yvonne en een ontdekkingsscène van de contrabande wilde ik in geen geval voor een tweede keer hebben. Ik werkte toen nog steeds op de bibliotheek van het ministerie en op een keer versprak ik me. Ik zei namelijk tegen een collega dat ik best secretaresse van de minister wilde worden. Mijn collega lachte en deed of ik me versproken had. Maar ik meende het in alle ernst! Op een avond ging Yvonne naar een concert, het was een heerlijke zomeravond, windstil en een warme temperatuur. Ik wendde hoofdpijn voor en zei dat ik alvast naar bed ging. Yvonne legde de kinderen in bed en de babysit werd afgezegd. Nu had ik het huis alleen voor mezelf. Nadat ik haar de deur dicht had horen slaan, wachtte ik nog vijf minuten. Toen kleedde ik me uit en dook in Yvonnes garderobe. Een uur later bevond ik mij in de begeerde toestand: ik zag er als een vrouw uit. Ik had veel sieraden om en droeg een lange jurk. Ik had een korte blonde pruik op en had me uitdagend opgemaakt. Ik wilde juist de straat opgaan toen ik iemand in het sleutelgat hoorde morrelen. Het was Yvonne! Mijn hart stond bijkans stil van schrik. Ik verschool me gekleed in bed, dwaas genoeg hoopte ik dat ze me daar niet zou vinden, de pruik had ik snel onder het bed gegooid. Yvonne klopte op de deur van de slaapkamer. Dat is een heel nobele eigenschap van haar: of ik op mijn kamer ben, in de slaapkamer of onder de douche, altijd klopt ze. Met bonzend hart hoorde ik haar de kamer binnenkomen en ze zei: "O o, wat lig je weer mal. Wacht, ik zal het bed even opmaken." Met een liefderijk gebaar haalde ze het laken en de dekens van me af en voor de tweede keer dat jaar begon ze te gillen: "Wat doe je in mijn kleren? En wie heeft je gezicht zo toegetakeld? God, wat een afwijkingen heb jij." Mijn hart deed pijn, ik schaamde me. Tegelijkertijd wilde ik uit bed komen en haar afrossen. Ik wilde nu eindelijk weleens mezelf zijn. Maar toen ik zag dat ze op het voeteneind van het bed ging zitten huilen, dat ze helemaal radeloos was, werd mijn hart week, ik had medelijden met haar omdat ze met zo'n vreemde man door het leven moest. Het is krankzinnig, maar niets kan een vrouw zo tot wanhoop drijven als een verkleedpartij van haar man. Andersom is dat toch helemaal niet het geval. Nu ja, het is zo en we moeten ons erbij neerleggen. Terwijl ik me stilzwijgend uitkleedde zat ze te snikken: "Je hebt me bedrogen en je hebt je verkleed, alles wat mal is vind jij leuk." Ik trok mijn pyjama aan en toen begon het grote verhoor. Ik vertelde van het congres, ik vertelde haar dat ik als vrouw door Amsterdam had gezwalkt en dat niemand mij had herkend. Ik bekende haar dat niets mij zo opwond als rondlopen in dameskleren. Ik zei haar dat het me speet niet als vrouw geboren te zijn. Ja, ik bekende haar dat ik het liefst eigenlijk een hoer zou willen zijn en in een roodverlicht kamertje op de begane grond in het centrum van Amsterdam zou willen zitten. Ze begreep er niets van. Ik moest van Yvonne naar een psychiater maar ik had er geen zin in. Daar hebben we heel wat over gekibbeld. Ik beloofde Yvonne om me nooit meer in dameskleren te hullen. De hevigheid van haar gesnik op het moment dat ze mij in gordeltje en nylons zag, zal me altijd bijblijven. Ik begreep dat ik haar groot verdriet had gedaan en ik nam me voor niet meer zo gek te doen. Ook dat hield ik een half jaar uit. Op weg naar mijn werk maakte ik nu vaak wandelingen naar de hoerenbuurt en hier en daar vroeg ik aan de dames wat het kostte. Ik weet niet precies wat het was. Ik geloof niet gezozeer dat ik Yvonne wilde bedriegen, ik wilde niet alleen gelaten worden met mijn problemen. Yvonne is helemaal niet zo wulps en ik had het idee dat de hoeren dat wel waren. In ieder geval dacht ik mijn moeilijkheden met de meisjes van plezier te kunnen uitpraten. Op een dag zag ik een bijzonder aardig meisje. Mollig, blond, verleidelijk en leuk. Ik ging naar kantoor en dacht de hele dag aan haar. Toevallig was het juist betaaldag. In die tijd kregen wij nog ons geld in bruine envelopjes en niet op de giro gestort. Ik wist het nu zeker, ik zou naar dat meisje toegaan, ik weet niet precies waarom, ik begrijp het nu nog niet. Ja, ik wilde over kleren praten en ik wilde haar tussen de knieën kijken onder haar rok, ik wilde me verkleden, ik wilde over de foto's praten. Mijn gehele afwijking kwam in zijn meest onzinnige en afstotelijke vormen in mijn bewustzijn weer bovendrijven: ik zocht een geheime bondgenote, dat was het eigenlijk. "Fotobladen, dat lekt altijd uit, die kan ik niet verbergen. Thuis als vrouw gekleed gaan, dat lukt ook niet, alles wordt ontdekt, maar als ik af en toe naar de meisjes van plezier ga, dan kan dat helemaal onopgemerkt," dacht ik. De hele dag peinsde ik over het meisje dat ik in haar roodverlichte kamertje had gezien. Het was een Marilyn Monroe-type. Ik geloof dat ik die dag op de bibliotheek werkelijk alles fout heb gedaan. Op een gegeven moment vroeg Pim, mijn collega, of ik me wel goed voelde. Het was toen drie uur in de middag. We hadden juist ons geld gekregen. Het idee rijpte bij mij in drie seconden: ik zou vijfentwintig gulden uit het loonzakje nemen, ik verdiende veel geld en aan een boom zo vol geladen zou Yvonne een pruimpje niet missen, bovendien zou ik vijfentwintig gulden uit de fotokopieer-kas nemen. Mijn chef vertrouwde me volkomen wat het beheer van de kas betrof en soms zaten er honderden guldens in. Ik keek mijn collega aan en zei: "Ik voel me inderdaad niet zo lekker, ik voel me ziek, ellendig en misselijk. Kan jij de tent niet van me overnemen voor de rest van de middag?" In de zaal zaten drie studenten en een staatssecretaris. Ik kan het me allemaal nog haarscherp herinneren. Ik keek naar die mensen en dacht: "Wanneer gaan jullie toch eindelijk leven? Neem het er toch eens een keertje van!" Mijn collega ging nog even naar zijn kamer en ik bleef achter aan het grote bureau op de zaal. Met groot gemak kon ik vijfentwintig gulden uit de kas nemen. Trillend van opwinding maakte ik het loonzakje open en haalde daar ook vijfentwintig gulden uit. De twee briefjes stak ik in mijn borstzakje. Pim kwam weer binnen en ik maakte dat ik wegkwam. Ik was te opgewonden om de tram of een taxi te nemen en ik rende in een half uur de hele stad door op weg naar mijn vermaak. Ik dacht eenvoudigweg niet aan Yvonne. Bezweet kwam ik in de nauwe straat aan waar de meisjes zaten. 'Marilyn' was er nog. Ik ging bij haar binnen en gaf haar het geld. Nu was ik met een vreemde vrouw die tot alles bereid was in een klein kamertje. De gordijnen gingen dicht en ik vertelde haar mijn verhaal. Ik streelde haar en vroeg of ik haar kleren aan mocht trekken. Ze vond alles grappig en vertelde dat ze Konnie heette. "Als het maar niet langer dan veertig minuten duurt," zei ze. Konnie kleedde me in haar zwarte ondergoed en maakte me op. Ik was zo opgewonden, vooral toen ze als sluitstuk mij haar pruik opzette en ik in de spiegel mocht kijken hoe het resultaat was geworden, dat ik meteen met haar in bed dook. Nu ja, wat zal ik je vertellen? Muziek was er niet bij nodig, zoals Isaak Babel zegt. Het was werkelijk verrukkelijk. Nu had ik iets dat geheel voor Yvonne verborgen kon blijven en dat mij toch bevredigde. Ik liep langzaam naar het station, daar kocht ik bloemen en toen ging ik naar huis. Nu snap ik niet meer hoe ik zo heb kunnen wezen, maar die grap heb ik zes keer herhaald. Ik droomde 's nachts van Konnie, ik had een geheim dat mij gelukkig maakte. De gehele maand leefde ik ernaartoe. Een prachtig, lenig, wit, mollig, soepel lichaam had ze. Op een keer had ze mij helemaal verkleed en opgemaakt. Ik zag er prachtig uit en mocht in de uitstalkast aan het raam op haar hoge stoel gaan zitten, ik liet behoorlijk veel van mijn benen, die in netkousen waren gehuld, zien. Drie mannen kwamen op straat voorbij mijn raam en ze floten. De vierde kwam aan het venster staan en vroeg me hoeveel een nummertje zou kosten. "Tweehonderdvijftig gulden," zei ik om het hem goeddeels onmogelijk te maken om met mij aan te pappen. Hij keek even in zijn portefeuille en sprak: "Top." Even later kwam hij binnen en zei tegen mij: "Wat ben jij een lekker stuk zeg, een heerlijk kippetje, een echte honnepon." Toen wilde hij met me naar bed. Konnie zat in een hoek van de kamer te giechelen om de malle geschiedenis. Toen de man met me in bed wilde duiken, hij trok me gewoon in de sponde, kwam Konnie me gelukkig te hulp. Ze was nu geheel naakt omdat ik haar kleren droeg en ze zei: "Mijn vriendin heeft juist de maand gekregen en nu kan ze geen nummertje maken." De hitsige man maakte veel stampij en zei dat hij uitgerekend voor mij gekomen was, niet voor haar. Hij voelde zich bedrogen maar nam ten einde raad toch genoegen met het gebruik van het lichaam van Konnie. Dolgelukkig ging ik naar huis: voor het eerst van mijn leven was ik voor een man een begerenswaardig object geweest. Een vrouw wilde ik zijn en anders niet. Ik kocht bloemen voor Yvonne en bedacht: "Nu breekt er een heerlijke tijd aan: dit kan zo allemaal nog wel jaren doorgaan..."

De laatste keer dat ik Konnie zag in het verboden vertrekje, zag ik ook haar man. We gingen samen naar buiten en hij stond haar op te wachten in zijn sportwagen. Het was een neger en ik was flink jaloers op hem. De maand daarop was ze nergens te vinden en ik ging naar een ander meisje dat me helemaal niet begreep. Weer kocht ik een bos bloemen en ging naar huis. In de bus zat ik haast te huilen omdat ik Konnie was kwijtgeraakt. Toen ik thuiskwam gaf ik Yvonne gedachteloos een zoen en gaf haar de bloemen. Droevig ging ik in mijn stoel zitten en hoorde ternauwernood van Yvonne dat we nieuwe buren hadden gekregen. We gingen eten en Yvonne vroeg of ik soms ziek was. Ik zei dat ik hoofdpijn had. Om acht uur, ik had een half uurtje gelegen, ging ik de krant halen, en wie daalde er tegelijk met mij de trap af? Konnie! Ze was met haar neger drie huizen verderop in onze flat in Zoetermeer komen wonen. Ik hoorde een buurman aankomen en zei heel schijterig tegen Konnie: "Goedenavond mevrouw, dus u bent onze nieuwe buurvrouw?" Ze droeg hoge witte laarzen en een korte rok, ze zag er smakelijk uit. We draalden allebei bij de brievenbus en toen de buurman weg was zei ze: "Zo Jos, dat is nou ook toevallig! Tegenwoordig zit ik niet meer in Den Haag maar in Amsterdam, zal ik je het adres geven? Ik kan daar veel meer verdienen." "Stil toch," zei ik, "dat kan wachten, ik woon hier met mijn vrouw en kinderen, ik zou me doodschamen als de zaak uitlekte. Mijn vrouw mag beslist niet van onze verhouding horen, knoop dat goed in je oren, Konnie. Het is krankzinnig: daar zoek ik je in Den Haag en nu vind ik je in Zoetermeer als mijn buurvrouw! Praat in godsnaam nooit in het openbaar over het voorgevallene." Ze lachte naar me en zei niets. Toen Yvonne me zag was ik zo wit als een doek. "Jij moet naar bed," zei mijn vrouw, "je bent doodziek, soms heb ik achting voor je omdat je zo'n doorzetter bent." Ik ging naar bed en huilde. Ik wist zeker dat de zaak zou uitlekken. Nu zag ik Konnie driemaal in de week, toevallig in het trappenhuis, een paar maal in de winkels en op een keer bood ze me een lift van het station naar huis aan. Het was een verschrikking! Ik durfde haar niet meer aan te zien. Ik schaamde me voor de zoveelste keer voor Yvonne. Een maand later had Yvonne haar arm gebroken en toen we in bed lagen, ik hoorde het zoete gebabbel van de kinderen uit de kinderkamer – kinderen kunnen zo lief zijn vlak voor ze inslapen, het lijkt wel of ze dan reeds een voorschot op hun dromen nemen – begon Yvonne ineens over de nieuwe buren. "Die nieuwe buurvrouw is heel aardig," zei ze, "ze ziet er misschien een beetje vreemd en opvallend uit, maar het is een aardig type. Ze draagt de boodschappen voor me nu ik mijn arm gebroken heb en ze vraagt of ik morgen koffie kom drinken..." Ik wilde het toen wel uitgillen. Ik drukte mijn gezicht in het kussen en zweeg. "Waarom zwijg je?" vroeg Yvonne, "je hoort toch wel wat ik zeg?" Ik vermande me en probeerde iets te zeggen. "De nieuwe buurvrouw?" vroeg ik schaapachtig. "Ach, je weet wel, die blondine die met die neger is getrouwd, hier drie huizen verderop," zei Yvonne en ze zuchtte. "Oh ik weet het al," mompelde ik. "Jij zal het niet weten," grapte Yvonne, "je hoeft voor mij niet te verhelen dat je zo'n type vrouw erg leuk vindt." "Je hebt gelijk," zei ik, "ze is inderdaad een schattige vrouw. En morgen ga je bij haar koffiedrinken? Dat is leuk. Je moet haar eens op bezoek vragen met haar man als ik ook thuis ben." Een half uur later lag Yvonne te slapen maar ik bleef woelen. Wat zou er in godsnaam gebeuren? Wat hing me nu weer boven mijn hoofd? Niet dat ik Konnie niet vertrouwde, maar ik wist zeker, ik had een bepaald voorgevoel dat de zaak zou uitlekken. Honderden gedachten tolden door mijn hoofd. Tenslotte bekroop mij zelfs het idee dat ik het bed moest uitsluipen en van huis gaan, weg van mijn bed en mijn vrouw om nooit weerom te keren. Tegen vijven, het werd al aardig licht buiten, het regende een beetje, maakte ik Yvonne wakker. "I... ik mo... moet je wa... wat vertellen," zei ik, "i... ik he... heb iets op te b... b... b... biechten." "Wat zullen we nou krijgen?" vroeg Yvonne slaperig, "kan je niet slapen?" Ik besloot dat het het beste was om in één keer alles eruit te gooien. Ik verzamelde al mijn moed en sprak: "Onze nieuwe buurvrouw heet Konnie en ze is een meisje van plezier. Ik heb zes keer haar kleren gedragen, ze heeft mij verkleed en ik ben zes keer met haar naar bed geweest voor geld..." Yvonne was stil. Daarna moest ik het haar nog eens zeggen want ze begreep het niet. Vervolgens moest ik met alle details voor de draad komen en een half uur lang heb ik liggen vertellen. Yvonne was stil, ze was kapot. Misschien nog meer dan door de vieze plaatjes en de solo verkleedpartijen. Nooit had ik haar zo meegemaakt. De volgende dag is ze inderdaad koffie gaan drinken bij Konnie en daar heeft ze twee uur lang over mij met mijn geheime liefde gesproken! Dat vertelde ze me niet onmiddellijk; pas twee maanden later zei ze iets meer tegen mij dan: "Wil je meer groente?" "Goedemorgen" en "Welterusten". Ik ging door een hel en voelde de hele dag, vooral in het weekend, het stille verwijt van Yvonne. Ik beloofde beterschap maar Yvonne geloofde er niet meer in. Toen heb ik me voorgenomen om nooit meer vreemd te doen en heel langzaam kwam onze verhouding weer een beetje op gang. "Ik moet beslist van die geilheid en die heimelijke verlangens zien af te komen," dacht ik, "je mag Yvonne het leven niet tot een hel maken." Toen besloot ik te gaan promoveren op een geologisch onderwerp. Na vier jaar werd ik cum laude doctor en nog eens twee jaar later ben ik professor geworden. Kijk Maarten, ik werk zo hard om mijn driften te vergeten. Ik schaam me een beetje, maar nu heb ik het tenminste allemaal opgebiecht...' 'En nu ben je van die neigingen af?' vroeg ik. 'Ik denk er nog weleens aan,' mompelde Jos, 'maar ik wil bepaald niet meer in mijn oude staat vervallen. Begrijp je nu waarom ik het zo vreselijk vind dat ik die kaart van Peeters heb ontvangen? Ik wil immers niets anders dan mijn verleden verdoezelen en nu schijnt er iemand iets van me te weten. "Het is maar een grap," zegt Peeters, maar er zal nog meer volgen. Begrijp je nu dat bange voorgevoelens mij bekruipen? Misschien is alles wel uitgelekt. Ik heb nu naam in de wetenschappelijke wereld, ik ben door Hare Majesteit aangesteld, mijn collega's en mijn studenten zien tegen mij op, ik ben iets, ik beteken iets. Begrijp je hoe erg het is om dan ineens voor een viezerik, voor een man die eigenlijk vrouw wil zijn, voor iemand die de kat in het donker knijpt, door te moeten gaan?'

'Het zal wel meevallen,' zei ik, 'één bliksemschicht maakt nog geen orkaan... Ik geloof werkelijk dat je je te veel kopzorgen maakt, hoewel ik niet begrijp wat de beweegreden van Peeters is. Hoe zat het nou precies? Hij stuurde je een kaart met een meisje erop en op de achterkant stond "ondeugd". Waarom zou je je daar nu zo'n zorgen om maken? Het is maar een kleinigheid, het is maar een grapje... hij wil je waarschijnlijk alleen maar eens uit je tent lokken.' 'Mij bevalt de zaak niet,' zei Jos, 'vooral omdat het Peeters is die het heeft gedaan. Je kent hem toch wel als schrijver van romans en polemieken? Hij vindt niets leuker dan zijn medeschrijvers door het slijk halen en belachelijk maken. Je hebt *Dwergen in Nederland* immers gelezen? Nu ben ik weliswaar geen schrijver en als zodanig heb ik niets van hem te duchten, maar toch ben ik als de dood voor zijn bijtende sarcasme. Als hij iets weet kan hij me maken en breken.' 'Het loopt heus zo'n vaart niet,' stelde ik Jos gerust, 'ga nu eens na wat er uitgelekt kan zijn. Je hebt me anders wel een mal verhaal verteld en het is inderdaad vreemd dat ik het nooit van je geweten heb dat jij die neigingen had.' 'Ik heb het jou verteld omdat ik wist dat je het nooit door zou vertellen,' zei Jos. 'Goed,' monterde ik hem op, 'we nemen nu nog een glaasje whisky en dan gaan we lekker naar bed. Morgen komt er weer een dag en die brengt raad.' 'Maar er komt nog meer,' jammerde Jos, 'en het ergste is dat hij blijkbaar iets van Konnie en mij weet.' Hij dronk zijn whisky met tegenzin en een half uur later lag hij in bed te woelen. Ik had het idee dat hij pas tegen vieren in de ochtend in slaap viel...

De volgende dag regende het nog steeds. We konden niet fietsen en namen onze boeken weer ter hand. Jos was onrustig, hij zat duidelijk op de postbode te wachten. De post kwam om drie uur. Er was maar één brief en Jos zag aan het handschrift van het adres onmiddellijk dat hij van Peeters afkomstig was. Hij rukte de enveloppe open en er kwamen twee foto's uitvallen. Eén plaatje was van een wulps meisjeshoofd van ongeveer vijfentwintig jaar. 'Maar dat is een foto van Konnie!' riep Jos vertwijfeld uit. Toen keek hij naar de andere foto, dat was een portret van Jos zelf op ongeveer vierendertigjarige leeftijd. Op de achterkant van zijn eigen portret had hij geschreven: 'Voor mijn lieve, kleine, wulpse Konnie van haar toegewijde Jos.' De ogen puilden Jos haast uit de kassen van schrik. 'Wat zullen we nu krijgen?' zei hij, 'gaat Peeters mij dan helemaal breken?' Ik probeerde hem gerust te stellen maar begon het zelf ook een vreemd geval te vinden. Omdat het regende en het voorlopig niet droog zou worden brachten we de huurfietsen weg naar de eigenaar, we pakten onze bagage in, we betaalden de buren voor het gebruik van het huisje en toen trokken we naar Groningen om het naadje van de kous in deze kwestie te weten te komen. Een paar uur later stonden we voor het huis Spilsluizen 17A in Groningen. Daar woonde die verschrikkelijke, die rampzalige en cynische Peeters. Een geoloog die zich meer aan het schrijven van bellettrie dan aan de bestudering van geologische onderwerpen wijdde. We belden aan en werden opengedaan door Arnold, de zoon van Peeters. 'Is uw vader thuis?' vroegen wij, 'en zo ja, kunnen wij hem dan even spreken?' Arnold had dolle pret. Het was beschamend zoals hij ons uitlachte. Vijf minuten later zaten we op de studeerkamer van Peeters. Deze bood een prachtig uitzicht op de gracht en was zeer ruim. Een bureau stond in het midden van de kamer, in de hoek hing een collage, het was geen centaur die werd afgebeeld, maar de prent had iets van de twintigste eeuw. Een Volkswagen stond op zijn kop en van boven ging het ding heel vloeiend over in een vrouwenlichaam op zo'n manier dat de wielen van de Volkswagen tegelijk de borsten van de vrouw waren. Een hele wand van de kamer was bedekt met rekken vol manuscripten. 'Peeters,' zei Jos, 'wat wil je toch van mij? Wat heb je in godsnaam met me voor? Wat heeft al deze onzin te betekenen?' En hij wierp de twee foto's die hij die dag ontvangen had voor Peeters' neus. Peeters begon te lachen en zei: 'Dat is heel eenvoudig uit te leggen. Ik wist niet dat je je de zaak zo aan zou trekken. Kijk, mijn zoon Arnold studeert in Parijs antropologie. Hij woont daar bij een Franse ingenieur in huis en die is getrouwd met een Hollandse vrouw. Het is een heel leuke buurt waar Arnold woont en vaak ziet hij hoe Simone de Beauvoir de blinde Sartre over straat leidt. Arnold voert weleens gesprekken met zijn hospita en nu is hij erachter gekomen dat zij, mevrouw Beauvirage de Clignancourt tegenwoordig, vroeger een meisje van plezier is geweest. Ze vertelde Arnold dat ze "in het oudste beroep" vroeger Konnie heette en dat zei hem natuurlijk helemaal niets. Langzaam is hij met haar op vertrouwelijke voet geraakt en twee weken geleden heeft ze hem een collectie foto's laten zien, allemaal prenten van aanbidders van vroeger. Arnold woelde de inhoud van de lade, honderden foto's, om en om en plotseling viel zijn oog op een portret van meneer Jos. Arnold herinnerde zich jou omdat hij een half jaar geleden hier thuis was in Groningen toen jij en ik dat artikel schreven voor

The American Geologist. Hij vond het erg grappig om jouw beeltenis in die verzameling foto's te vinden en las met rode oortjes de tekst op de achterkant van het portret. "Dat is leuk voor pa," heeft hij gedacht, "daar kan hij die Jos best eens leuk mee plagen." Verleden week is hij weer thuisgekomen en heeft mij de foto gegeven. Hij had ook een foto van Konnie zelf bij zich. Aanvankelijk wilde ik alles in de prullenmand werpen, maar toen bedacht ik dat het leuk zou zijn, een goede grap, om jou eens een hak te zetten: toen wij dat artikel schreven was jij zo hinderlijk eigenwijs. Jij wist het steeds beter dan ik, Jos, en dat kon ik toen niet zo goed verkroppen want ik ben nu eenmaal van mening dat ik altijd gelijk heb. Het is misschien een beetje kinderachtig van mij geweest, maar ik vond het nodig om op deze manier wraak te nemen: eerst heb ik je voor ondeugd uitgescholden en toen heb ik je die foto's van jou en Konnie gestuurd. God, als ik geweten had dat je er zo van zou schrikken zou ik het nooit hebben gedaan. En als ik geweten had dat jij bijvoorbeeld met je vrouw in het vakantiehuisje was had ik het ook niet gedaan. Ik heb je alleen maar even op stang willen jagen.' Peeters' vrouw kwam binnen met thee. Peeters zweeg en keek ons glimlachend aan. Toen zijn vrouw weer weg was zei hij: 'Zelfs mijn vrouw weet niet van het geval. De enigen die het nu weten zijn mijn zoon Arnold, ik, jij en Maarten. Ik vind het leuk om eigenwijze mensen een beetje te plagen. Daar komt bij dat ik al net zolang gepromoveerd ben als jij maar nog steeds geen hoogleraar ben, ook dat zit me dwars. Nu ja, en dat is eigenlijk de hele geschiedenis van de plagerij. Het spijt me als ik je te zeer gekwetst heb, dat was de bedoeling niet... en laten we het nu over iets anders hebben, zand erover...' We babbelden nog een uurtje over koetjes en kalfjes en daarna verlieten wij, nadat Peeters ons verzekerd had dat hij het verhaal aan niemand anders door zou vertellen, opgelucht het huis. 'Grote God,' zei Jos, 'daar ben ik me in twee dagen een jaar ouder geworden.' Dat is misschien waar, maar in de trein op weg naar huis zat hij toch vrolijk te neuriën en zachtjes te zingen...

Aantekening

'Het einde van kapitein O'Durrell', 'Een gil' en 'Slager op plezierboot' verschijnen in deze bundel voor het eerst in druk.

'Merel', 'Verdriet', 'Kreeft', 'Bacon-spek', 'Gangsters', 'Korte metten', 'Nieuwsgierigheid', 'Besluiteloosheid', 'Eiland More', 'De opdracht', 'Spreken in tongen', 'Van oude dingen', 'Mikkie' en 'Het schot' verschenen bibliofiel in *De merel* bij uitgeverij Bébert, Rotterdam, 1980.

Een aantal verhalen hieruit werd tevens gepubliceerd als volgt: 'Merel' in *Hollands Maandblad*, nr. 381–382, augustus/september 1979; 'Verdriet' in *Centrum*, veertiendaags informatie- en opinieblad van Academisch Ziekenhuis en Faculteit der Geneeskunde, Leiden, nr. 1, jrg. 10 (1980); 'Bacon-spek' in *Centrum*, nr. 2, jrg. 10 (1980); 'Gangsters' in *Propria Cures*, 3 november 1979; 'Korte metten' in *Propria Cures*, 10 november 1979; 'Eiland More' in *Ramp*, nr. 9, 1980; 'Spreken in tongen' in *VPRO-gids*, nr. 42 (20 t/m 26 oktober), 1979; 'Het schot' in *Centrum*, nr. 7, jrg. 8 (1978).

De overige verhalen in *Duizend vlinders* werden eerder gepubliceerd als volgt: 'Volwassen' in *Centrum*, nr. 18, jrg. 10 (1980); 'Bijgeloof' in *Centrum*, nr. 5, jrg. 10 (1980); 'Jacob en Ezau' in *Propria Cures*, 23 juni 1979; 'Het vestzakhorloge' in *De Tweede Ronde*, herfst 1980; 'Odor Dei' in *Hollands Maandblad*, nr. 391–392, juni/juli 1980; 'Kraaien' in het Cultureel Supplement van *NRC Handelsblad*, 18 juli 1980; 'Ziek in bed' in *Maatstaf*, januari 1981; 'Een gelukkige, oude dag' in *Centrum*, nr. 17, jrg. 10 (1980); 'Handwerk' in *Hollands Maandblad*, nr. 389, april 1980; 'Rex Mundi' in *Hollands Maandblad*, nr. 384, november 1979; 'Opstootjes' in *Centrum*, nr. 4, jrg. 10 (1980); 'Wilde zwanen' in het *Kerkblad van de Vereniging van Vrijzinnig Hervormden*, Kampen, december 1980; 'Verstoten' in *Centrum*, nr. 10, jrg. 10 (1980); 'Vrijgezel' in *Maatstaf*, oktober 1980; 'Op stap' in

Centrum, nr. 10, jrg. 10 (1980); 'Giuliano' in *Hollands Maandblad*, nr. 395, oktober 1980; 'Praktijkoverdracht' in *Centrum*, nr. 13, jrg. 10 (1980); 'Reisavonturen' in *Centrum*, nr. 11, jrg. 10 (1980); 'Job' in *De Tweede Ronde*, jrg. 1, eerste kwartaal 1981; 'Een goede grap' in *Maatstaf*, november 1979.